BIEN CALCULER LES DOSES

Julie Diotte, Diane Martin,

Mo...

GUIDE D'ÉTUDE INTERACTIF | MANUEL NUMÉRIQUE

ENSEMBLE NUMÉRIQUE

Guide d'étude interactif
Manuel numérique

Un seul accès pour tout le matériel numérique

INSCRIPTION de l'étudiant

1. Rendez-vous à l'adresse **mabiblio.pearsonerpi.com**
2. Suivez les instructions à l'écran. Lorsqu'on vous demandera votre code d'accès, **utilisez le code fourni sous l'étiquette bleue.**

Vous pouvez retourner en tout temps à l'adresse de connexion pour consulter le matériel numérique.

L'accès est valide pendant 5 ANS à compter de la date de votre inscription.

AVERTISSEMENT : Ce livre NE PEUT ÊTRE RETOURNÉ si la case ci-dessus est découverte.

ACCÈS de l'enseignant

Du matériel complémentaire à l'usage exclusif de l'enseignant est offert sur adoption de l'ouvrage. Certaines conditions s'appliquent. Demandez votre code d'accès à **information@pearsonerpi.com**

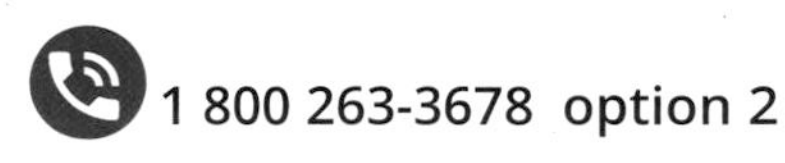

pearsonerpi.com/aide

W6101528 (A6101573)

1870

Bien calculer les doses,
un environnement d'apprentissage multimédia

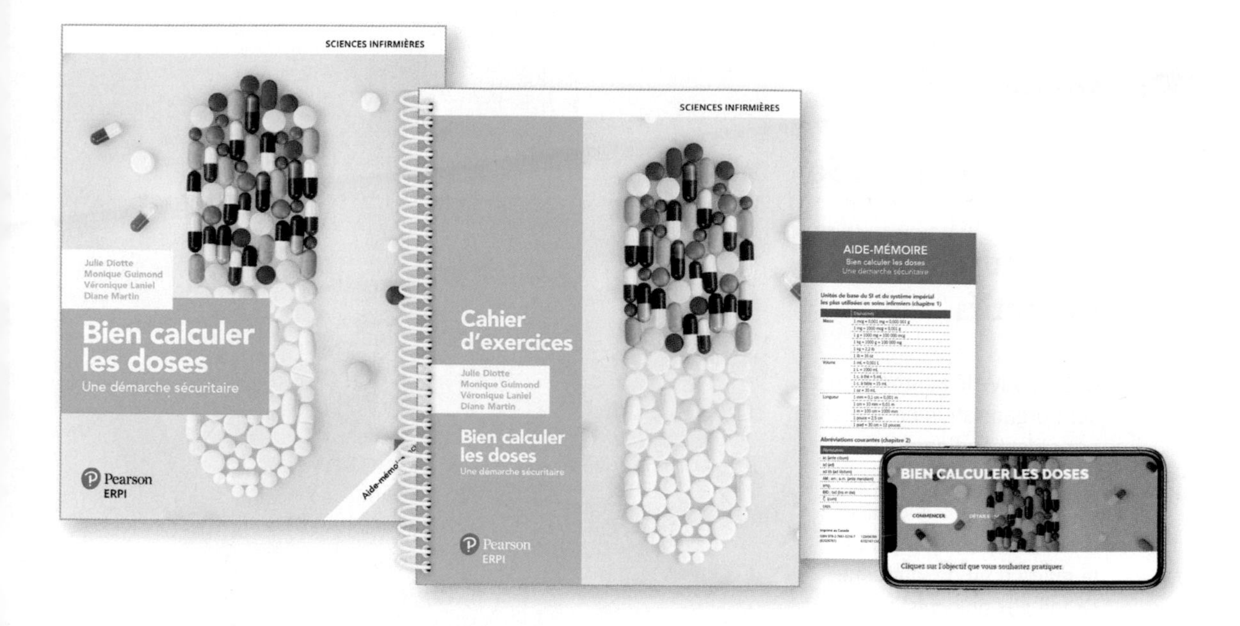

Pour comprendre :

- des démonstrations vidéo ;
- des animations ;
- des outils interactifs.

Pour pratiquer :

- des exercices GeoGebra avec données aléatoires ;
- des activités interactives.

Pour réviser :

- six situations cliniques interactives ;
- des liens vers les objectifs à revoir en cas de difficulté.

4 raisons d'utiliser
Bien calculer les doses

1

Un manuel, un cahier et un guide d'étude interactif structurés par objectifs

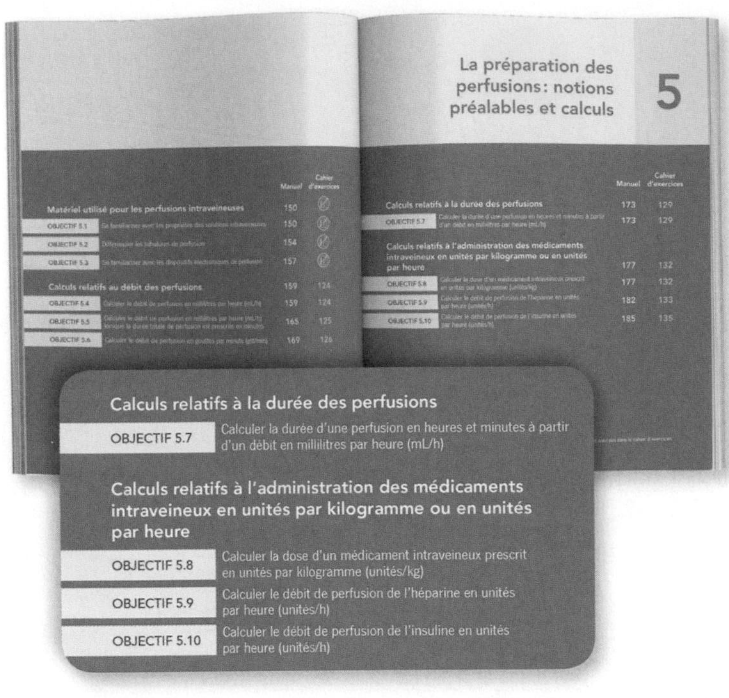

Cette nouvelle approche mise sur l'organisation de la théorie par objectifs d'apprentissage. Ceux-ci sont repris dans le manuel, dans le cahier d'exercices ainsi que dans le guide d'étude interactif. Grâce aux objectifs, vous pourrez mesurer vos progrès facilement et apprendre à votre rythme.

Une grande quantité d'exercices et de mises en situation

Dans le cahier, vous trouverez 200 exercices identifiés selon trois niveaux de difficulté. Dans le guide d'étude interactif, vous découvrirez des exercices avec données aléatoires et rétroaction automatique, pour bien vous préparer aux stages.

OBJECTIF 6.3 Convertir en livres et en onces le poids en grammes ou en kilogrammes du nouveau-né ou de l'enfant, et inversement

F ·········· F **6.1** Convertissez les poids suivants en kilogrammes.

A. Amélie pèse 33 livres. ________ kg

B. Laurence pèse 60 livres. ________ kg

C. Olivier pèse 18 livres. ________ kg

M ·········· M **6.2** Convertissez les poids suivants en livres et en onces.

A. Charlotte pèse 3,677 kg à la naissance. ________ lb ________ oz

B. Alexandre pèse 4,057 kg à la naissance. ________ lb ________ oz

D ·········· D **6.3** Trouvez le poids en kilogrammes.

A. Florence pèse 18 lb 4 oz. ________ kg

B. Étienne pèse 23 lb 9 oz. ________ kg

3 Une séquence d'apprentissage et une démarche propres à la pratique des soins infirmiers

Pour passer plus facilement de la théorie à la pratique, la démarche de préparation des médicaments en 5 étapes est reprise dans le manuel, le cahier et le guide d'étude interactif.

Étape 1	**Collecter les données**
Étape 2	**Analyser les données**
Étape 3	**Planifier la préparation**
Étape 4	**Calculer la dose**
Étape 5	**Vérifier le résultat obtenu**

4 Un guide d'étude interactif axé sur votre réussite

Accessible sur ordinateur, tablette et cellulaire, le guide présente des démonstrations interactives et des animations GeoGebra qui vous aident à mieux comprendre la matière. Des activités et des situations cliniques stimulantes vous permettent de vous exercer et de mieux réussir vos examens.

Vous en voulez plus?

L'**aide-mémoire** vous accompagne durant tous vos stages.

AIDE-MÉMOIRE
Bien calculer les doses
Une démarche sécuritaire

SCIENCES INFIRMIÈRES

Julie Diotte
Monique Guimond
Véronique Laniel
Diane Martin

Bien calculer les doses

Une démarche sécuritaire

ERPI

Développement éditorial
Karine Bastin

Gestion de projet
Sylvain Bournival

Révision linguistique
Jean-Pierre Regnault

Correction d'épreuves
Lucie Bernard

Recherche iconographique et libération de droits
Marie-Joëlle Charron et Rachel Irwin

Direction artistique
Hélène Cousineau

Gestion des réalisations graphiques
Estelle Cuillerier

Conception graphique
Carla da Silva Flor

Mise en page
Marquis Interscript

Développement du guide d'étude interactif
Geneviève-Anaïs Proulx

Membre du groupe Pearson Education depuis 1989

1611, boulevard Crémazie Est, 10e étage
Montréal (Québec) H2M 2P2
Canada
Téléphone : 514 334-2690
Télécopieur : 514 334-4720
information@pearsonerpi.com
pearsonerpi.com

Dépôt légal – Bibliothèque et Archives nationales du Québec, 2020
Dépôt légal – Bibliothèque et Archives Canada, 2020

Imprimé au Canada

ISBN 978-2-7661-0152-8 1234567890 SO 23 22 21 20
(82026761) 6101528 ABCD SM9

AVANT-PROPOS

Bien calculer les doses: une démarche sécuritaire est un tout nouvel ouvrage d'apprentissage et d'enseignement qui porte sur le calcul des doses des médicaments et sur leur administration sécuritaire. Il tient compte de la réalité actuelle des soins infirmiers et des responsabilités inhérentes à l'exercice de la profession infirmière en matière de préparation et d'administration des médicaments.

Ce manuel s'adresse aux étudiantes de la formation professionnelle, collégiale ou universitaire en soins infirmiers appelées à préparer et à administrer des médicaments. Il peut également servir d'outil de révision pour l'examen du droit de pratique donné par l'Ordre des infirmiers et infirmières du Québec (OIIQ) ou par l'Ordre des infirmiers et infirmières auxiliaires du Québec (OIIAQ). Il se révélera aussi une ressource précieuse pour les infirmières œuvrant en milieu de soins qui font face à des situations toujours plus complexes, ainsi qu'à celles qui souhaitent actualiser leurs connaissances pour répondre aux besoins grandissants des milieux de travail.

Le contenu de ce livre répond aux besoins des étudiantes qui veulent maîtriser la pratique sécuritaire de la pharmacothérapie. Le recours à une démarche sécuritaire de préparation de la médication en cinq étapes, intimement liée à la démarche de soins infirmiers, rappelle l'importance du rôle de l'infirmière lorsqu'elle prépare et administre des médicaments. Cette démarche sécuritaire en cinq étapes s'utilise pour le calcul des doses de médicaments administrés par voie orale, mais aussi par les voies parentérales.

Ce manuel contient aussi plusieurs sections dédiées aux réalités actuelles des soins de santé, comme l'insulinothérapie chez les diabétiques, la transfusion de produits sanguins, l'alimentation parentérale et les soins de fin de vie, ainsi qu'un chapitre portant sur la clientèle pédiatrique et ses particularités. Également, une section est consacrée au calcul des doses de médicaments habituellement destinés aux soins critiques.

Nous avons conçu cet ouvrage de manière à répondre aux besoins des étudiantes d'aujourd'hui. Les explications sont synthétisées, la structure est évidente et récurrente pour permettre un repérage rapide de l'information essentielle, notamment au moyen de listes à puces. La méthode de la formule et celle du rapport-proportion sont exemplifiées dans la plupart des modes d'administration afin de permettre au lecteur d'utiliser la stratégie qui lui convient le mieux.

Le premier chapitre est consacré à la révision des notions mathématiques de base. Tout l'ouvrage est structuré par objectifs. Les objectifs sont placés dans un ordre logique d'apprentissage et conçus de façon à offrir aux étudiantes une progression du niveau de difficulté. L'intégration de mises en situation offre l'occasion d'appliquer les notions vues dans le manuel tout en aidant au développement du jugement clinique.

Les illustrations de chacun des chapitres sont réalistes et actuelles. Elles se présentent sous forme de photos et de schémas, mais aussi de documents réellement utilisés dans les milieux de soins, tels les différents formulaires d'ordonnances, les formulaires d'administration des médicaments (FADM) et les étiquettes de médicaments. Tous ces éléments permettent aux étudiantes de se familiariser avec leurs rôles et facilitent l'acquisition des compétences nécessaires à l'administration des médicaments.

À chaque chapitre correspond une variété d'exercices étroitement associés aux notions apprises et qui suivent la structuration par objectifs du manuel. Tous les exercices sont regroupés dans un cahier séparé conçu de manière à permettre une progression graduelle, en passant du simple au complexe. Un symbole indique le niveau de difficulté de chaque problème, ce qui permet de différencier les apprentissages selon les besoins des étudiantes. Les solutions complètes se trouvent à la fin du cahier d'exercices.

LES AUTEURES

Julie Diotte, B. Sc. N., M. Éd.
Enseignante, Département des soins infirmiers
Cégep Saint-Jean-sur-Richelieu

Monique Guimond, B. Sc. inf., D.E.S.S. (enseignement au collégial)
Professeure, Département des soins infirmiers
Microprogramme du 2e cycle (santé internationale)
Collège Montmorency

Véronique Laniel, B. Sc. inf.
Enseignante, Département des soins infirmiers
Centre collégial de Mont-Laurier (Cégep de Saint-Jérôme)

Diane Martin, B. Sc. inf., D.E.S.S (enseignement au collégial)
Professeure , Département des soins infirmiers
Collège Montmorency

REMERCIEMENTS

L'éditeur tient à remercier les personnes suivantes pour leur précieuse participation à la recherche au début du projet. Elles ont gracieusement fait part de leurs pratiques et besoins afin d'aider à trouver les meilleures solutions pédagogiques aux difficultés des professeurs et des étudiants.

Julie **Benjamin**, Cégep de Maisonneuve
Josée **Bonnoyer**, Cégep André-Laurendeau
Yanick **Brochu**, Cégep de Thetford
Chantal **Champagne**, Cégep de Rosemont
Marie **Chiasson**, Cégep François-Xavier-Garneau
Sophie **Côté**, Cégep de la Gaspésie et des Îles
Jean-François **Desbiens**, Université Laval
Catherine **Dubois**, Cégep de Maisonneuve
Isabelle **Fortier**, Cégep de Bois-de-Boulogne
Brigitte **Gagnon**, Cégep de Sept-Îles
Martine **Guay**, Cégep du Vieux Montréal
Mélanie **Jean-René**, Cégep Gérald-Godin
Brigitte **Lapointe**, Cégep Montmorency
Cindy-Mélissa **Lavoie**, Cégep de Matane
Suzy **Lebreux**, Cégep de Matane
Catherine **Lévesque**, Cégep de Rimouski
Claire **Maisonneuve**, Cégep de l'Abitibi-Témiscamingue
Daniel **Morin**, Cégep Beauce-Appalaches
Kim **Ostiguy**, Université de Sherbrooke
Guylaine **Paquin**, Cégep François-Xavier-Garneau
Hélène **Simard**, Cégep de l'Outaouais
France **Théberge**, Cégep de Limoilou
Édith **Thériault**, Cégep de Rimouski
Josée **Vincent**, Cégep de Thetford

Julie Diotte adresse un merci particulier à ses collègues de travail qui ont su l'écouter et répondre à ses questions :

Marc-André **Désautels**, enseignant en mathématiques au Cégep Saint-Jean-sur-Richelieu ;

Julie **Daigneault** et Angelyn **Leblanc**, enseignantes en pédiatrie au Cégep Saint-Jean-sur-Richelieu.

Véronique Laniel tient à remercier les cohortes d'étudiants en soins infirmiers 2017-2020 et 2019-2022 du Centre collégial de Mont-Laurier pour leur contribution à l'élaboration des contenus des chapitres 5 et 7 ainsi que pour leur aide à la détermination des besoins de cette clientèle. Merci également à Nicholas **Mathé** (inf.) et à Maureen **Buttler** (inf.) pour leur grande disponibilité et leur complicité, qui ont permis de rendre les chapitres 5 et 7 aussi proches de la réalité de l'infirmière d'aujourd'hui qu'il est possible.

RÉSUMÉ DES CHAPITRES

Chapitre 1 : Notions préalables au calcul des doses de médicaments

Propose une révision de notions mathématiques telles que les rapports et proportions, les systèmes de mesure et les conversions diverses.

Chapitre 2 : Les informations concernant les médicaments et leur administration

Présente le rôle de l'infirmière lors de la préparation et de l'administration des médicaments. Permet de comprendre l'information nécessaire au sujet des médicaments et d'interpréter les différents formulaires utilisés dans les milieux de soins, tels que les ordonnances individuelles, les ordonnances collectives et les formulaires d'administration des médicaments (FADM).

Chapitre 3 : La préparation des médicaments destinés à la voie orale

Décrit le matériel utilisé pour l'administration des médicaments destinés à la voie orale. Permet d'acquérir les compétences pour préparer les médicaments solides et liquides destinés à la voie orale. Initie les étudiantes à l'utilisation d'une démarche sécuritaire pour préparer un médicament : collecter les données, analyser les données, planifier la préparation, calculer la dose et vérifier le résultat obtenu. Cette démarche est utilisée tout au long de l'ouvrage.

Chapitre 4 : La préparation des médicaments destinés aux voies parentérales

Présente le matériel utilisé pour l'administration des médicaments par les voies parentérales. Décrit les différentes formes de médicaments parentéraux disponibles et la façon de les reconstituer. Informe les étudiantes sur la façon de valider la compatibilité des médicaments parentéraux. Vise l'acquisition de compétences pour préparer et calculer les doses de médicaments destinés aux voies parentérales. Comporte une section détaillée sur la préparation de la dose d'insuline par voie sous-cutanée.

Chapitre 5 : La préparation des perfusions : notions préalables et calculs

Présente le matériel utilisé pour la perfusion de solutés et de médicaments intraveineux. Démontre les calculs relatifs au débit de perfusion et à la durée de la perfusion. Vise l'acquisition de compétences pour préparer et administrer les médicaments destinés à la voie intraveineuse. Comporte une section détaillée portant sur l'administration par voie intraveineuse des médicaments dosés en unités comme l'héparine et l'insuline.

Chapitre 6 : La préparation et l'administration des médicaments pour la clientèle pédiatrique

Décrit le matériel spécifique à l'administration de médicaments pour la clientèle pédiatrique. Démontre comment calculer une fenêtre thérapeutique, effectuer les conversions de poids, calculer le pourcentage de perte de poids et déterminer les besoins hydriques du nouveau-né et de l'enfant. Vise l'acquisition de compétences pour préparer et administrer des médicaments selon les différentes voies d'administration pour une clientèle pédiatrique en respectant les spécificités propres à cette clientèle.

Chapitre 7 : La préparation des médicaments dans un contexte de soins aux personnes en phase critique

Démontre les calculs relatifs au débit afin de respecter les différentes posologies des médicaments utilisés en soins critiques. Vise l'acquisition de compétences relatives à l'administration d'une transfusion de produits sanguins, à l'alimentation parentérale totale, à l'administration des médicaments utilisés en fin de vie ainsi qu'à la préparation sécuritaire de la sédation palliative continue.

TABLE DES MATIÈRES

CHAPITRE 4

La préparation des médicaments destinés aux voies parentérales

CHAPITRE 5

CHAPITRE 6

Notions préalables au calcul des doses de médicaments

1

Certains objectifs sans portée pratique n'ont pas d'exercices correspondants ; ils ne figurent donc pas dans le cahier d'exercices.

Le calcul des doses de médicaments est une activité de la pratique infirmière. Pour calculer les doses de façon exacte, vous devez maîtriser certaines notions élémentaires d'arithmétique. L'utilisation consciencieuse de vos connaissances, de vos habiletés en calcul et de votre jugement vous permettra d'éviter des erreurs dans l'administration des médicaments. Effectuez le test diagnostique dans votre cahier d'exercices pour vérifier votre niveau de connaissance et de maîtrise des notions de mathématiques. Selon le résultat obtenu, vous pourrez décider si vous devez vous attarder aux notions de ce chapitre qui offre une révision des notions de mathématiques et de sciences étudiées au primaire et au secondaire.

Nombres entiers et nombres décimaux

Les doses de médicaments sont indiquées en nombres entiers ou en nombres décimaux. Savoir additionner, soustraire, multiplier et diviser des nombres entiers et des nombres décimaux correctement vous permettra de calculer, le cas échéant, la quantité exacte de médicament à administrer.

Vous rappelez-vous le temps où vous appreniez la table de multiplication ? Elle vous sera très utile dans votre travail pour multiplier et diviser des nombres entiers et décimaux sans faire d'erreurs. N'oubliez pas cette habileté essentielle, car vous l'utiliserez tous les jours dans votre pratique.

Mémorisez la table de multiplication.

Dans certains cas, vous devrez diviser des nombres décimaux pour déterminer la quantité de médicament à administrer.

OBJECTIF 1.1 Distinguer les nombres entiers des nombres décimaux

Un **nombre entier** est un nombre qui s'écrit sans chiffre après la virgule et qui est supérieur ou égal à 0. Les nombres 2, 15, 46, 789 sont des exemples de nombres entiers.

Un **nombre décimal** est un nombre qui possède des chiffres situés à droite de la virgule. Ces chiffres correspondent à la partie décimale, alors que les chiffres situés à gauche de la virgule constituent la partie entière. La valeur du nombre décimal est déterminée par la position des chiffres situés à droite de la virgule décimale.

Valeur des nombres décimaux

- La 1re position à droite de la virgule décimale est la position des dixièmes. Par exemple, 0,3 se lit « trois dixièmes ».

- La 2e position à droite de la virgule décimale est la position des centièmes. Par exemple, 0,03 se lit « trois centièmes ».
- La 3e position à droite de la virgule décimale est la position des millièmes. Par exemple, 0,003 se lit « trois millièmes ».
- La 4e position à droite de la virgule décimale est la position des dix millièmes. Par exemple, 0,0003 se lit « trois dix millièmes ».

La **figure 1.1** illustre ces principes.

Dans un nombre décimal, la virgule représente le centre. La valeur des nombres situés à droite de la virgule est inférieure à 1, parce qu'elle représente la partie fractionnaire du nombre, alors que la valeur des nombres situés à gauche de la virgule est supérieure à 1, parce qu'elle représente le nombre entier. Le nombre décimal 2,5 se lit « deux virgule cinq » ou « deux et cinq dixièmes », tandis que le nombre décimal 4,66 se lit « quatre virgule soixante-six » ou « quatre et soixante-six centièmes ».

Pour évaluer la valeur des nombres décimaux, commencez par le nombre à gauche de la virgule. S'il est le même, comparez la valeur de la fraction décimale. Plus le nombre à la position des dixièmes est élevé, plus la valeur du nombre décimal est grande.

Exemples :

3,6 est plus grand que 3,3.

7,1 est plus grand que 7,08.

0,4 est plus grand que 0,3.

Figure 1.1 **Valeur des nombres décimaux.**

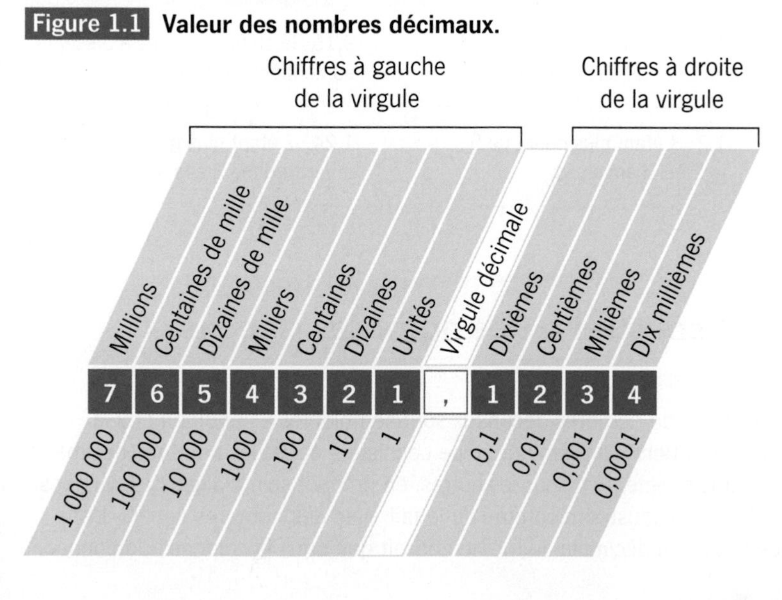

Pour convertir des unités plus grandes en unités plus petites ou l'inverse, il suffit de déplacer la virgule vers la droite de 1 position pour chaque multiple de 10. Lorsqu'il faut convertir des unités plus petites en unités plus grandes, on fait l'inverse : on déplace la virgule vers la gauche de 1 position pour chaque multiple de 10.

Par exemple, lorsque vous convertissez des millilitres en litres, déplacez la virgule de 3 positions vers la gauche pour chaque multiple de 10 :

100 mL = 0,1 L

Inversement, lorsque vous convertissez des litres en millilitres, déplacez la virgule de 3 positions également, mais vers la droite :

1,5 L = 1500 mL

OBJECTIF 1.2 Arrondir des nombres décimaux

Pour arrondir au dixième (première décimale), on évalue la décimale placée en deuxième position à la droite de la virgule (centième). Pour arrondir au centième (deuxième décimale), on évalue la décimale en troisième position à la droite de la virgule (millième). En tout temps, il faut d'abord repérer le chiffre à arrondir et ensuite regarder le chiffre situé à la droite du chiffre à arrondir. Si le chiffre se situe entre 0 et 4, le chiffre des dixièmes ou des centièmes (ou tout autre chiffre à arrondir) reste inchangé ; si la valeur se situe entre 5 et 9, on ajoute 1 à la décimale des dixièmes ou des centièmes (ou au chiffre à arrondir).

Exemples :

Nombres décimaux	Nombres décimaux arrondis au dixième	Nombres décimaux arrondis au centième
9,15	9,2 : 5 étant plus grand que 4, on arrondit à la hausse.	9,15 : le chiffre étant déjà présenté au centième, on laisse tel quel.
1,237	1,2 : 3 étant plus petit que 5, le 2 ne change pas.	1,24 : 7 étant plus grand que 5, on arrondit le 3 à la hausse.

Exercez-vous : p. 6 du cahier d'exercices.

OBJECTIF 1.3 Additionner et soustraire des nombres décimaux

L'addition et la soustraction de nombres décimaux sont semblables à l'addition et à la soustraction de nombres entiers. La première étape consiste à écrire les nombres décimaux dans une colonne, les uns directement sous les autres, en prenant soin d'aligner les virgules. On peut alors additionner ou soustraire comme on le fait avec des nombres entiers. Dans la réponse, on place la virgule décimale au même endroit que dans la colonne additionnée.

Exemple :

Additionnez ces nombres décimaux :

$$4{,}22 + 3{,}12 + 2{,}1$$

Étape 1

Placez les nombres les uns sous les autres en alignant les virgules décimales. L'ajout d'un zéro à la fin d'un nombre décimal ne change pas la valeur du nombre.

$$\begin{array}{r} 4{,}22 \\ 3{,}12 \\ +\ 2{,}10 \\ \hline \end{array}$$

Étape 2

Additionnez les nombres comme s'il s'agissait de nombres entiers. Placez la virgule décimale de la réponse au même endroit que dans la colonne.

$$\begin{array}{r} 4{,}22 \\ 3{,}12 \\ +\ 2{,}10 \\ \hline 9{,}44 \end{array}$$

Réponse : 9,44

Exemple :

Maintenant, soustrayez les nombres décimaux suivants :

$$5{,}24 - 2{,}16$$

Étape 1

Placez les nombres les uns sous les autres en alignant les virgules décimales.

$$\begin{array}{r} 5{,}24 \\ -\ 2{,}16 \\ \hline \end{array}$$

Étape 2

Soustrayez les nombres comme s'il s'agissait de nombres entiers. Placez la virgule décimale de la réponse au même endroit que dans la colonne.

$$\begin{array}{r} 5{,}24 \\ -\ 2{,}16 \\ \hline 3{,}08 \end{array}$$

Réponse : 3,08

Exercez-vous : p. 6 du cahier d'exercices.

OBJECTIF 1.4 Multiplier des nombres entiers et des nombres décimaux

La multiplication des nombres décimaux se fait de la même façon que celle des nombres entiers, sauf qu'il faut prendre soin de placer correctement la virgule décimale de la réponse. Pour faciliter les calculs, il est important de mémoriser la table des multiplications (**figure 1.2**).

Figure 1.2 **Table de multiplication.**

	1	2	3	4	5	6	7	8	9	10	11	12
1	1	2	3	4	5	6	7	8	9	10	11	12
2	2	4	6	8	10	12	14	16	18	20	22	24
3	3	6	9	12	15	18	21	24	27	30	33	36
4	4	8	12	16	20	24	28	32	36	40	44	48
5	5	10	15	20	25	30	35	40	45	50	55	60
6	6	12	18	24	30	36	42	48	54	60	66	72
7	7	14	21	28	35	42	49	56	63	70	77	84
8	8	16	24	32	40	48	56	64	72	80	88	96
9	9	18	27	36	45	54	63	72	81	90	99	108
10	10	20	30	40	50	60	70	80	90	100	110	120
11	11	22	33	44	55	66	77	88	99	110	121	132
12	12	24	36	48	60	72	84	96	108	120	132	144

Voici un exemple qui illustre chacune des étapes pour multiplier correctement des nombres décimaux.

Exemple :

Multipliez 1,2 par 2,3.

Étape 1

Écrivez la multiplication comme s'il s'agissait de nombres entiers :

$$\begin{array}{r} 1{,}2 \\ \times\, 2{,}3 \\ \hline \end{array}$$

Étape 2

Multipliez les nombres comme s'il s'agissait de nombres entiers. Ne placez pas la virgule tout de suite :

$$\begin{array}{r} 1{,}2 \\ \times\, 2{,}3 \\ \hline 36 \\ 24 \\ \hline 276 \end{array}$$

Étape 3

Déterminez où placer la virgule dans le **produit** de la multiplication. Pour ce faire, comptez le nombre de décimales qui se trouvent à droite des virgules des deux nombres multipliés :

$$\begin{array}{rl} 1{,}2 & \text{1 décimale à droite de la virgule} \\ \times\, 2{,}3 & \text{1 décimale à droite de la virgule} \\ \hline & \text{Nombre total de décimales : 2} \end{array}$$

Ensuite, comptez le même nombre de décimales dans le produit, en déplaçant la virgule de la droite vers la gauche. Pour cet exemple, la virgule est déplacée à deux valeurs de position à partir de la droite :

$$\begin{array}{rl} 1{,}2 & \\ \times\, 2{,}3 & \\ \hline 36 & \\ 24 & \\ \hline 2{,}76 & \text{La bonne réponse est 2,76.} \end{array}$$

ALERTE INFIRMIÈRE

La vigilance est de mise lorsque vous placez la virgule. Une erreur de ce genre peut entraîner des conséquences importantes pour la personne soignée. La dose administrée pourrait être 10, voire 100, 1000 ou plus, fois supérieure ou inférieure à la dose souhaitable.

Pour multiplier des nombres décimaux par 10, 100 ou 1000, il faut compter le nombre de zéros du multiple de 10 par lequel le nombre décimal est multiplié, puis il faut déplacer la virgule décimale vers la droite du même nombre de positions qu'il y a de zéros dans le multiple de 10.

Exemple :

Multipliez 1,55 par 10.

1,55 × 10 Il y a 1 zéro dans 10.

On déplace donc la virgule décimale de 1 position vers la droite :

1,55 = 1,55 = 15,5 La réponse est 15,5.

Multipliez 2,43 par 100.

2,43 × 100 Il y a 2 zéros dans 100.

On déplace donc la virgule décimale de 2 positions vers la droite :

2,43 = 2,43 = 243

Exercez-vous : p. 8 du cahier d'exercices.

OBJECTIF 1.5

Diviser des nombres entiers et des nombres décimaux

Voici les étapes à suivre pour diviser des nombres entiers et des nombres décimaux. Rappelez-vous que l'on nomme **dividende** le nombre à diviser, et **diviseur**, le nombre qui en divise un autre. Le **quotient** est le résultat de la division.

Division de nombres entiers

L'exemple ci-dessous illustre chacune des étapes d'une division de nombres entiers.

Exemple :

Divisez 285 par 12.

285 et 12 sont deux nombres entiers.

Le dividende est le nombre 285, et le diviseur, le nombre 12.

Étape 1

Cherchez le nombre de fois que le diviseur (12) est contenu dans la partie gauche du dividende (28). Inscrivez ce nombre (2) au quotient et soustrayez le produit obtenu ($2 \times 12 = 24$) du dividende :

$$\begin{array}{r|l} 285 & 12 \\ \cline{2-2} -24 & 2 \\ \cline{1-1} 4 & \end{array}$$

Étape 2

La différence obtenue (4) constitue le reste temporaire. Celui-ci doit toujours être inférieur au diviseur ($4 < 12$). Un reste temporaire supérieur au diviseur indique que le quotient choisi n'est pas assez élevé. Ici, puisque 4 est inférieur à 12, le choix du quotient (2) est adéquat :

$$\begin{array}{lr|l} & 285 & 12 \\ \cline{3-3} & -24 & 2 \\ \cline{2-2} (4 < 12) & 4 & \end{array}$$

Étape 3

Afin de poursuivre la division, abaissez le chiffre suivant (5) du dividende original. Cette inscription transforme le reste temporaire en un nouveau dividende (45) :

$$\begin{array}{lr|l} & 285 & 12 \\ \cline{3-3} & -24 & 2 \\ \cline{2-2} (4 < 12) & 45 & \end{array}$$

Étape 4

Cherchez le nombre de fois que le diviseur (12) est contenu dans la partie gauche du dividende (45) :

$$3 \times 12 = 36$$

Le choix sera le nombre 3.

Étape 5

Inscrivez le nombre obtenu à l'étape 4 (3) au quotient (le quotient passe de 2 à 23).

Étape 6

Soustrayez le produit obtenu (3 × 12 = 36) du nouveau dividende.

Assurez-vous que le nouveau reste temporaire est inférieur au diviseur :

$$\begin{array}{lr|l}
 & 285 & 12 \\ \cline{3-3}
 & -24 & 23 \\ \cline{2-2}
(4 < 12) & 45 & \\
 & -36 & \\ \cline{2-2}
(9 < 12) & 9 &
\end{array}$$

Étape 7

Lorsque le dividende original ne contient plus de chiffres à abaisser, mais que le reste temporaire n'est pas zéro, vous pouvez encore poursuivre la division. Il suffit d'abaisser un premier zéro artificiel du dividende original. En effet, le nombre 285 peut aussi s'écrire 285,0.

Lorsque vous abaissez le premier zéro artificiel, vous devez immédiatement inscrire une virgule décimale dans le quotient :

$$\begin{array}{lr|l}
 & 285 & 12 \\ \cline{3-3}
 & -24 & 23, \\ \cline{2-2}
(4 < 12) & 45 & \\
 & -36 & \\ \cline{2-2}
(9 < 12) & 90 & 1^{er} \text{ zéro artificiel}
\end{array}$$

L'abaissement d'un chiffre transforme le reste temporaire (9) en un nouveau dividende (90). Poursuivez la division en suivant les étapes 4, 5 et 6 :

$$\begin{array}{lr|l}
 & 285 & 12 \\ \cline{3-3}
 & -24 & 23,7 \\ \cline{2-2}
(4 < 12) & 45 & \\
 & -36 & \\ \cline{2-2}
(9 < 12) & 90 & \\
 & -84 & \\ \cline{2-2}
(6 < 12) & 6 &
\end{array}$$

Répétez l'étape 7 jusqu'à l'obtention d'un reste temporaire de 0.

Abaissez ensuite un deuxième zéro artificiel du dividende (285,0 = 285,00). Cette inscription transforme le reste temporaire (6) en un nouveau dividende (60). Évidemment, en abaissant ce second zéro artificiel (ainsi que les suivants), il n'est pas nécessaire d'écrire une deuxième virgule décimale dans le quotient :

$$
\begin{array}{lrl}
 & 285 & \underline{|12} \\
 & \underline{-24} & 23{,}75 \\
(4 < 12) & 45 & \\
 & \underline{-36} & \\
(9 < 12) & 90 & \\
 & \underline{-84} & \\
(6 < 12) & 60 & \\
 & \underline{-60} & \\
 & 0 &
\end{array}
$$

La réponse finale est donc 23,75.

Apparition de zéros dans le quotient

Lorsqu'on effectue une division, il arrive que le quotient contienne un ou plusieurs zéros. Il est essentiel de placer correctement ces zéros dans le quotient.

Exemple :

Divisez 81 842 par 400.

Étapes 1 et 2

$$
\begin{array}{lrl}
 & 81842 & \underline{|400} \\
 & \underline{-800} & 2 \\
(18 < 400) & 18 &
\end{array}
$$

Étapes 3, 4, 5 et 6

Après avoir obtenu ce premier reste temporaire (18), abaissez le chiffre suivant du dividende (4). Cette inscription transforme le reste temporaire en un nouveau dividende (184). Cherchez maintenant le nombre de fois que le diviseur (400) est contenu dans ce nouveau dividende. Puisque le nouveau dividende est inférieur au diviseur (184 < 400), le nouveau chiffre à inscrire au quotient est zéro.

La multiplication de ce zéro par le diviseur donne un produit zéro, qu'on inscrit sous le dividende :

$$
\begin{array}{lrl}
 & 81842 & \underline{|400} \\
 & \underline{-800} & 20 \\
(18 < 400) & 184 & \\
 & 0 &
\end{array}
$$

On soustrait ce produit zéro du dividende 184, ce qui donne un reste temporaire de 184 :

```
                 81842    |400
                - 800     |20
                 ----
(18 < 400)        184
                  - 0
                  ---
(184 < 400)       184
```

Poursuivez la division en appliquant les étapes 3, 4, 5, 6 et 7 :

```
                 81842    |400
                - 800     |204,605
                 ----
(18 < 400)        184
                  - 0
                  ---
(184 < 400)       1842
                - 1600
                  ----
(242 < 400)        2420
                 - 2400
                   ----
(20 < 400)          200
                    - 0
                    ---
(200 < 400)         2000
                  - 2000
                    ----
                       0
```

La réponse finale est donc : 204,605.

Division de nombres décimaux

La division de nombres décimaux se fait de la même façon que la division de nombres entiers. La difficulté est de savoir quoi faire avec la virgule décimale du diviseur et du dividende.

Exemple :

Divisez 0,75 par 1,5.

Étape 1

Éliminez les virgules des nombres décimaux pour les transformer en nombres entiers. Transformez le dividende et le diviseur en nombres entiers en déplaçant la virgule décimale vers la droite :

$$0{,}75 \div 1{,}5$$

Déplacez la virgule décimale du dividende de deux décimales vers la droite, pour obtenir 75.

Déplacez toujours la virgule décimale du diviseur du même nombre de décimales que dans le cas du dividende. S'il manque des chiffres, ajoutez des zéros : 150.

Étape 2

Effectuez la division avec les nombres entiers comme vous l'avez fait précédemment :

```
  75  |150
 - 0   0,5
 750
-750
   0
```

La réponse finale est donc : 0,5.

Division d'un nombre décimal par 10, 100 ou 1000

Pour diviser des nombres décimaux par 10, 100 ou 1000, on déplace la virgule décimale vers la gauche du même nombre de positions qu'il y a de zéros dans le multiple de 10, 100 ou 1000.

Exemple :

Divisez 5,55 par 10.

$$5{,}55 \div 10$$

Déplacez la virgule décimale de 1 position vers la gauche, car il y a 1 zéro dans 10 :

$$5{,}55 = 5{,}55 = 0{,}555$$

La réponse est donc : 0,555.

Exercez-vous : p. 9 du cahier d'exercices.

Fractions

En tant qu'infirmière, il vous faudra parfois administrer des quantités de médicaments inférieures à l'unité. Vous devez donc savoir comment additionner, soustraire, multiplier et diviser des fractions, afin de calculer avec précision, sans vous tromper, les doses des médicaments.

OBJECTIF 1.6 Expliquer la notion de fraction

Une **fraction** est une partie d'un tout qu'on a divisé en parties égales. Le nombre qui se trouve en haut est le **numérateur** et celui qui se trouve en bas, le **dénominateur**. La ligne entre les deux (la barre de fraction) indique que vous pouvez diviser le nombre du haut par le nombre du bas pour obtenir un nombre décimal. Le numérateur est plus petit que le dénominateur. Cela signifie que la division du numérateur par le dénominateur est inférieure à 1. Par exemple, $\frac{1}{4}$ s'écrit également en nombre décimal : $1 \div 4 = 0{,}25$.

Exemple :

$$\frac{1 \text{ Numérateur}}{4 \text{ Dénominateur}}$$

Voici comment représenter graphiquement cette fraction :

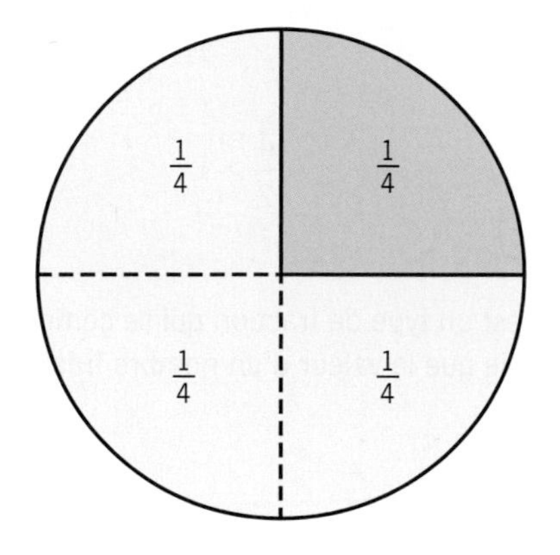

Quand deux fractions ont le même numérateur, plus le dénominateur est petit, plus la valeur de la fraction est grande.

Exemple :

$$\frac{1}{3} \text{ est plus grand que } \frac{1}{4}$$

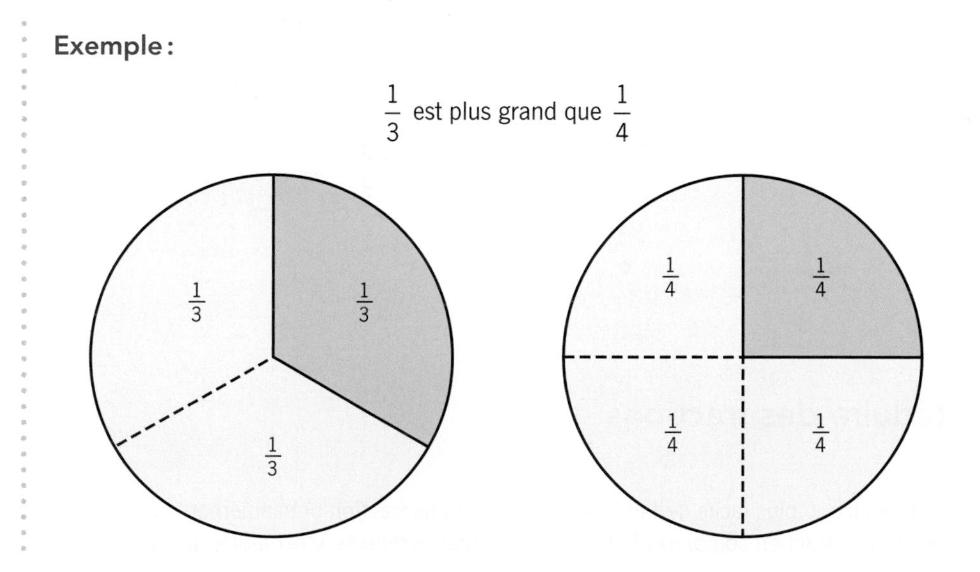

Quand deux fractions ont le même dénominateur, mais des numérateurs différents, la plus grande fraction est celle dont le numérateur est le plus grand.

Exemple :

$$\frac{4}{5} \text{ est plus grand que } \frac{3}{5}$$

Un **nombre rationnel** est un type de fraction dont le numérateur est plus grand que le dénominateur. Cela signifie que sa valeur est toujours supérieure à 1.

Exemple :

$$\frac{4}{2} > 1$$

Un **nombre fractionnaire** est un type de fraction qui se compose d'un nombre entier et d'une fraction. Cela signifie que la valeur d'un nombre fractionnaire est toujours supérieure à 1.

Exemple :

$$1\frac{7}{8} > 1$$

Enfin, une **fraction complexe** est un type de fraction dont le numérateur, le dénominateur ou les deux peuvent être un nombre entier, une fraction ou un nombre fractionnaire. La valeur de la fraction peut être supérieure, inférieure ou égale à 1.

Exemples :

$$\frac{\frac{1}{2}}{\frac{3}{6}} = 1 \qquad \frac{\frac{3}{4}}{\frac{3}{8}} > 1 \qquad \frac{\frac{3}{8}}{2} < 1$$

Exercez-vous : p. 11 du cahier d'exercices.

OBJECTIF 1.7 Réduire des fractions

Il est beaucoup plus facile de faire des calculs sur une fraction préalablement simplifiée que sur une fraction complexe. Pour ce faire, il faut la réduire, c'est-à-dire lui trouver une fraction équivalente dont le numérateur et le dénominateur seront les plus petits nombres possible. Des nombres comme 2, 3, 5, 7 et 11 sont des nombres premiers qu'on ne peut pas réduire. Lorsqu'on réduit une fraction à sa plus simple expression, on crée une **fraction équivalente**. Les fractions équivalentes ont des nombres différents, mais représentent la même valeur.

Exemple :

Étape 1

Examinez le numérateur et le dénominateur ; déterminez le nombre le plus grand par lequel ils sont divisibles. Prenons pour exemple la fraction $\frac{6}{18}$. Le nombre le plus grand par lequel on peut diviser à la fois le numérateur (6) et le dénominateur (18) est 6.

Étape 2

Réduisez la fraction : divisez à la fois le numérateur et le dénominateur par ce nombre :

$$\frac{6 \div 6}{18 \div 6} = \frac{1}{3}$$

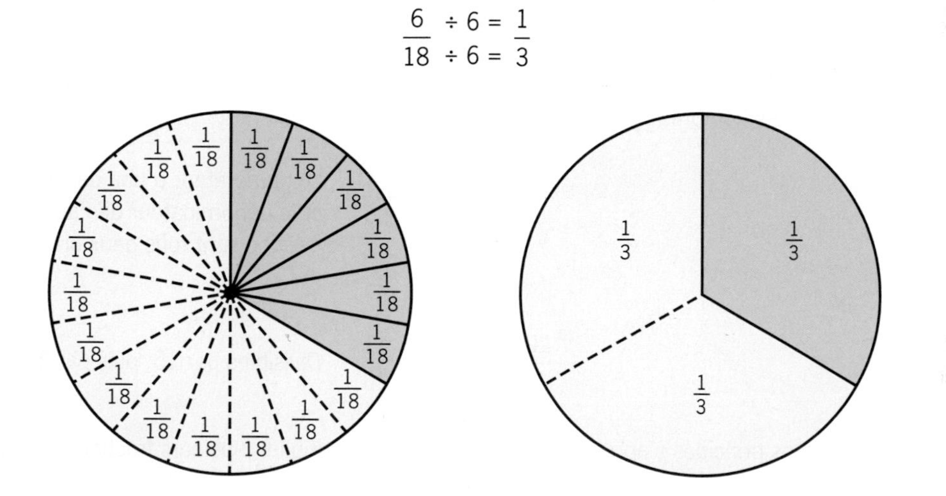

Exercez-vous : p. 11 du cahier d'exercices.

OBJECTIF 1.8 Multiplier des fractions

Pour multiplier des fractions, on multiplie les numérateurs entre eux, puis les dénominateurs entre eux. On réduit ensuite la réponse, s'il y a lieu :

$$\frac{2}{3} \times \frac{1}{4} = \frac{2}{12}$$

On doit aussi convertir les nombres rationnels en nombres fractionnaires, au besoin.

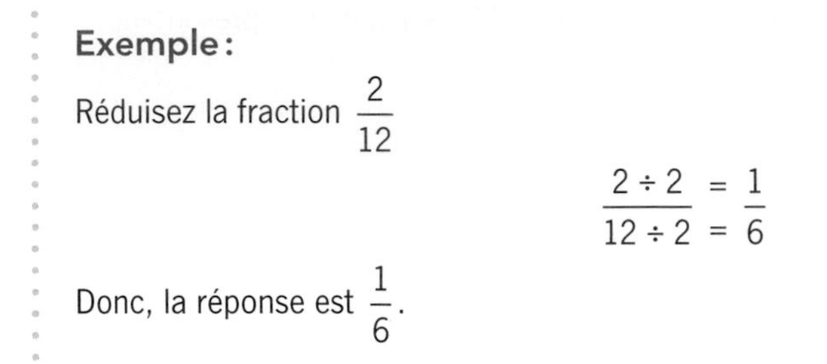

Exemple :

Réduisez la fraction $\frac{2}{12}$

$$\frac{2 \div 2}{12 \div 2} = \frac{1}{6}$$

Donc, la réponse est $\frac{1}{6}$.

Avant de multiplier les fractions, vous pouvez aussi les réduire. Après avoir simplifié tous les nombres, on multiplie les nouvelles fractions. Cette opération ne change pas la valeur de la fraction, si vous avez divisé un numérateur et un dénominateur par le même nombre.

Exemples :

Simplifiez les nombres avant de multiplier :

$$\frac{{}^{1}\cancel{2}}{3} \times \frac{1}{\cancel{4}_{2}} = \frac{1}{6}$$

Le numérateur d'une des fractions et le dénominateur de l'autre fraction sont tous deux divisibles par 2.

$$\frac{{}^{10}\cancel{220}}{{}^{10}\cancel{400}} = \frac{\cancel{22}_{2}}{\cancel{40}_{2}} = \frac{11}{20}$$

Divisibles par 10, puis par 2.

Les mêmes principes s'appliquent lorsqu'il s'agit de multiplier plusieurs fractions.

ASTUCE

Si le numérateur et le dénominateur des fractions à simplifier se terminent par un ou plusieurs zéros, biffez le même nombre de zéros au numérateur et au dénominateur ; ce qui équivaut à diviser par un multiple de 10 les deux parties de la fraction.

Pour multiplier des nombres fractionnaires et des fractions, convertissez le nombre fractionnaire en nombre rationnel, puis multipliez les numérateurs pour obtenir un nouveau numérateur et faites de même avec les dénominateurs.

Exemple :

Convertissez le nombre fractionnaire et multipliez :

$$2\frac{2}{3} \times \frac{1}{5}$$

$$2\frac{2}{3} = (3 \times 2) + 2 = \frac{8}{3}$$

$$\frac{8}{3} \times \frac{1}{5} = \frac{8}{15}$$

La réponse est déjà à sa plus simple expression et n'a pas besoin d'être simplifiée.

Exercez-vous : p. 12 du cahier d'exercices.

Lorsque la multiplication comporte deux nombres fractionnaires, suivez les mêmes étapes.

OBJECTIF 1.9 Additionner et soustraire des fractions

Pour additionner ou soustraire des fractions, elles doivent toutes avoir le même dénominateur. Vous n'avez alors qu'à soustraire ou à additionner les numérateurs.

Exemple :

Additionnez les deux fractions suivantes :

$$\frac{3}{5} + \frac{4}{5}$$

Étape 1

Convertissez toutes les fractions en fractions équivalentes : trouvez le **plus petit commun multiple** (PPCM) des dénominateurs ; il s'agit du plus petit nombre divisible (sans reste) par chacun des dénominateurs. Ce nombre sera le dénominateur commun. Comme les deux fractions ont déjà le même dénominateur, vous n'avez pas besoin de trouver le plus petit dénominateur commun :

$$\frac{3}{5} + \frac{4}{5}$$

Étape 2

Additionnez les numérateurs. La valeur obtenue devient le numérateur de la réponse. Le dénominateur est le plus petit dénominateur commun trouvé à l'étape 1 :

$$\frac{3 + 4}{5} = \frac{7}{5}$$

Étape 3

Simplifiez ou réduisez les fractions à leur plus simple expression, si possible, et (ou) convertissez les nombres rationnels en nombres fractionnaires. La fraction est déjà à sa plus simple expression, il suffit donc de convertir le nombre rationnel en nombre fractionnaire :

$$\frac{7}{5} = 7 \div 5 = 1\frac{2}{5}$$

$$\frac{7}{5} - \frac{5}{5} = \frac{2}{5}$$

$$\frac{5}{5} = 1$$

$$1 + \frac{2}{5} = 1\frac{2}{5}$$

Exemple :

Soustrayez les deux fractions suivantes :

$$2\frac{1}{3} - \frac{1}{4}$$

Étape 1

Convertissez le nombre fractionnaire ($2\frac{1}{3}$) en nombre rationnel. Ensuite, trouvez le PPCM de 3 et de 4 pour obtenir le plus petit dénominateur commun : 12.

$$2\frac{1}{3} = \frac{(3 \times 2) + 1}{3} = \frac{7}{3} \qquad \frac{7 \times 4}{3 \times 4} = \frac{28}{12} \qquad \text{et} \qquad \frac{1 \times 3}{4 \times 3} = \frac{3}{12}$$

Étape 2

Maintenant que les fractions ont le même dénominateur, vous pouvez soustraire les numérateurs :

$$\frac{28 - 3}{12} = \frac{25}{12}$$

Étape 3

Convertissez le nombre rationnel en nombre fractionnaire :

$$25 \div 12 = 2\frac{1}{12}$$

Exercez-vous : p. 13 du cahier d'exercices.

OBJECTIF 1.10 Diviser des fractions

Pour diviser une fraction par une fraction, on multiplie la première fraction par l'inverse de la deuxième fraction. Suivez les étapes apprises à l'objectif 1.8 pour effectuer la multiplication de fractions.

Exemple :

Divisez les deux fractions suivantes :

$$\frac{3}{4} \div \frac{4}{7}$$

Inversez la deuxième fraction et multipliez :

$$\frac{3}{4} \times \frac{7}{4} = \frac{21}{16}$$

Simplifiez ou convertissez le nombre rationnel en nombre fractionnaire :

$$21 \div 16 = 1\frac{5}{16} \qquad \frac{(16 \times 1) + 5}{16} = \frac{21}{16}$$

La réponse finale est donc $1\frac{5}{16}$.

Exercez-vous : p. 14 du cahier d'exercices.

Rapports et proportions

Il est important de comprendre les notions de rapport et de proportion, car elles sont fréquemment utilisées pour calculer des doses de médicaments avec précision.

La relation entre deux unités ou quantités s'exprime sous la forme d'un **rapport**. Pour indiquer un rapport entre deux nombres, on les sépare par une barre de division. La barre se lit « pour ». Par exemple, le rapport $\frac{4}{5}$ se lit « le rapport de 4 pour 5 ». Les fractions sont des rapports.

Une **proportion** indique une égalité entre deux rapports. On peut exprimer une proportion en écrivant les deux rapports sous la forme de fractions équivalentes séparées par le symbole d'égalité. Une proportion est composée de quatre variables.

Exemple :

$$\frac{2}{3} = \frac{6}{9}$$

Pour vérifier si les fractions sont équivalentes, multipliez le numérateur de chaque fraction par le dénominateur de l'autre fraction : les produits obtenus doivent être égaux.

En reprenant l'exemple ci-dessus :

$$\frac{2}{3} = \frac{6}{9}$$

$$2 \times 9 = 18 \text{ et } 3 \times 6 = 18$$

Les produits sont égaux ; il y a donc égalité entre les rapports de la proportion.

OBJECTIF 1.11 Déterminer la valeur de l'inconnue (x)

Souvent, lorsqu'on doit résoudre un problème contenant des rapports et des proportions, on ne connaît pas la valeur de l'une des quatre variables de la proportion. Cette valeur inconnue est représentée par la lettre x. Pour déterminer la valeur de x et résoudre le problème, on doit recourir à certaines opérations mathématiques.

Dans le problème $\frac{3}{5} = \frac{6}{x}$, x est la valeur inconnue. Pour résoudre ce problème et trouver la valeur de x, il faut *isoler* la variable x. Pour ce faire, on utilise la méthode du **produit croisé** (appelée aussi « règle de trois »).

Exemple :

$$\frac{3}{5} = \frac{6}{x}$$

Peu importe où se trouve la valeur inconnue, il suffit de multiplier les valeurs connues opposées en diagonales et diviser par celle qui est seule et l'on obtient la valeur inconnue x :

$$\frac{5 \times 6}{3} = x$$

$$x = \frac{30}{3} = 10$$

La valeur inconnue de x est donc 10.

Lorsque les fractions contiennent des unités de mesure, il faut s'assurer que les mêmes unités de mesure soient placées au même endroit (numérateur ou dénominateur) pour pouvoir affirmer une équivalence entre les deux fractions. Par exemple :

$$\frac{1 \text{ mg}}{1 \text{ kg}} = \frac{x \text{ mg}}{50 \text{ kg}}$$

Dans cet exemple, les milligrammes sont au numérateur et les kilogrammes sont au dénominateur, et ce, pour les deux fractions.

Exercez-vous : p. 15 du cahier d'exercices.

Systèmes de mesure

Les médicaments sont normalement prescrits au moyen des unités du système international. Toutefois, d'anciennes unités de mesure sont parfois encore utilisées, d'où l'importance de les connaître.

OBJECTIF 1.12 Se rappeler les notions du système international d'unités (SI)

Le système international est le système d'unités de mesure le plus utilisé au monde. Son abréviation est SI. Le SI est une convention internationale qui définit les différentes unités de mesure. Une unité de mesure est une grandeur de référence servant à mesurer d'autres grandeurs de même nature.

Il est essentiel de se rappeler quatre notions de base : la masse (le poids), le volume, la longueur et la quantité de matière (**tableau 1.1**). Les mesures les plus courantes pour la masse d'un médicament sont le gramme, le milligramme ou le microgramme. La masse permet de connaître la **teneur**, soit la quantité d'**ingrédient actif** contenue dans un médicament. Le volume est exprimé en millilitres (mL) ou en litres (L). Il indique la quantité de liquide dans lequel est dissous l'ingrédient actif. Dans le cas des liquides, la **concentration** est le rapport de la masse d'un corps dissous au volume de la **solution**, c'est-à-dire la quantité d'ingrédient actif contenue dans une quantité donnée de solution médicamenteuse. Quant à la longueur, elle fait habituellement référence à la taille d'une personne et s'exprime en mètres et centimètres.

La quantité de matière est représentée par la **mole**. C'est une unité de comptage comme la dizaine ou la centaine, sauf que cette quantité est immense. La millimole (mmol) est une unité de mesure utilisée surtout pour exprimer la quantité d'électrolytes présents dans une solution. À titre d'exemple : une solution de NaCl 0,9 % contient 154 mmol/L de Na^+ et 154 mmol/L de Cl^-. Le **milliéquivalent** correspond à un millième d'un équivalent-gramme. Certains sels sont encore mesurés en milliéquivalents (mEq). La prescription d'électrolytes en milliéquivalents peut être une source d'erreur, car le milliéquivalent n'est pas égal à la millimole. L'utilisation du terme millimole est maintenant recommandée.

Tableau 1.1

Unités de base du SI les plus utilisées dans le domaine des soins infirmiers

	Unité	Abréviation	Équivalents
Masse	gramme	g	1 g = 1000 mg
	milligramme	mg	1 mg = 1000 mcg = 0,001 g
	microgramme[1]	mcg	1 mcg = 0,001 mg = 0,000 001 g
	kilogramme	kg	1 kg = 1000 g
Volume	litre	L	1 L = 1000 mL
	millilitre[2]	mL	1 mL = 0,001 L
Longueur	mètre	m	1 m = 100 cm = 1000 mm
	centimètre	cm	1 cm = 0,01 m = 10 mm
	millimètre	mm	1 mm = 0,001 m = 0,1 cm
Quantité de matière	mole	mol	1 mol = 1000 mmol
	millimole[3]	mmol	1 mmol = 0,001 mol

Rappel des règles d'écriture du système international

Voici quelques règles d'écriture du système international.

- Placer les nombres avant l'abréviation de l'unité de mesure. Exemples : 0,4 mL ; 5 kg.
- Laisser un espace entre la valeur numérique et le symbole de l'unité : 0,7 mg plutôt que 0,7mg.
- Écrire les abréviations d'unités en lettres minuscules, sauf pour le L de litre ou de millilitre, qui prend aussi la majuscule. Exemples : mg = milligramme ; mL = millilitre.
- Ne pas écrire les abréviations d'unités au pluriel : 50 mg plutôt que 50 mgs. Ne pas mettre de point à la fin, sauf s'ils sont placés à la fin de la phrase.

---

1. L'Institut pour l'utilisation sécuritaire des médicaments du Canada recommande de ne pas utiliser l'abréviation μg car elle peut être confondue avec l'abréviation mg, ce qui donnerait une surdose de 1000 fois la dose prescrite.
2. Le centimètre cube (cc) a la même valeur que le millilitre, mais il n'est plus utilisé pour éviter des erreurs dans l'administration des médicaments.
3. La millimole est principalement utilisée au lieu du milliéquivalent.

- Exprimer les fractions en nombres décimaux et non sous forme de rapport. Exemple : 0,25 mL plutôt que $\frac{1}{4}$ mL.
- Placer toujours un zéro de tête à gauche de la virgule décimale si aucun chiffre ne figure à cette position, afin d'indiquer plus clairement la position de la virgule. Exemple : 0,3 mL plutôt que ,3 mL ;
- Ne pas écrire un zéro de queue à droite de la virgule décimale si aucun chiffre ne suit la virgule. Exemple : 1 mg plutôt que 1,0 mg.

Exercez-vous : p. 16 du cahier d'exercices.

OBJECTIF 1.13 Se familiariser avec d'autres systèmes de mesure

Le **tableau 1.2** présente divers systèmes de mesure différents du système international d'unités. Il est à noter que les médicaments sont prescrits au moyen des mesures du SI. Présenté à titre indicatif, ce tableau permet de se familiariser avec d'autres unités de mesure de masse, de longueur et de volume.

Tableau 1.2 Unités de mesure de systèmes autres que le SI

	Système impérial	Système domestique	Système apothicaire
Masse (poids)	livre (lb) once (oz)		
Longueur (taille)	pied (pi) pouce (po)		
Volume	once (oz)	cuillère à thé (c. à thé) cuillère à table (c. à table) tasse (t)	goutte (gtt)

Conversions diverses

L'infirmière doit effectuer des conversions lors de ses calculs lorsque la situation l'exige. Parfois, il lui faudra convertir des unités plus grandes en unités plus petites, ou l'inverse.

OBJECTIF 1.14 Convertir une fraction en un nombre décimal

On peut convertir des fractions en nombres décimaux. Rappelez-vous que la barre de fraction qui sépare le numérateur et le dénominateur est un symbole de division. Donc, pour convertir une fraction en nombre décimal, divisez le numérateur par le dénominateur et arrondissez la réponse à une, deux ou trois décimales, selon les besoins.

Exemple :

Convertissez $2\frac{1}{2}$ en nombre décimal :

$$2\frac{1}{2} = \frac{(2 \times 2) + 1}{2} = \frac{5}{2} = 2{,}5$$

Exercez-vous : p. 17 du cahier d'exercices.

Rappelez-vous que, dans les nombres décimaux, le nombre entier est à gauche de la virgule décimale et la fraction est à droite de la virgule décimale.

OBJECTIF 1.15 Convertir une fraction ou un nombre décimal en pourcentage

Un **pourcentage** (%) est un taux calculé sur 100 unités. C'est une fraction dont le dénominateur est 100. Il est facile de transformer une fraction en pourcentage : divisez le numérateur par le dénominateur. Vous obtenez un nombre, puis multipliez le quotient par 100. Ajoutez le symbole % pour exprimer le chiffre en pourcentage.

Exemple :

$$\frac{35}{63} = 0{,}55$$

$$0{,}55 \times 100 = 55\,\%$$

Pour convertir un nombre décimal en pourcentage, il faut multiplier le nombre par 100 et ajouter le symbole % pour exprimer votre chiffre en pourcentage.

Exercez-vous : p. 19 du cahier d'exercices.

Exemple :

$$0{,}75 \times 100 = 75\,\%$$

OBJECTIF 1.16 Convertir des unités du système impérial, domestique ou apothicaire en unités du SI

Le **tableau 1.3** donne les équivalences du système apothicaire et du système impérial en SI. Il vous servira pour convertir des livres en kilogrammes ou une mesure en pieds/pouces en mètres et centimètres. N'oubliez pas que, lorsque vous convertissez des unités du système apothicaire, domestique et impérial en unités du SI, les équivalences ne sont pas exactes.

Tableau 1.3 Équivalents des systèmes apothicaire et impérial en SI

Mesure	Autres systèmes[4]	SI
Masse	1 livre (lb) = 16 onces (oz)	454 g (attention : cette valeur n'est pas utilisée lors de la conversion de poids d'une personne)
	2,2 livres	1 kg
Longueur	1 pouce (po)	2,5 cm
	1 pied (pi) = 12 pouces	30 cm
	3 pieds 3 pouces	1 m (mètre)
Volume	15 gouttes (gtt)	1 mL
	1 once	30 mL
	1 cuillère à thé (c. à thé)	5 mL
	1 cuillère à table (c. à table)	15 mL
	1 tasse	250 mL

Lorsque vous devez passer d'un système à un autre, choisissez l'équivalent le plus proche. Le caractère approximatif de la conversion est l'une des raisons pour lesquelles on n'utilise plus les systèmes apothicaire, domestique et impérial.

ALERTE INFIRMIÈRE

L'once utilisée pour exprimer la masse n'est pas l'équivalent de l'once utilisée pour exprimer le volume.

4. Au sujet des différents systèmes de mesure, voir l'objectif 1.13 (p. 25).

Exemple :

Convertissez des mesures du système impérial en mesures du SI : des onces en millilitres. *Déterminez combien de millilitres il y a dans 3 onces.*

Étape 1

En consultant le tableau 1.3, vous constatez qu'une once vaut 30 mL. Le nombre de millilitres que vous cherchez devient donc la variable x[5].

Le problème s'écrit ainsi :

$$\frac{1 \text{ once}}{30 \text{ mL}} = \frac{3 \text{ onces}}{x \text{ mL}}$$

Étape 2

Assurez-vous que les unités des numérateurs et des dénominateurs appartiennent au même système et trouvez la valeur de x.

Effectuez un produit croisé pour isoler la variable x. Vous pouvez simplifier vos valeurs (si possible) et biffer les unités semblables dans l'équation :

Exercez-vous : p. 19 du cahier d'exercices.

$$x \text{ mL} = \frac{30 \text{ mL} \times 3 \cancel{\text{ onces}}}{1 \cancel{\text{ once}}}$$

$$x \text{ mL} = 90 \text{ mL}$$

OBJECTIF 1.17

Convertir des heures décimales en minutes ou en heures et minutes

Le temps sera parfois exprimé en heures décimales lorsqu'on effectue un calcul, par exemple pour indiquer dans combien de temps s'achèvera la perfusion d'un soluté. Combien cette valeur vaut-elle en heures et minutes ?

Exemple :

Déterminez combien valent 4,35 heures en heures et minutes.

Étape 1

Vous savez que, dans 1 heure, il y a 60 minutes. Dans 4,35 heures il y a 4 heures et 0,35 heure. Combien de minutes la valeur en décimales 0,35 heure représente-t-elle ? Le nombre de minutes que vous cherchez devient donc la variable x[6].

5. Voir l'objectif 1.11 (p. 22).

6. Voir l'objectif 1.11 (p. 22).

Le problème s'écrit ainsi :

$$\frac{1 \text{ heure}}{60 \text{ minutes}} = \frac{0{,}35 \text{ heure}}{x \text{ minutes}}$$

Étape 2

Assurez-vous que les unités des numérateurs et des dénominateurs appartiennent au même système et trouvez la valeur de *x*.

Effectuez un produit croisé pour isoler la variable *x*. Vous pouvez simplifier vos valeurs (si possible) et biffer les unités semblables dans l'équation :

$$x \text{ minutes} = \frac{60 \text{ minutes} \times 0{,}35 \ \cancel{\text{heure}}}{1 \ \cancel{\text{heure}}}$$

x minutes = 21 minutes

La réponse est donc 4 heures et 21 minutes.

Vous pourriez avoir à transformer par exemple 135 minutes en heures et minutes. Il faudra d'abord convertir 135 minutes sous forme décimale. Vous savez que, dans 1 heure, il y a 60 minutes. Vous feriez le calcul suivant : 135 min divisé par 60 min et vous obtiendriez 2,25 h. Vous convertiriez alors 2,25 h en heures et minutes. Votre résultat serait : 2 heures et 15 minutes.

Exercez-vous : p. 20 du cahier d'exercices.

Les informations concernant les médicaments et leur administration

2

Certains objectifs sans portée pratique n'ont pas d'exercices correspondants ; ils ne figurent donc pas dans le cahier d'exercices.

Rôle de l'infirmière

La pharmacothérapie est un processus au cours duquel interviennent plusieurs professionnels de la santé. Il nécessite notamment l'intervention de trois acteurs : le médecin, qui prescrit les médicaments et les traitements, le pharmacien, qui s'assure de l'usage approprié des médicaments, et l'infirmière, qui administre les médicaments. Dans ce processus, le rôle de l'infirmière est d'une grande complexité : ses tâches sont multiples et variées, puisqu'elle doit s'assurer d'administrer sans erreur des médicaments aux personnes placées sous ses soins.

OBJECTIF 2.1

Saisir l'importance du rôle de l'infirmière dans l'administration des médicaments

L'infirmière doit acquérir des connaissances en pharmacologie, utiliser ses habiletés en calcul pour établir chaque fois la dose exacte et savoir faire preuve de raisonnement critique pour éviter les erreurs quand elle administre des médicaments.

Que signifie administrer un médicament ?

Pour l'infirmière, administrer un médicament signifie :

- évaluer préalablement l'état de santé de la personne ;
- vérifier les interactions avec les autres médicaments que cette personne reçoit ;
- préparer le médicament, s'il y a lieu ;
- prendre la décision clinique d'administrer ce médicament ;
- accomplir ce geste de façon sécuritaire en respectant la méthode d'administration appropriée.

Elle doit également consigner les informations au dossier clinique, exercer une surveillance des différents effets possibles et être attentive aux particularités relatives à ce médicament. Enfin, elle doit inscrire ses constats et ses directives dans le plan thérapeutique infirmier (PTI) lorsqu'un suivi clinique est nécessaire. C'est de cette façon qu'elle exerce son rôle professionnel avec compétence.

Administrer un médicament : un acte complexe

Dès que l'infirmière reçoit l'ordonnance du médecin, elle l'envoie au service de la pharmacie pour que le pharmacien prépare et fasse parvenir une quantité suffisante de médicaments selon les règles en vigueur dans l'établissement. L'infirmière apprête alors les doses et en vérifie l'exactitude en les comparant aux données inscrites sur l'ordonnance d'origine ou sur la feuille d'administration des médicaments (FADM). Elle s'assure que la dose prescrite répond aux différents paramètres sécuritaires de l'administration. Elle administre les médicaments en respectant la voie prescrite sur l'ordonnance, puis consigne au dossier clinique de la personne hospitalisée toutes les informations concernant l'administration de chaque médicament. Au moment de l'administration, l'infirmière vérifie les connaissances de la personne hospitalisée à propos du médicament qu'elle s'apprête à lui donner et la renseigne, au besoin, sur les effets, les mises en garde et les précautions à prendre. De plus, elle exerce une surveillance étroite et soutenue de chaque personne qui a reçu un médicament pour évaluer les effets thérapeutiques attendus, tout comme les effets secondaires ou indésirables qui peuvent survenir. Le rôle de l'infirmière, en ce qui a trait à la pharmacothérapie, va donc bien au-delà du simple geste de donner un comprimé ou d'administrer une injection.

Pouvoir de prescription de l'infirmière

Depuis janvier 2016, l'infirmière est autorisée à prescrire dans certaines situations cliniques clairement déterminées, en vertu du *Règlement sur certaines activités professionnelles qui peuvent être exercées par une infirmière et un infirmier*[1]. Pour ce faire, elle doit obtenir de l'Ordre des infirmières et infirmiers du Québec (OIIQ), un numéro de prescripteur après avoir suivi une formation spécifique. Elle peut ainsi exercer des activités de prescriptions dans les domaines des soins des plaies, de la santé publique et des problèmes de santé courants. Par exemple, elle peut prescrire un produit pouvant créer une barrière cutanée en présence d'une plaie, un traitement pour une **infection gonococcique** ou un médicament pour la cessation tabagique ou le traitement de la **pédiculose**. L'infirmière praticienne spécialisée (IPS) peut prescrire tout médicament ou toute substance vendus sous ordonnance au Québec dans son domaine d'expertise. Elle peut également prescrire un médicament composé de plus d'une substance, par exemple une crème constituée d'un mélange de deux ou trois produits différents, ainsi que des vaccins. L'IPS exerce ses activités de prescription dans le respect de ses compétences et de sa spécialisation.

OBJECTIF 2.2 Décrire les responsabilités de l'infirmière dans la pharmacothérapie

Au Québec, une loi particulière encadre la pratique des soins infirmiers. L'article 36 de la Loi sur les infirmières et les infirmiers (Lii) définit le champ d'exercice des infirmières : « L'exercice infirmier consiste à évaluer l'état de santé, à déterminer et à assurer la réalisation du plan de soins et de traitements infirmiers, à prodiguer les soins et les traitements infirmiers et médicaux dans le but de maintenir et de rétablir la santé de l'être humain en interaction avec son environnement et de prévenir la maladie ainsi qu'à fournir les soins palliatifs. »

1. https://www.oiiq.org/prescription-infirmiere-guide-explicatif-conjoint

Activités réservées

Dans le cadre de l'exercice infirmier, un ensemble de 17 activités réservées[2] ont été définies en fonction des connaissances, des habiletés et des compétences requises pour les mener à bien. Parmi ces 17 activités réservées, certaines sont directement liées à l'administration des médicaments.

- *Exercer une surveillance clinique de la condition des personnes dont l'état de santé présente des risques, y compris le monitorage et les ajustements du plan thérapeutique infirmier* signifie que l'infirmière doit évaluer d'une façon soutenue et attentive les paramètres cliniques de la personne ainsi que les facteurs qui peuvent les influencer. Une administration sécuritaire des médicaments implique que l'infirmière connaît les différents effets thérapeutiques et secondaires et qu'elle en effectue la surveillance. Certaines classes de médicaments, tels que les **analgésiques opioïdes** et les **anxiolytiques**, présentent des effets secondaires graves qui peuvent être néfastes pour la personne, voire mortels. Cette surveillance exige également la réalisation d'une autre des 17 activités réservées de l'infirmière, soit *effectuer le suivi infirmier des personnes présentant un problème de santé complexe*.
- *Mettre en œuvre des mesures diagnostiques et thérapeutiques selon une ordonnance* signifie que l'infirmière peut, à la lumière de son évaluation, et conformément aux ordonnances collectives en vigueur, procéder à l'administration de certains médicaments, en amont de l'évaluation médicale et selon des critères cliniques précis. Par exemple, l'infirmière en cardiologie peut administrer de la **nitroglycérine** à un adulte pour soulager la **douleur rétrosternale.**
- *Administrer et ajuster des médicaments ou d'autres substances lorsqu'ils font l'objet d'une ordonnance* signifie que l'infirmière peut ajuster une dose de médicaments, dans la mesure où le médecin a rédigé une ordonnance individuelle, sur laquelle il a indiqué le nom du médicament, la posologie (dose, fréquence et voie d'administration), la dose initiale et la dose d'entretien pour cette personne. L'infirmière peut ajuster les doses de plusieurs médicaments, dont l'insuline et les anticoagulants (héparine intraveineuse), chaque fois que cela s'avère nécessaire.
- *Mélanger des substances en vue de compléter la préparation d'un médicament, selon une ordonnance*, consiste à mélanger les substances nécessaires afin d'achever la préparation d'un médicament, juste avant son administration. Dans son travail quotidien, il arrive fréquemment que l'infirmière ait à mettre la touche finale à la préparation du médicament qu'elle s'apprête à administrer. Elle doit, par exemple, ajouter une solution pour reconstituer un médicament en poudre ou diluer un antibiotique en y ajoutant un solvant avant de pouvoir l'administrer par la voie prescrite.
- *Procéder à la vaccination dans le cadre d'une activité découlant de l'application de la Loi sur la santé publique* autorise l'infirmière à administrer tous les vaccins offerts à la population, sans ordonnance, en se conformant aux recommandations du *Protocole d'immunisation du Québec (PIQ)*, aux dispositions de la Loi sur la santé publique relatives à l'acte vaccinal et aux règles de soins en vigueur dans l'établissement où elle exerce.

2. https://www.oiiq.org/pratique-professionnelle/exercice-infirmier/infirmieres-et-infirmiers

Exigences de formation préalable à l'exercice des activités réservées

Pour que l'infirmière soit prête à accomplir les activités réservées à sa profession, elle doit suivre une formation de trois années de niveau collégial menant à l'obtention du diplôme d'études collégiales (DEC) ou une formation universitaire de trois ans pour l'obtention d'un baccalauréat. Les détentrices d'un DEC obtenu par la réussite d'un programme DEC-BAC en Soins infirmiers ont la possibilité d'obtenir le statut d'infirmière clinicienne en complétant un programme universitaire de deux ans. Toutes ces formations (DEC, DEC-BAC ou BAC) sont divisées en cours théoriques, en activités d'apprentissage pratique en laboratoire, en périodes d'enseignement clinique (stages). Cette répartition des activités d'apprentissage permet de développer les compétences essentielles à la pratique des soins infirmiers et soutient la future infirmière dans le développement de sa capacité à administrer des médicaments de façon responsable et sûre pour répondre aux exigences élevées des normes de la profession et aux stipulations des lois encadrant la pratique des soins infirmiers.

OBJECTIF 2.3 Prévenir les erreurs et en assurer une gestion responsable

Quel que soit le contexte clinique dans lequel elle agit, chaque fois qu'elle administre des médicaments, l'infirmière doit éviter les automatismes et faire preuve de jugement pour s'assurer que tous ses gestes répondent à des exigences de conformité et de sécurité, dans le respect de la loi et des règles du code de déontologie. C'est de cette façon que sa démarche de soins sera conforme et appropriée.

Exercer son jugement critique

Durant toutes les étapes du processus d'administration des médicaments, l'infirmière doit :

- réfléchir avant d'agir ;
- appliquer ses connaissances relativement à la pharmacothérapie proposée en regard de la situation de soins ;
- prendre la meilleure décision pour promouvoir la sécurité de la personne soignée.

Faire preuve d'un tel jugement exige une bonne connaissance de la pharmacothérapie, l'utilisation des habiletés de calcul acquises durant les études secondaires et une capacité de raisonner permettant de détecter les erreurs, que ce soit dans l'ordonnance ou lors de la préparation de la dose.

Au moment de la préparation de la dose, l'infirmière devrait faire systématiquement un calcul de vérification afin d'éviter certaines erreurs liées à l'administration d'une dose inexacte. En cas de doute relativement au libellé de l'ordonnance, elle doit s'abstenir d'administrer le médicament et vérifier auprès du médecin ou de l'infirmière praticienne spécialisée, les données inscrites sur l'ordonnance afin d'être en possession d'informations claires. Elle exerce ainsi son jugement critique pour prendre la meilleure décision et ainsi assurer des soins sécuritaires à la personne traitée.

Agir avec intégrité

En tout temps, l'infirmière doit agir avec **intégrité.** Quand elle commet ou constate une erreur, le *Code de déontologie*[3], à la section 2 portant sur l'intégrité, stipule que « l'infirmière ou l'infirmier doit dénoncer immédiatement tout incident ou accident qui résulte de son intervention ou de son omission, ne doit pas tenter de dissimuler un tel incident ou accident et, lorsqu'un tel incident ou accident a ou peut avoir des conséquences sur la santé du client, l'infirmière ou l'infirmier doit prendre sans délai les moyens nécessaires pour le corriger, l'atténuer ou pallier les conséquences de cet incident ou accident ».

Par exemple, si une infirmière donne un antihypertenseur à la mauvaise personne, elle doit le faire savoir officiellement en remplissant un rapport d'incident-accident, en informant le chef de service et le médecin (ou ces deux personnes) et en rédigeant une note d'évolution dans le dossier clinique. Elle doit également prendre les moyens nécessaires pour limiter les conséquences de son erreur en effectuant la surveillance requise auprès de la personne durant toute la période d'action du médicament. De plus, le *Code de déontologie* stipule que « l'infirmière ou l'infirmier ne doit pas faire preuve de négligence lors de l'administration d'un médicament. Elle doit avoir une connaissance suffisante du médicament et respecter les principes et méthodes concernant son administration. »

Principales causes d'erreurs d'administration des médicaments

Par ailleurs, la Loi sur les services de santé et les services sociaux stipule qu'une personne a le droit d'être informée de tout accident susceptible d'entraîner des conséquences sur son état de santé ou sur son bien-être ; l'infirmière a donc l'obligation d'informer de son erreur la personne concernée ou son représentant.

Chaque année, on signale un grand nombre d'erreurs reliées au processus d'administration des médicaments[4]. Les principales causes d'erreurs sont les suivantes.

- *Le manque de connaissance sur le médicament*. L'infirmière doit connaître le médicament à administrer : son nom générique, sa posologie usuelle, les effets escomptés, les principaux effets secondaires, ainsi que la durée et le pic d'action du médicament, la raison pour laquelle la personne reçoit ce médicament, tout comme les interventions liées à son administration. Ces connaissances sont indissociables des pratiques exemplaires visant l'administration sécuritaire des médicaments.
- *L'omission de clarifier des ordonnances qui suscitent une remise en question*. Lorsque l'ordonnance est ambiguë, illisible ou incomplète, que la posologie prescrite est inhabituelle ou que l'infirmière la juge inappropriée, cette dernière doit faire préciser au médecin prescripteur ce qu'il a indiqué sur l'ordonnance.

3. https://www.oiiq.org/pratique-professionnelle/deontologie
4. https://www.oiiq.org/l-administration-de-medicaments-rappel-des-obligations-deontologiques

Un nourrisson avait besoin d'un remplacement de potassium pendant son hospitalisation. Le médecin résident a verbalement donné ses indications à l'infirmière après avoir consulté le pédiatre de garde. La dose prescrite de chlorure de potassium (KCl) n'était pas disponible en format prédilué sur l'unité, l'infirmière de nuit a donc utilisé une fiole de solution concentrée de KCl et ajouté le médicament dans le sac de perfusion. La solution ajoutée était 10 fois plus concentrée et le bébé a subi un arrêt cardiaque et est décédé. Les indications du médecin résident qui ont été mal interprétées et l'utilisation d'une concentration non standard ont grandement contribué à cette erreur fatale[5].

- *Le non-respect des gestes à faire avant et après l'administration du médicament*. Si l'infirmière n'effectue pas toutes les vérifications requises auprès de la personne qu'elle soigne, elle risque de commettre un nombre important d'erreurs graves : sur la personne, dans la dose à administrer, sur le médicament administré, etc.

Un garçon de 17 ans a reçu une dose de 5 mg de morphine SC afin de soulager des douleurs à l'abdomen à la suite de l'ablation de l'appendice. Environ 45 minutes plus tard, l'infirmière remarque que l'adolescent présente des tremblements et des soubresauts aux membres inférieurs. Par la suite, l'alarme de l'appareil électronique pour la mesure des paramètres vitaux émet un signal d'alarme. L'infirmière repositionne adéquatement le capteur à oxygène sur le doigt et constate que l'appareil indique un taux d'oxygène dans le sang près de zéro ainsi qu'une baisse de la fréquence cardiaque. Plus tard dans la soirée, on amorce les manœuvres de réanimation, mais il faudra plus de 40 minutes pour que le cœur de l'adolescent recommence à battre, laissant de graves séquelles neurologiques. La mort cérébrale a été confirmée dans les heures qui ont suivi l'arrêt cardiaque. L'infirmière n'a pas reconnu les signes annonciateurs de l'arrêt cardiaque, soit les convulsions, la baisse de la fréquence cardiaque et un faible taux d'oxygène sanguin. Une surveillance adéquate des effets secondaires de la morphine, dont la dépression du système respiratoire, aurait permis d'intervenir plus rapidement et d'administrer la naloxone, un antidote aux opioïdes[6].

S'ajoutent à ces erreurs :

- *le manque de rigueur dans la surveillance* en vue de déceler rapidement les complications ;
- *le manque de rigueur dans la documentation*, par exemple l'oubli de modifier le plan thérapeutique infirmier lorsque nécessaire ou encore l'inscription d'une donnée incomplète ou qui prête à confusion, ce qui peut entraîner des erreurs dans l'administration des médicaments ;
- et *l'utilisation d'une méthode de soins inappropriée*.

5. https://www.ismp-canada.org/fr/dossiers/bulletins/2019/BISMPC2019n1-electrolytesConcentres.pdf
6. https://ici.radio-canada.ca/nouvelle/1138122/jimmy-lee-durocher-rapport-coroner

Une façon inadéquate d'administrer un médicament fait également partie des erreurs que l'infirmière ne devrait jamais commettre. Par exemple, un médicament tel que l'insuline, qui doit être administré dans le tissu sous-cutané, ne doit pas être administré dans le muscle puisque cela peut entraîner des changements dans le délai et la durée d'action du médicament dans l'organisme et augmenter le risque d'hypoglycémie grave.

Un patient adulte traité pour un état de mal asthmatique a reçu une dose de 0,5 mg d'épinéphrine en bolus intraveineux rapide, ce qui a provoqué une tachycardie ventriculaire, un rythme cardiaque irrégulier, rapide et potentiellement mortel. L'administration de l'épinéphrine est généralement réservée aux situations extrêmes, tel l'arrêt cardiaque, qui mettent la vie en danger. Dans les cas de réactions allergiques de type **anaphylactique** et d'état de mal asthmatique, ce médicament doit être généralement administré par voie SC ou IM. L'infirmière n'a pas utilisé la bonne voie d'administration conformément à l'ordonnance consignée au dossier clinique[7].

Administrer les médicaments selon une démarche rigoureuse

L'administration des médicaments étant une tâche qui peut porter atteinte à la sécurité du public, l'infirmière ne doit jamais accomplir cette tâche de façon automatique ; elle doit tout faire pour ne pas nuire à la personne qu'elle soigne. Il importe que l'infirmière applique en tout temps les règles d'une administration sans risque (règle des « 8 bons gestes », voir ci-dessous). Une administration sans erreur est à la portée de toutes les personnes qui abordent cette tâche avec un esprit critique. L'administration des médicaments est un volet majeur de la pratique des soins infirmiers. Elle exige de la rigueur, de la précision, de la dextérité et un bon sens de l'observation.

OBJECTIF 2.4 Faire les vérifications recommandées avant et après l'administration d'un médicament (les 8 bons gestes)

Les vérifications à faire avant d'administrer un médicament font partie des normes de pratique que toutes les infirmières doivent appliquer systématiquement. Il y a six vérifications *avant* l'administration d'un médicament et deux autres *après*. Ces deux dernières vérifications permettent de consigner les bonnes informations au dossier clinique de la personne hospitalisée et de suivre de près les effets du médicament administré.

7. https://www.ismp-canada.org/fr/dossiers/bulletins/2014/BISMPC2014-04_Epinephrine.pdf

Huit bons gestes

Ces vérifications garantissent une administration sécuritaire du médicament. Elles portent sur les huit points essentiels (les *8 bons gestes*) suivants :

1. Le bon *médicament*
2. La bonne *dose*
3. La bonne *voie* d'administration
4. Le bon *moment* (heure et fréquence) d'administration
5 La bonne *personne*
6. La bonne *raison clinique* qui justifie l'administration du médicament
7. La bonne *documentation au dossier*
8. La bonne *surveillance* des effets auprès de la personne (effets thérapeutiques, effets secondaires, signes d'intolérance ou d'allergie, signes de surdosage)

1. Le bon médicament

En règle générale, ce sont les médecins et les IPS (infirmières praticiennes spécialisées) qui prescrivent des médicaments, mais il incombe à l'infirmière d'interpréter correctement les ordonnances avant de les administrer. Si le nom d'un médicament n'est pas clair ou que le médicament semble inapproprié au regard de l'état de la personne hospitalisée, il importe de s'interroger sur le bien-fondé de l'ordonnance et de vérifier auprès du prescripteur ou, s'il n'est pas disponible, de se renseigner auprès du pharmacien pour s'assurer de l'exactitude des informations inscrites sur l'ordonnance.

L'infirmière doit également lire soigneusement l'étiquette de tout médicament qu'elle prend dans le chariot à médicaments et comparer attentivement toutes les données avec celles inscrites sur l'ordonnance ou sur la feuille d'administration des médicaments (FADM) pour s'assurer qu'il s'agit du bon médicament.

ALERTE INFIRMIÈRE

Soyez très vigilante quand vous lisez le nom d'un médicament sur une ordonnance ou sur une étiquette. Plusieurs médicaments portent des noms semblables, ce qui augmente le risque d'erreur médicamenteuse. Vérifiez toujours deux fois en comparant le nom du médicament inscrit sur l'emballage et celui qui figure sur l'ordonnance ou la FADM pour vous assurer que vous avez sélectionné le bon médicament.

2. La bonne dose

Pour être certaine d'administrer la bonne dose d'un médicament, l'infirmière doit décoder correctement l'ordonnance médicale. Si une abréviation ou une dose n'est pas inscrite clairement sur une ordonnance, elle doit appeler le médecin pour clarifier ce point. Il faut également calculer la dose à administrer en appliquant une méthodologie rigoureuse, que nous décrirons au chapitre 3.

3. La bonne voie d'administration

L'infirmière doit respecter la voie d'administration indiquée sur l'ordonnance. Pour s'assurer que la voie d'administration d'un médicament ne comporte aucun risque, elle doit vérifier que la voie prescrite convient à la personne qui va recevoir ce médicament. Si elle juge que cette voie est devenue inappropriée par suite d'un changement dans l'état de la personne, elle doit évaluer la situation et transmettre l'information au médecin afin qu'il modifie la voie d'administration indiquée sur l'ordonnance. Elle doit aussi respecter les règles d'administration relatives à cette voie. Par exemple, si le médecin a prescrit du pantoprazole (Pantoloc) à **enrobage gastrorésistant**, il ne faut pas écraser le comprimé, car cela détruirait le revêtement et nuirait à l'action du médicament. De la même façon, lorsqu'on effectue une injection intramusculaire (IM), il faut trouver les repères anatomiques, choisir une aiguille dont le calibre convient au point d'injection et au type de solution injectée, et bien sûr, respecter la quantité maximale de liquide à injecter dans le tissu.

4. Le bon moment d'administration

Il est important d'administrer un médicament au moment recommandé ou prescrit pour maximiser les effets thérapeutiques et minimiser les effets indésirables. On administre les médicaments à intervalles précis dans le but de maintenir des taux sanguins constants qui se situent dans les plages thérapeutiques. Certains médicaments prescrits 2 fois par jour (BID) peuvent être administrés au moment des repas, soit à 8 h et à 17 h, alors que pour d'autres, il faut respecter un intervalle strict de 12 heures, soit 9 h et 21 h. Cependant, il est parfois nécessaire de sauter une dose ou de la retarder si l'état de la personne hospitalisée le requiert, par exemple lorsque la personne doit être à jeun pour un examen paraclinique. La plupart des établissements de soins ont une politique qui fixe les intervalles auxquels un médicament doit être administré. Plusieurs établissements permettent qu'on administre le médicament dans les 30 minutes qui précèdent ou suivent l'heure prescrite. Par exemple, si l'ordonnance indique qu'on doit donner un médicament à 9 h, on peut l'administrer entre 8 h 30 et 9 h 30. Il faut être particulièrement attentif lors de l'administration d'un médicament PRN (selon les besoins de la personne) et vérifier l'heure de la dernière dose indiquée sur la FADM.

5. La bonne personne

S'assurer qu'on administre le médicament à la bonne personne est une autre étape cruciale. Les personnes hospitalisées doivent obligatoirement porter un bracelet d'identification. Au moment d'administrer les médicaments, l'identification d'une personne doit se faire de deux façons : d'abord en demandant à la personne de dire ses nom et prénom, ainsi que sa date de naissance ou son numéro de dossier ; ensuite, en vérifiant la concordance de ces informations avec celles indiquées sur le bracelet d'identification. La vérification de deux indicateurs uniques est indispensable à la pratique exemplaire des soins infirmiers. Dans les centres d'hébergement et de soins de longue durée (CHSLD), les personnes hébergées ne portent pas toutes un bracelet d'identification puisqu'elles sont en milieu de vie. Pour s'assurer d'administrer le bon médicament à la bonne personne, une photo récente est affichée près de la porte de la chambre ou du lit et une autre, attachée à la FADM correspondant au nom de cette personne. Ainsi, il est plus facile de reconnaître la personne et d'éviter des erreurs.

Pour chaque dose préparée, il faut apposer une étiquette d'identification sur laquelle seront inscrits les deux indicateurs de la personne ainsi que les numéros de la chambre et du lit, le nom du médicament, la dose ainsi que la voie et l'heure d'administration.

6. La bonne raison clinique qui justifie l'administration du médicament

Cette étape consiste à s'assurer que la personne reçoit le médicament pour la raison mentionnée au dossier. L'infirmière doit être en mesure de faire les liens entre la médication prescrite et l'état de santé de la personne, tout en considérant certaines données, dont la dose, les résultats de laboratoire et les signes vitaux. Par exemple, on peut prescrire un médicament comme l'halopéridol (antipsychotique) pour contrôler au besoin les périodes d'agitation chez la personne, mais également pour soulager les nausées et vomissements, bien que cet usage ne soit pas approuvé. L'infirmière ne peut administrer le médicament que pour l'intention thérapeutique clairement identifiée au dossier clinique, soit l'agitation.

7. La bonne documentation au dossier

Après avoir administré le médicament, l'infirmière doit consigner correctement et rapidement sur la FADM les informations relatives au médicament administré. Il est important d'inscrire ces données sans tarder afin que la personne ne reçoive pas accidentellement la même dose deux fois ou qu'elle reçoive la dose suivante trop tôt. Quand on a effectué une injection intramusculaire, il faut également indiquer le point d'injection afin de s'assurer d'effectuer une rotation adéquate des sites d'injection et de ne pas injecter la substance au même endroit la prochaine fois. Certains centres utilisent un formulaire spécifique pour s'assurer d'une rotation adéquate des sites. Il faut également inscrire l'heure à laquelle les médicaments PRN (au besoin) ont été administrés. Si la personne refuse le médicament ou si elle ne reçoit pas la dose prescrite parce qu'elle est à jeun ou absente en raison d'un examen paraclinique, l'infirmière doit l'indiquer clairement sur la FADM. Il peut être approprié de rédiger une note infirmière au dossier de la personne ou de procéder à l'ajout d'une directive infirmière au PTI concernant l'efficacité du traitement, les effets secondaires, les éléments de surveillance post-administration ou les raisons qui justifient de ne pas administrer le médicament.

8. La bonne surveillance des effets

Cette étape consiste à évaluer les effets thérapeutiques et à surveiller l'apparition des effets secondaires, des signes d'intolérance et d'allergie et des signes de surdosage pour tous les médicaments administrés. La surveillance clinique est essentielle afin d'assurer la qualité des soins apportés à la personne hospitalisée ou hébergée dans un CHSLD.

ALERTE INFIRMIÈRE

Chaque fois que vous administrez un médicament, prenez le temps de vérifier l'identité de la personne hospitalisée en comparant les éléments d'identification du bracelet avec les informations données par la personne. Vous saurez ainsi qu'il s'agit de la bonne personne. Cette vérification est encore plus importante s'il y a à l'unité de soins des personnes portant des noms similaires. Ne prenez pas le numéro de chambre ou le nom inscrit à la tête du lit comme élément d'identification puisqu'une erreur peut survenir lors des transferts de personnes d'une chambre à une autre ou lors d'un congé.

Médicaments nécessitant des vérifications particulières

Bien qu'il soit nécessaire d'effectuer une vérification minutieuse des 8 bons gestes pour tous les médicaments, certains nécessitent des surveillances supplémentaires parce qu'ils représentent un risque de préjudices élevé pour la personne en cas d'administration d'une dose erronée. C'est le cas, entre autres, des analgésiques opiacés, qu'on administre pour soulager la douleur modérée à forte. Cette classe de médicaments exerce des effets secondaires graves et susceptibles d'entraîner le décès de la personne, si les doses ont été administrées sans tenir compte de certains critères tels que l'âge de la personne, la présence de maladies concomitantes ou la **naïveté aux opioïdes**. La dépression respiratoire, qui peut conduire à un arrêt respiratoire, est le principal effet secondaire potentiellement mortel. De plus, les analgésiques opioïdes sont d'usage fréquent parmi les personnes consommatrices de drogues et autres substances pouvant entraîner une dépendance. Ces analgésiques sont donc une cible de choix pour le vol de médicaments en milieux de travail, principalement dans les centres hospitaliers. C'est pourquoi différentes lois encadrent la conservation et l'enregistrement des doses administrées sur un formulaire réservé à cette fin. Ces médicaments sont conservés dans des armoires sécurisées et les personnes qui les manipulent doivent respecter des mesures de sécurité strictes et des règles d'identification. Les différents centres hospitaliers se sont donné des règles relativement à la préparation et à l'administration des différentes substances narcotiques.

ALERTE INFIRMIÈRE

Certaines substances telles que les analgésiques à puissance élevée et les anticoagulants sont identifiées par les lettres ***HR***, ce qui signifie que le médicament est jugé à haut risque d'effets néfastes en cas d'erreur et son administration nécessite l'application de règles de sécurité rigoureuses. Certains établissements exigent l'application de la règle de la *double vérification indépendante (DVI)*, c'est-à-dire la vérification par deux infirmières de la dose administrée et l'enregistrement de deux signatures dans le dossier de la personne ou dans un registre (ou les deux). L'infirmière qui administre ces substances jugées à haut risque se doit de connaître les règles en vigueur dans l'établissement où elle travaille.

Interprétation des informations concernant les médicaments

L'infirmière a la responsabilité de lire les ordonnances, d'interpréter les éléments qui y figurent, de calculer les doses des médicaments et de les administrer. Pour préparer et administrer des médicaments de manière sûre, il est essentiel de savoir lire et interpréter correctement les ordonnances. Après avoir administré la bonne dose d'un médicament de façon appropriée, l'infirmière a aussi la responsabilité légale de consigner par écrit les informations relatives à l'administration du médicament et d'assurer la surveillance des effets de la médication sur la personne. L'infirmière doit choisir les données utiles inscrites sur les étiquettes et connaître les différentes présentations des médicaments. Ces connaissances sont essentielles à une administration sécuritaire.

OBJECTIF 2.5 Distinguer le nom générique du nom commercial

Un médicament est un produit pharmaceutique employé pour prévenir, traiter ou diagnostiquer un problème de santé. Les médicaments sont généralement administrés pour traiter un symptôme, enrayer une infection ou prévenir des complications. Ils sont utilisés parce qu'ils compensent ou modifient des fonctions physiologiques. Ils sont composés d'un ou de plusieurs ingrédients actifs (ou principes), qui agissent sur les fonctions physiologiques, et d'un **excipient**, une substance inactive, qui permet d'améliorer l'aspect, le goût, l'absorption, la couleur, la présentation, la conservation ou l'administration du produit. Un médicament est désigné de deux façons : par son nom commercial et par son nom générique.

Nom commercial

Le nom commercial commence par une lettre majuscule et comporte un symbole de marque de commerce ou de marque déposée : ® (*registered*), ™ (trademark), ᴹᴰ (marque déposée), ᴹᶜ (marque de commerce). Les noms commerciaux choisis sont généralement faciles à retenir, à prononcer et à épeler afin de favoriser la reconnaissance rapide du médicament et d'en faciliter la vente.

Nom générique

Le nom générique (ou la dénomination commune) est le nom que le fabricant donne à l'ingrédient actif contenu dans le médicament qu'il a mis au point. Il s'agit d'un nom qui commence par une lettre minuscule. Le nom générique d'un médicament est le nom adopté par les organismes de réglementation pharmaceutique. C'est le nom officiel de la molécule active (ingrédient actif) du médicament. Un médicament n'a qu'un seul nom générique.

Sur les FADM utilisées dans les différents centres ainsi que dans les ouvrages de référence, on utilise en premier lieu le nom générique pour identifier le produit puisqu'un médicament peut avoir plusieurs noms commerciaux, alors qu'il n'a qu'un seul nom générique. Cependant, lorsqu'une compagnie n'a plus l'exclusivité pour fabriquer et vendre un médicament, d'autres compagnies pharmaceutiques se spécialisent dans la fabrication de médicaments dits « génériques » qui sont très semblables aux médicaments d'origine. Ces médicaments peuvent être vendus sous leur nom générique ou sous un nom commercial principalement composé du nom générique. Le **tableau 2.1** donne des exemples de noms génériques et commerciaux de quelques médicaments.

Tableau 2.1 Noms génériques et commerciaux de quelques médicaments

Nom générique	Noms commerciaux
Acétaminophène	Tylénol® Tempra® Apo-acétaminophène (fabriqué par Apotex)
Ibuprofène	Advil® Motrin® Ibuprofène Téva® (fabriqué par Téva)
Dimenhydrinate	Gravol® Sandoz® Dimenhydrate (fabriqué par Sandoz, une division de Novartis)

Exercez-vous : p. 24 du cahier d'exercices.

Il est toujours recommandé d'utiliser le nom générique pour désigner un produit pharmaceutique, car les noms commerciaux peuvent se ressembler et devenir une source d'erreur.

OBJECTIF 2.6 Associer les diverses formes des médicaments aux voies d'administration courantes

Un médicament peut se présenter sous diverses formes qui doivent correspondre à la voie d'administration. Chaque produit pharmaceutique est conçu pour être administré par une ou deux voies précises, parfois plus. Par exemple, on peut administrer certaines solutions injectables par voie sous-cutanée et intramusculaire, mais non par voie intraveineuse.

Le **tableau 2.2** présente les principales voies d'administration utilisées par les infirmières, leurs principaux avantages et inconvénients, ainsi que la forme des médicaments utilisés par cette voie. Les voies d'administration ont été regroupées en quatre catégories.

Tableau 2.2 Principales voies d'administration et formes des médicaments

Voies d'administration	Avantages et (ou) inconvénients	Formes de médicaments associées
Voies entérales Définition : voies associées au tube digestif supérieur.		
• Orale • Sublinguale • Buccogingivale	• Faciles et commodes • Moins coûteuses que les voies parentérales • Effet local ou systémique • Goût pouvant être désagréable	Comprimé, gélule, capsule, liquide, suspension, émulsion, élixir, granule, pastille
Voies parentérales Définition : injection d'un médicament à travers la peau, en traversant diverses couches, jusque dans les tissus profonds.		
• Intradermique • Sous-cutanée • Intramusculaire • Intraveineuse • Intraosseuse	• Absorption plus rapide (de 0 à 30 min) que dans le cas des voies entérales • Risque de malaises et d'anxiété • Risque de dommages aux tissus lors d'injections répétées	Solution injectable, poudre soluble injectable à reconstituer, suspension, émulsion sous forme injectable
Voies topiques Définition : application d'un médicament, à usage externe, sur la peau ou les muqueuses.		
• Transdermique (peau) • Ophtalmique (œil) • Nasale (nez) • Vésicale (vessie) • Auriculaire (oreille) • Rectale (rectum) • Vaginale (vagin)	• Effet local ou systémique • Peu d'effets secondaires (application locale) • Administration indolore • Absorption prolongée (de 12 h à 72 h) par application transdermique (peau)	Crème, gel, goutte, lotion, onguent, ovule, pommade, pâte, suppositoire, solution à administration rectale, timbre

Tableau 2.2 Principales voies d'administration et formes des médicaments (*suite*)

Voies d'administration	Avantages et (ou) inconvénients	Formes de médicaments associées
Voies respiratoires Définition : introduction d'un médicament dans les voies respiratoires à l'aide d'un aérosol-doseur ou d'un nébuliseur, au moyen d'un masque.		
• Inhalation	• Soulagement rapide des difficultés respiratoires (bronchodilatateurs) • Voie d'administration des gaz anesthésiants • Administration possible à une personne inconsciente	Aérosol (fines particules, solides ou liquides, dispersées dans un gaz pour atteindre les bronchioles), nébulisation

OBJECTIF 2.7

Repérer les renseignements pertinents sur l'étiquette ou le contenant d'un médicament

La bonne compréhension des informations fournies sur les étiquettes ou les contenants des médicaments est essentielle à une administration sécuritaire. L'infirmière doit choisir les données utiles inscrites sur les étiquettes et connaître les différentes présentations des médicaments. Ceux-ci sont présentés dans un emballage muni d'une étiquette. Cette dernière indique notamment le nom et la teneur de l'ingrédient actif, ce qui permet de calculer correctement la dose et de l'administrer de manière appropriée.

Renseignements présents sur l'étiquette

L'étiquette d'un médicament contient plusieurs des renseignements suivants :

- le nom commercial ;
- le nom générique ;
- la teneur et la concentration ;
- la quantité totale ;
- la présentation ;
- l'indication thérapeutique ;
- la dose recommandée ;
- les consignes de conservation ;
- les précautions ;
- le nom du fabricant ;
- la date de péremption ;
- le numéro de lot ;
- le DIN (numéro d'identification).

Comme l'étiquette des médicaments servis en centre hospitalier ou en centre d'hébergement est très petite et qu'il est impossible de tout indiquer, il est fréquent de ne pas y trouver toutes ces informations. Celles-ci se trouvent sur l'emballage dans lequel le fournisseur expédie les médicaments au centre hospitalier.

Nom commercial du médicament

Le nom commercial est le nom donné par son fabricant, habituellement accompagné d'un symbole : ® ou MD (en anglais, *registered* ou marque déposée). Ces symboles indiquent que la marque de commerce a fait l'objet d'un dépôt légal auprès d'un organisme national de marques de commerce, tandis que les symboles TM et MC (en anglais, *trade mark* ou marque de commerce) indiquent que la marque n'a pas été officiellement déposée ou que la démarche est en cours. Le nom commercial commence par une lettre majuscule ou est inscrit entièrement en majuscules sur l'étiquette. Il est généralement écrit sur l'étiquette avec les caractères les plus gros (**figure 2.1**).

Figure 2.1

Nom commercial d'un médicament. © Apotex. Reproduit avec permission.

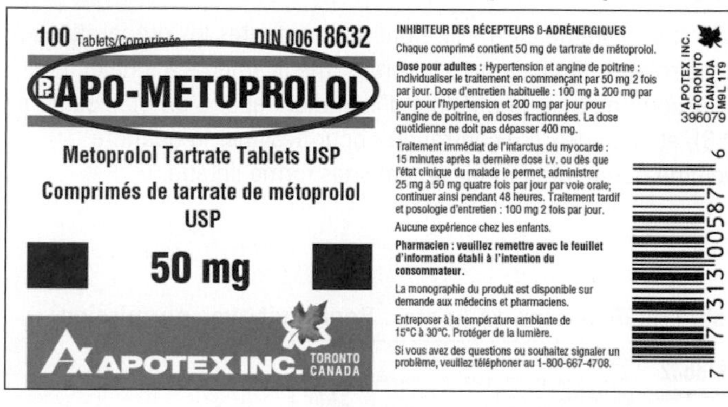

Nom générique du médicament

Écrit en lettres minuscules sur l'étiquette, le nom générique figure généralement en dessous du nom commercial (**figure 2.2**). C'est à partir du nom générique que l'infirmière effectue une recherche dans les principaux ouvrages de référence sur les médicaments. Sur une ordonnance, un médicament peut être prescrit sous son nom générique ou sous un nom commercial. En milieu hospitalier, il est toutefois fortement recommandé d'utiliser le nom générique afin de réduire le risque de confusion.

Le nom générique du médicament est souvent accompagné du sigle *USP* (*United States Pharmacopoeia*), qui indique que les fabricants ont dû se conformer à des lignes directrices précises relativement aux normes auxquelles doivent répondre les médicaments. Les médicaments sur ordonnance portent aussi le symbole Pr (pour prescription) et les

Figure 2.2

Nom générique du médicament. © Apotex. Reproduit avec permission.

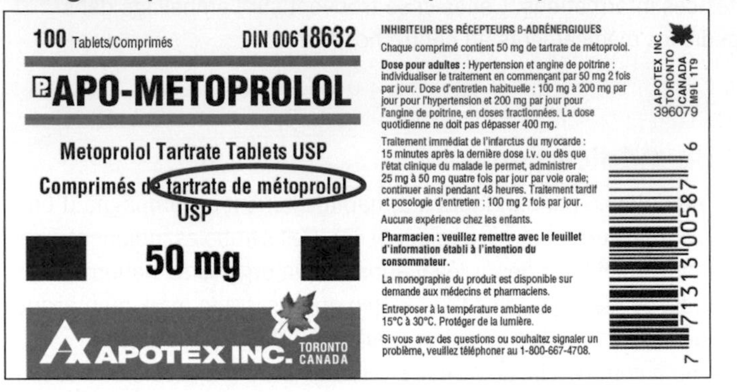

médicaments narcotiques portent le symbole Ⓝ (pour narcotique) à gauche du nom du médicament. Ce symbole signifie que ce médicament est une substance contrôlée assujettie à la Loi sur les aliments et drogues.

Teneur et concentration d'un médicament

Le SI (Système international) est le système de mesure utilisé pour toutes les préparations de médicaments : préparations solides, liquides ou en crèmes, médicaments à inhaler, etc. On emploie le terme « teneur » pour indiquer la quantité d'ingrédient actif d'un médicament sous forme solide (**figure 2.3**), et celui de « concentration » pour désigner la quantité d'ingrédient actif dans un volume donné d'un médicament sous forme liquide.

Figure 2.3

Teneur ou concentration d'un médicament. © Apotex. Reproduit avec permission.

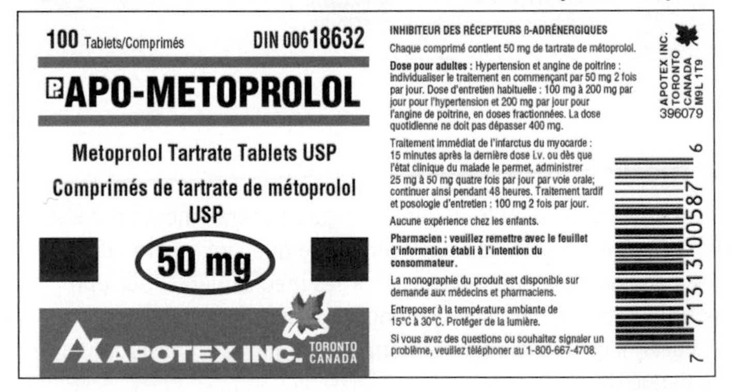

Quantité totale de médicament

La quantité désigne la quantité *totale* de médicament dans une boîte, une ampoule, une fiole ou un flacon. Par exemple, si le médicament est en comprimés, la quantité sera le nombre total de comprimés dans le flacon ou la boîte (**figure 2.4**). Dans le cas d'un médicament liquide, la quantité sera le volume total contenu dans le flacon, la fiole ou l'ampoule. La quantité est habituellement inscrite dans le coin supérieur gauche ou droit de l'étiquette, ou alors à sa base.

Figure 2.4

Quantité totale de médicament. © Apotex. Reproduit avec permission.

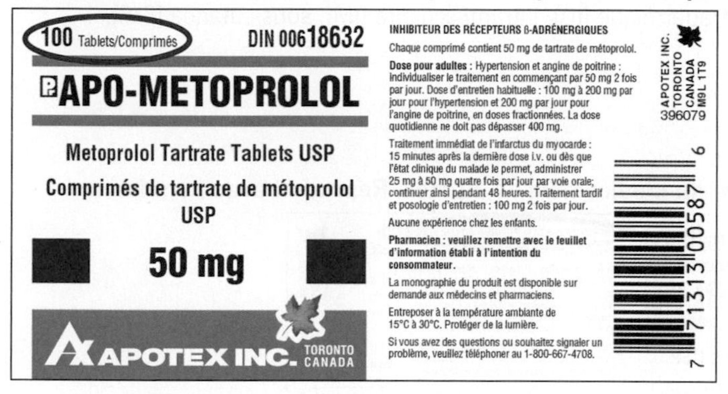

Présentation du médicament

La présentation est le type de préparation du médicament. Les présentations dites « solides » sont notamment les comprimés, les caplets, les gélules et les capsules (**figure 2.5**). Les présentations dites « liquides » sont des solutions, des suspensions, des émulsions, des

Figure 2.5

Présentation du médicament. © Apotex. Reproduit avec permission.

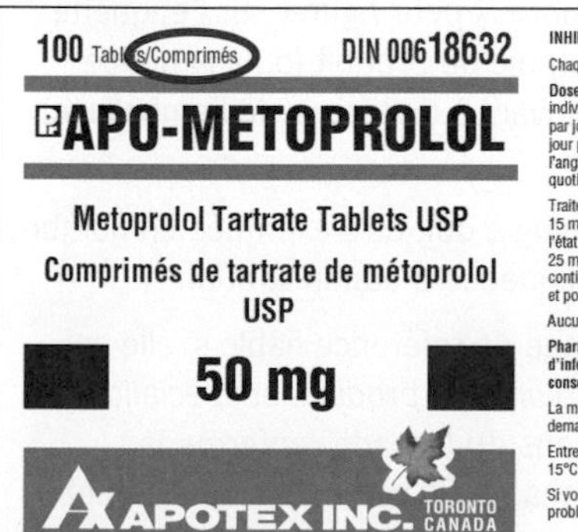

sirops ou des élixirs. Certains médicaments destinés à la voie orale sont vendus sous forme de poudre ou de granules à mélanger à de la nourriture ou à des liquides avant de les administrer. Les médicaments destinés à la voie parentérale sont des solutions ou des poudres qu'on doit dissoudre avec le solvant approprié afin de les reconstituer sous leur forme injectable. Il existe également des médicaments sous forme de suppositoires, d'onguents, de timbres transdermiques, ou de produits pour inhalateurs, vaporisateurs ou nébuliseurs.

Indication thérapeutique

On trouve également sur l'étiquette les indications thérapeutiques ou la classe pharmacologique (**figure 2.6**). Pour les médicaments injectables, le fabricant doit indiquer par quelle voie il peut être administré (intradermique [ID], intramusculaire [IM], sous-cutanée [S/C], intraveineuse [IV]).

Figure 2.6

Indication thérapeutique du médicament. © Apotex. Reproduit avec permission.

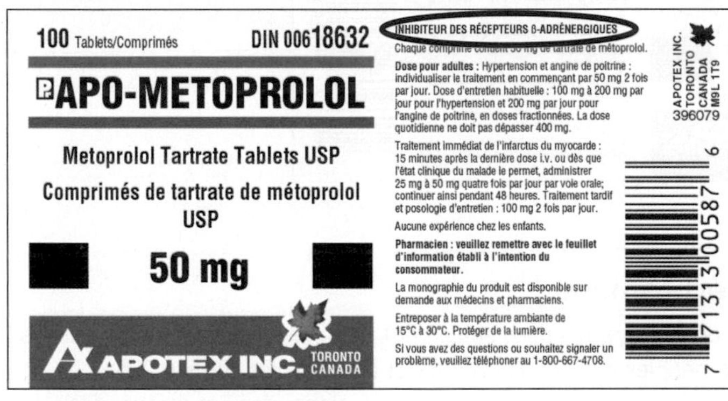

Dose recommandée

La dose recommandée est la quantité de médicament prévue pour chaque dose ou pour une période de 24 heures (**figure 2.7**). Dans le cas des médicaments d'ordonnance, les renseignements relatifs à la dose sont souvent trop nombreux pour figurer sur l'étiquette. Il est donc fréquent que l'étiquette renvoie à la monographie du produit (ou à la notice d'emballage, c'est-à-dire le feuillet d'informations se trouvant à l'intérieur de l'emballage), qui contient tous les détails au sujet de la dose.

Pour les médicaments vendus sans ordonnance, la posologie doit être exprimée en nombres de comprimés ou capsules par dose et doit inclure la fréquence d'administration.

En milieu hospitalier, l'infirmière doit consulter un ouvrage de référence fiable si elle a le moindre doute quant à la dose prescrite. Le *Compendium des produits et spécialités pharmaceutiques* (CPS) de l'Association des pharmaciens du Canada renferme la monographie des médicaments approuvés par Santé Canada. Ce volumineux document est le plus complet et est généralement disponible dans les différentes unités de soins.

Figure 2.7

Dose recommandée du médicament. © Apotex. Reproduit avec permission.

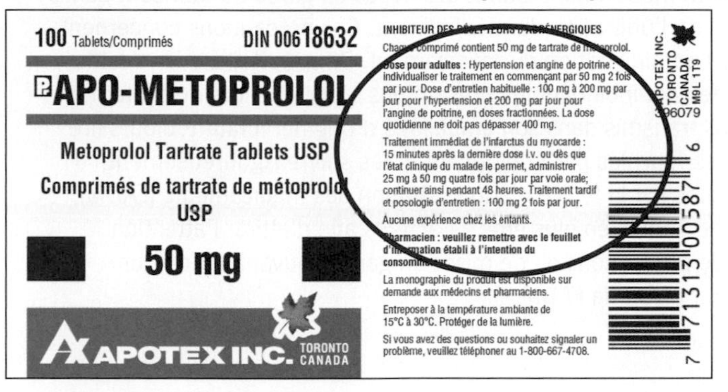

Consignes de conservation

La partie de l'étiquette qui concerne la conservation indique comment entreposer le médicament afin qu'il ne perde pas ses propriétés ou son efficacité (**figure 2.8**). Les consignes de conservation ont souvent trait à la température à laquelle le médicament doit être gardé ou la nécessité de le placer à l'abri de la lumière. Si le médicament est une poudre à reconstituer, les renseignements sur la conservation préciseront également la durée d'efficacité du médicament une fois qu'il a été reconstitué ou mélangé dans une solution. Ces consignes particulières se trouvent également sur la feuille d'administration des médicaments (FADM).

Figure 2.8

Consignes de conservation du médicament. © Apotex. Reproduit avec permission.

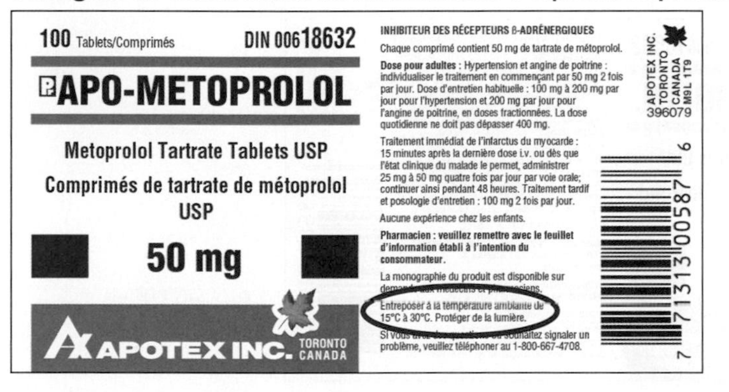

Précautions relatives à l'utilisation

Très souvent, l'étiquette d'un médicament fournit des mises en garde du fabricant ou les précautions à prendre lors de l'utilisation du médicament. Ces précautions concernent les risques, l'efficacité ou l'administration du médicament. Dans certains cas, c'est la pharmacie qui fournit un feuillet indiquant les précautions à prendre lors du traitement, si le médicament n'est pas transmis dans son emballage d'origine. Il faut toujours lire attentivement les directives fournies par le fabricant et les suivre rigoureusement. Ces précautions sont inscrites sur la feuille d'administration des médicaments (FADM), fréquemment soulignées ou écrites en plus gros caractères afin d'attirer l'attention. Voici quelques exemples de précautions ou de mises en garde pouvant figurer sur l'étiquette d'un médicament ou sur la FADM.

- Conserver au réfrigérateur.
- Ne pas croquer ou écraser.
- Bien agiter avant d'utiliser.
- Manipuler avec des gants : agent **cytotoxique**.

Nom du fabricant

Le contenant ou l'emballage d'origine d'un médicament indique toujours le nom du laboratoire pharmaceutique qui le fabrique (**figure 2.9**). Lors de l'achat d'un médicament en vente libre, la personne dispose de cette information, ce qui est rarement le cas lors de l'achat d'un médicament sous ordonnance, à moins que le pharmacien ne remette à la personne une boîte ou un contenant complet. Si ce dernier prépare une fraction de la quantité totale du médicament contenue dans la boîte, il dépose le médicament dans un contenant de plastique multidose sans que soit mentionné le nom du fabricant.

Figure 2.9

Nom du fabricant. © Apotex. Reproduit avec permission.

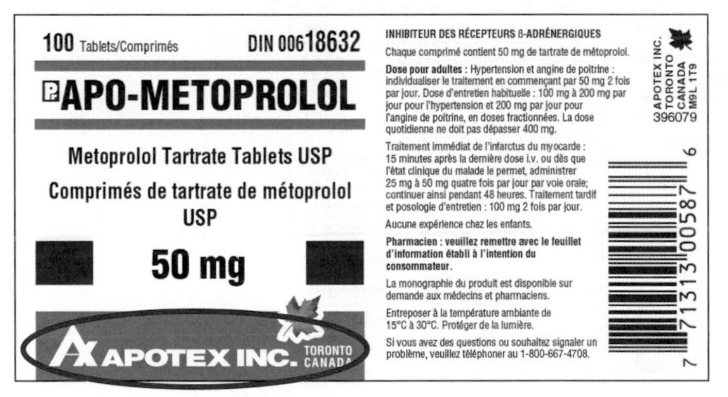

Date de péremption

Chaque médicament porte une date de péremption, c'est-à-dire la date après laquelle on ne doit plus l'utiliser (**figure 2.10**). Plus précisément, on n'utilise pas le médicament après le dernier jour du mois ou de l'année indiqué sur l'étiquette. Lorsqu'il s'agit d'un contenant multidose, l'infirmière indique la date de péremption sur le contenant en fonction de la date où il a été utilisé pour la première fois, du produit qu'il renferme et des recommandations du service de la pharmacie. Si le produit doit être réfrigéré, il faut s'assurer qu'il est placé dans un réfrigérateur destiné à la conservation des médicaments. Dans les établissements de soins de santé, on doit retourner au service de la pharmacie les médicaments périmés afin d'assurer une gestion adéquate des déchets biomédicaux. Il faut également y retourner les médicaments qui n'ont pas été utilisés parce que la personne a reçu son congé, afin d'éviter que les médicaments s'accumulent dans les unités de soins.

Figure 2.10

Date de péremption du médicament. © Sandoz. Reproduit avec permission.

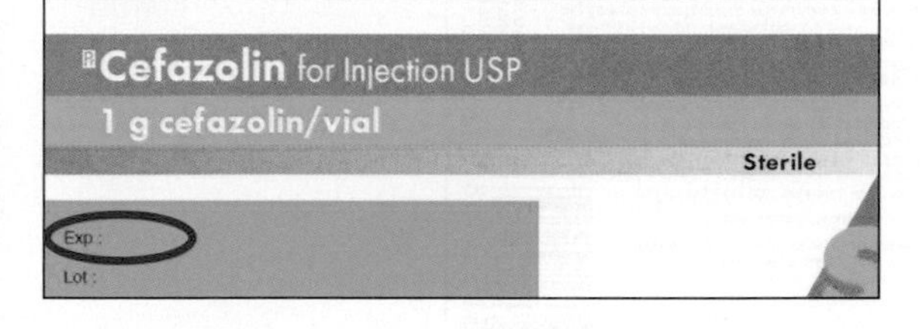

Numéro de lot

En vertu des lois en vigueur, le numéro de lot est une mention que l'on doit obligatoirement trouver sur les différents emballages (**figure 2.11**). Il renseigne sur le lot dont le médicament est issu et il permet de le retracer si jamais le fabricant doit le retirer du marché pour quelque raison que ce soit.

Figure 2.11

Numéro de lot. © Sandoz. Reproduit avec permission.

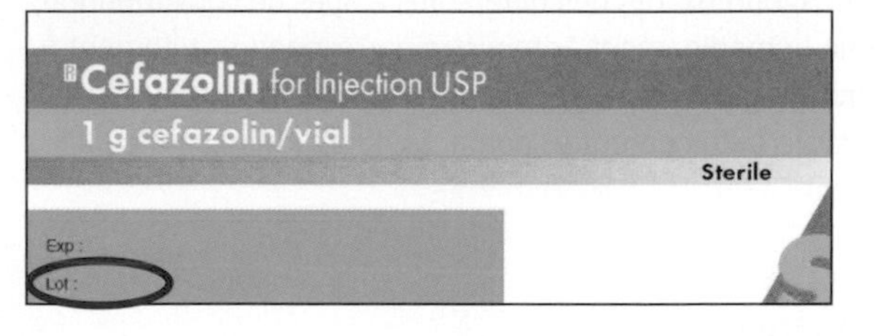

Identification numérique du médicament (DIN)

Exercez-vous : p. 25 du cahier d'exercices.

L'identification numérique du médicament, ou DIN (*Drug Identification Number*), est un numéro d'identification unique et aléatoire attribué par Santé Canada (**figure 2.12**). Il permet au consommateur de savoir que le produit a été homologué à la suite de l'évaluation de sa formulation, de son étiquetage et de sa notice d'utilisation. Un médicament qui n'a pas de DIN n'est pas conforme à la loi canadienne. Le fabricant a l'obligation d'inscrire ce numéro sur l'emballage ou le contenant d'un médicament.

Figure 2.12 DIN. © Apotex. Reproduit avec permission.

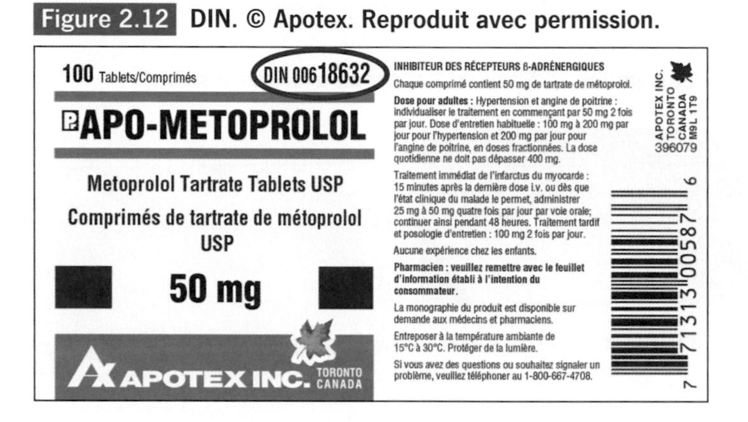

OBJECTIF 2.8 Reconnaître les différences entre un sachet unidose, un emballage unitaire et un contenant multidose

À l'unité de soins, les médicaments à administrer par les voies entérale, parentérale et topique sont servis en format unidose ou multidose. Bien que les systèmes de distribution possèdent des mécanismes de contrôle rigoureux lors des différentes étapes de la distribution, il revient à l'infirmière de s'assurer que le médicament administré correspond exactement à l'ordonnance. Si un doute existe quant au médicament servi par le service de la pharmacie, l'infirmière doit s'abstenir d'administrer le médicament et contacter le pharmacien afin de s'assurer de la conformité du produit.

Présentation en format unidose

Les termes « format » ou « contenant unidose » désignent un médicament emballé et étiqueté en doses individuelles, qui se présente sous forme d'une capsule ou d'un comprimé emballé séparément dans un petit sachet ou avec d'autres médicaments à administrer au même moment, ou encore dans un emballage coque et correspondant à une seule dose (**figure 2.13**). Les médicaments parentéraux (injectables) se trouvent dans des fioles, des ampoules ou des seringues préremplies (**figure 4.25**) qui contiennent chacune une dose du médicament prescrit ; ce sont des doses unitaires. Quant aux médicaments topiques, il peut s'agir d'un

Figure 2.13 **Présentations unidoses destinées à la voie entérale.**

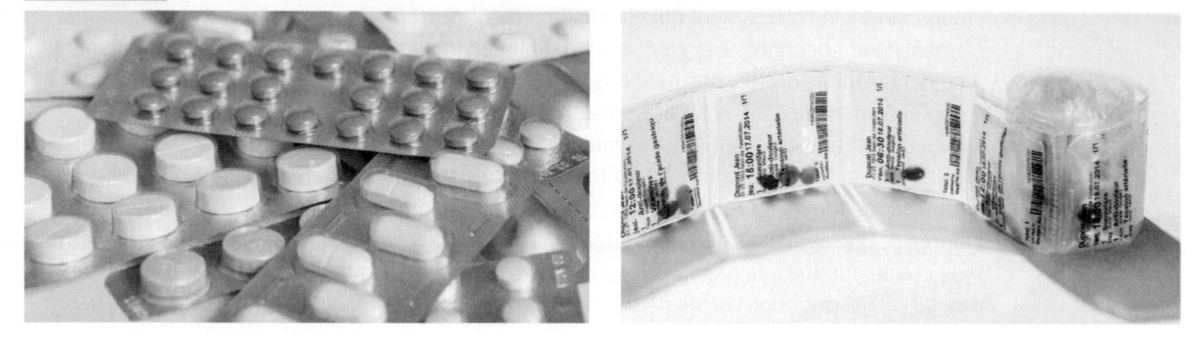

timbre transdermique, d'un suppositoire ou d'un tube d'onguent ou de crème de petit format emballé et étiqueté séparément. Dans les établissements de soins généraux et spécialisés, l'unité de soins qui utilise des sachets unidoses reçoit chaque jour la quantité de doses nécessaires pour 24 heures, pour chaque personne hospitalisée. Dans les centres d'hébergement et de soins de longue durée, le service de la pharmacie distribue les médicaments pour des périodes plus longues, qui peuvent varier de quelques jours à un mois.

Les médicaments ne se présentent pas toujours dans un format unidose. L'infirmière doit lire attentivement l'étiquette de chaque emballage pour s'assurer qu'il s'agit du bon médicament et de la bonne dose. Par exemple, un médecin peut prescrire du métoprolol (Lopressor) à raison de 50 mg tous les matins, alors que la teneur inscrite sur l'emballage du métoprolol (Lopressor) est de 25 mg. Donc, en calculant correctement, l'infirmière constatera qu'elle doit utiliser deux sachets unidoses de 25 mg de médicament pour administrer la dose prescrite.

Contenant multidose

Un contenant multidose renferme plus d'une dose du médicament. On trouve ce type de médicament dans la réserve de la pharmacie de l'unité de soins infirmiers. Ce sont des médicaments prescrits à un intervalle régulier ou au besoin (PRN) mentionnés sur des ordonnances individuelles ou collectives. En disposant d'un grand nombre de ces médicaments d'usage, l'infirmière peut se procurer rapidement la médication et l'administrer sans délai. Lorsqu'elle a besoin d'une seule dose du médicament prescrit, elle prélève la dose nécessaire du contenant multidose en prenant soin de ne pas introduire des bactéries avec ses doigts et un instrument souillé et ainsi contaminer l'ensemble des médicaments à l'intérieur du contenant. Souvent, elle doit calculer la bonne dose avant de prélever la quantité voulue. La plus grande vigilance est de mise et l'utilisation des huit bons gestes témoigne d'une pratique exemplaire de l'infirmière.

On trouve des contenants multidoses de comprimés, capsules ou sachets de poudre. Les préparations liquides à administrer par voie orale sont souvent disponibles en flacons multidoses, tels les laxatifs, les solutions antifongiques et l'acétaminophène. Quant aux médicaments destinés à la voie parentérale, ils se trouvent souvent dans des fioles qui contiennent le médicament qui est généralement prescrit à plusieurs personnes, comme l'insuline et l'héparine. Les gouttes ophtalmiques (**collyres**) et auriculaires sont également contenues dans des flacons multidoses, tout comme les crèmes et les onguents, qui sont contenus dans des tubes ou des pots multidoses. Quand on prélève de la crème ou de l'onguent d'un contenant à doses multiples, il faut utiliser un abaisse-langue stérile pour éviter la contamination du reste du médicament. Peu importe le matériel utilisé pour prélever et administrer un médicament d'un contenant multidose, celui-ci devrait être jeté après usage, sauf dans certaines situations bien particulières. C'est le cas des applicateurs de crème administrée par voie vaginale : ils sont habituellement en plastique, lavables et réutilisables pour une même personne.

Ordonnances et feuille d'administration des médicaments (FADM)

L'utilisation adéquate de la documentation en soins infirmiers assure la transmission exacte des informations relatives à la condition de la personne, des interventions infirmières qui en découlent ainsi que du suivi assuré par l'équipe soignante. L'infirmière doit également être en mesure de décoder et d'interpréter adéquatement les informations inscrites sur l'ordonnance et de transmettre toutes les informations relatives à l'administration de la médication à partir de la feuille d'administration des médicaments. Cet outil, lorsqu'utilisé rigoureusement, permet de réduire au minimum les risques d'erreur lors de la préparation de la médication et, ainsi, d'assurer des soins de qualité.

OBJECTIF 2.9 Distinguer une ordonnance individuelle d'une ordonnance collective

Une ordonnance est un document écrit contenant les instructions d'une personne autorisée à prescrire des médicaments. Depuis janvier 2016, les infirmières du Québec ont le droit de prescrire des tests et des médicaments dans certaines circonstances et pour des problèmes de santé bien déterminés. En milieu hospitalier, les ordonnances sont rédigées sur un formulaire spécial, prévu à cette fin. Il existe deux types d'ordonnances selon qu'elles sont individuelles et collectives.

Ordonnance individuelle

L'ordonnance individuelle rédigée par un professionnel autorisé (médecin, infirmière praticienne spécialisée, etc.) est destinée à une personne après évaluation de son état de santé. Elle peut être verbale ou écrite.

Ordonnance collective

L'ordonnance collective est un outil qui reflète la collaboration entre les médecins et les infirmières. Elle permet à ces dernières d'exercer certaines activités réservées à partir de leur évaluation et d'administrer certains médicaments à des personnes qui présentent un problème clinique déterminé, et ce, sans attendre une ordonnance individuelle. Par exemple, des médicaments tels que l'acétaminophène (Tylenol), le dimenhydrinate (Gravol), la diphenhydramine (Benadryl) ou la nitroglycérine (NTG) peuvent faire l'objet d'une ordonnance collective à certaines conditions.

L'ordonnance collective est obligatoirement écrite et ne peut être appliquée que par les professionnels ou par les personnes habilitées et clairement identifiées sur l'ordonnance. Elle doit contenir notamment les éléments essentiels suivants :

- les circonstances qui donneront lieu à son application en précisant la clientèle ou le groupe de personnes visées par l'ordonnance ;
- l'identification du professionnel ou de la personne habilitée à appliquer l'ordonnance collective ;
- les conditions préalables à respecter pour l'application de l'ordonnance collective ;
- les conditions où l'ordonnance collective ne doit pas être utilisée par le professionnel.

La **figure 2.14** donne un exemple de ce type d'ordonnance.

Exercez-vous : p. 27 du cahier d'exercices.

OBJECTIF 2.10 Décoder une ordonnance individuelle

L'infirmière a la responsabilité de lire les ordonnances, d'interpréter les éléments qui y figurent, de calculer les doses des médicaments et de les administrer. Il est capital qu'elle accomplisse ces tâches diligemment afin de prévenir les erreurs dans l'administration des médicaments.

Exactitude et précision des ordonnances individuelles

L'ordonnance individuelle doit être lisible. Si elle ne l'est pas ou si elle est incomplète, il faut communiquer avec le professionnel qui l'a rédigée pour clarifier les informations illisibles ou incomplètes. Il s'agit là d'une mesure très importante pour prévenir les erreurs d'administration des médicaments.

Une ordonnance émise pour l'extérieur de l'établissement de soins contiendra d'autres informations pertinentes, telles que le nombre de comprimés à remettre à la personne,

Figure 2.14 **Formulaire d'ordonnance collective.**

ORDONNANCE COLLECTIVE

INITIER L'ADMINISTRATION DE L'ACÉTAMINOPHÈNE

Établissement : Centre de santé et de services sociaux

Numéro de l'ordonnance collective : 001-01

Période de validité : 2019-04-01 au 2022-04-01

Clientèle visée

- Enfants de 5 kg et plus, ainsi que les adultes du CISSS qui présentent des signes et symptômes d'hyperthermie ou de douleur légère à modérée non progressive.

Activités réservées

- Évaluer la condition physique et mentale d'une personne symptomatique.
- Exercer une surveillance clinique de la condition des personnes dont l'état de santé présente des risques, incluant le monitorage et les ajustements du plan thérapeutique infirmier.
- Administrer et ajuster des médicaments ou d'autres substances, lorsqu'ils font l'objet d'une ordonnance.

Professionnels autorisés

Les infirmières œuvrant dans les installations du CISSS.

Indications

Personnes présentant des signes et symptômes suggestifs d'hyperthermie ou de la douleur légère à modérée.

Hyperthermie

- Clientèle adulte et enfant de 5 kg et plus :
  - Température buccale ≥ à 38,0 °C
  - Température rectale ≥ à 38,5 °C
- Clientèle gériatrique de plus de 65 ans :
  - Température buccale ou rectale > 37,8 °C
- Clientèle en fin de vie :
  - La fièvre étant fréquente en fin de vie, la mesure de la température corporelle n'est pas requise.

Intention ou cible thérapeutique

- Soulager l'inconfort occasionné par l'hyperthermie.
- Soulager les symptômes de douleur légère à modérée non progressive.

Contre-indications

- Allergie médicamenteuse connue à l'acétaminophène.
- Personne sous chimiothérapie ou neutropénique.
- Antécédent ou suspicion de cirrhose, encéphalopathie hépatique ou ascite.
- Intoxication médicamenteuse.
- Hépatite aiguë ou insuffisance hépatique : AST, ALT et/ou bilirubine : plus de 3 fois la valeur normale.
- Dose maximale quotidienne d'acétaminophène atteinte (4 g/24 h chez l'adulte ou 75 mg/kg/24 h chez l'enfant de 43 kg et moins).
- Céphalées intenses accompagnées ou non de vomissements, de troubles de la vision, d'une augmentation de la tension artérielle, d'une diminution du pouls et de signes neurologiques associés.

Directives

1. Dans tous les cas, évaluer le risque de surdosage à l'acétaminophène :
   - S'assurer qu'il n'y a pas de prise concomitante avec d'autres médicaments qui contiennent de l'acétaminophène, tels que Atasol, Atasol-30, Tramacet, Percocet, Tempra, Robaxacet, etc.
   - Évaluer s'il y a eu prise d'acétaminophène dans les 4 h avant l'application de l'ordonnance collective.
2. Pour la clientèle de plus de 43 kg ou adulte :
   - Administrer acétaminophène 1000 mg PO ou IR aux 6 heures PRN.
   - Maximum 4000 mg/24 h.
3. Pour la clientèle de 43 kg et moins ou pédiatrique :
   - Administrer l'acétaminophène en solution orale 15 mg/kg PO ou en suppositoire par voie IR aux 4 heures PRN.

Limites ou situations exigeant une consultation médicale obligatoire

Aviser le médecin si les symptômes de fièvre ou de douleur persistent plus de 24 h.

Rédigé par

Marise Bien-Aimé, conseillère clinique DSI 2020-01-15

Approuvé par

Dre Carole Turmel, médecin répondante du contenu scientifique 2020-03-12

Francine Patenaude, directrice des soins infirmiers 2020-03-12

Dr Jean-Pierre Leblanc, président du CMDP 2020-03-12

la mention de renouvellement, les coordonnées du médecin et son numéro de permis. Nous présentons dans ce manuel uniquement les exigences liées aux ordonnances destinées à une personne hospitalisée ou hébergée dans un centre de soins (**figure 2.15**).

Figure 2.15 **Formulaire d'ordonnance individuelle.**

MÉDICAMENTS	*Lajoie Joseph* *DDN : 1944-12-19* *73 ans*
POIDS : 84,5 kg ______ lb	TAILLE : 175 cm ______ po
ALLERGIE SUSPECTÉE : ______	**ALLERGIE CONFIRMÉE :** ______

GROSSESSE : ______ / **Semaines grossesse**	☐ **Biberon**	☐ **Allaitement maternel**

NOM	**DOSE**	**VOIE**	**FRÉQUENCE**	**DURÉE**	**S. INF.**
Docusate sodique en sirop	*100 mg*	*PO*	*BID*	*7 jours*	

2019-03-12	*11 h*	*Dre Carole Tremblay*	*978452*
Date	Heure	Signature du médecin	No de permis

Dans ce contexte, une ordonnance doit contenir les éléments suivants.

1. Date et heure auxquelles elle a été rédigée
2. Nom complet de la personne à laquelle elle est destinée (nom et prénom) ainsi que son numéro de dossier ou sa date de naissance
3. Nom (générique ou commercial) du médicament
4. Dose (en milligrammes, en grammes ou autre unité) du médicament

5. Voie d'administration du médicament
6. Moment ou fréquence de l'administration du médicament
7. Signature de la personne autorisée à prescrire le médicament

Minimiser les risques d'erreur

L'utilisation par le médecin d'un formulaire d'ordonnance préalablement identifié à partir des informations que l'on trouve sur la carte de l'hôpital de la personne minimise le risque d'erreur pouvant survenir sur les unités de soins. Il est recommandé de ne pas identifier le formulaire d'ordonnance à l'aide de la carte d'hôpital et d'un adressographe (**figure 2.16**) après que celui-ci a été complété par le médecin. Cela pourrait occasionner une erreur d'identification, ce qui aurait pour conséquence de servir et possiblement d'administrer des médicaments à la mauvaise personne. Il faut également s'assurer que l'ordonnance adéquatement identifiée au nom de la personne soit insérée dans le bon dossier clinique.

Figure 2.16 **Adressographe.**

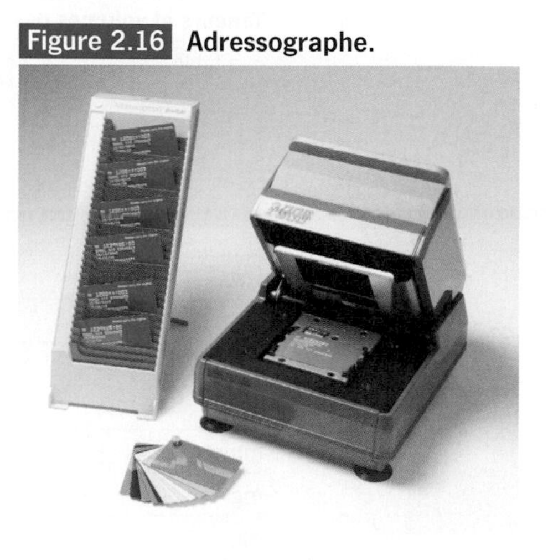

ALERTE INFIRMIÈRE

Il arrive qu'un médecin transmette à l'infirmière une ordonnance verbale plutôt qu'écrite. Ces ordonnances sont acceptées dans une situation d'urgence **lorsque le médecin n'est pas en mesure de rédiger son ordonnance**. Lorsque vous acceptez une ordonnance verbale, que le médecin soit présent ou qu'il transmette les informations par téléphone, prenez soin de répéter à haute voix toutes les informations que le médecin vous transmet afin d'en vérifier l'exactitude, de les noter sur le formulaire d'ordonnance et de classer celui-ci dans le dossier de la personne, dans la section de ses ordonnances. Si vous n'êtes pas certaine du nom du médicament, épelez-le au médecin pour vérifier. Vous devez également inscrire une note concernant la justification de l'ordonnance verbale. L'application rigoureuse de ces mesures contribue à prévenir les erreurs de médication.

Exercez-vous : p. 28 du cahier d'exercices.

OBJECTIF 2.11

Utiliser les abréviations courantes en pharmacothérapie

Les médecins utilisent souvent des abréviations lorsqu'ils rédigent des ordonnances, surtout pour indiquer la voie d'administration, la forme du médicament ou le moment de l'administration. Ces abréviations sont d'usage courant dans la pratique infirmière, il est donc important de les mémoriser (**tableau 2.3**). Afin de réduire le risque d'erreur associé à une interprétation erronée de l'ordonnance, vous devez éviter l'utilisation de certaines abréviations.

Tableau 2.3 Abréviations courantes

Abréviation	Terme
Teneurs et volumes des médicaments	
c. à table	cuillerée à table
c. à thé	cuillerée à thé
g	gramme
gtt.	goutte
kg	kilogramme
L	litre
lb	livre
m	mètre
mcg	microgramme
mmol	millimole
mg	milligramme
mL	millilitre
oz	once
caps.	capsule
co.	comprimé
elix.	élixir
ong.	onguent
sir.	sirop
sol.	solution
supp.	suppositoire
susp.	suspension
Voies d'administration	
ID ; id ; I/D	intradermique
IM ; im ; I/M	intramusculaire
Inj. ; inj.	injection
IR ; ir ; I/R	intrarectale
IV ; iv ; I/V	intraveineuse
PO ; po (*per os*)	par la bouche, par voie orale
SC ; sc ; S/C	sous-cutanée
SL ; S/L	sublinguale
Vag.	vaginale
Moment de l'administration	
ac (*ante cibum*)	avant le repas
ad (*ad*)	jusqu'à
ad lib (*ad libitum*)	à volonté

Abréviation	Terme
Moment de l'administration (*suite*)	
AM ; am ; a.m. (*ante meridiem*)	avant-midi
BID ; bid (*bis in die*)	deux fois par jour
cc (*cum cibum*)	pendant le repas
DIE ; die (*die*)	une fois par jour ; chaque jour
h	heure
HS ; hs (*hora somni*)	au coucher
pc (*post cibum*)	après le repas
PM ; pm ; p.m. (*post meridiem*)	après-midi
PRN ; prn (*pro re nata*)	au besoin
q (*quaque*)	chaque ; tous ; toutes
qh (*quaque hora*)	toutes les heures
q 2 h	toutes les 2 heures
QID ; qid (*quater in die*)	quatre fois par jour
stat (*statim*)	immédiatement
TID ; tid (*ter in die*)	trois fois par jour
Autres abréviations	
ACO	anticoagulant oral
amp.	ampoule
$\bar{C}$ (*cum*)	avec
HR	haut risque
max.	maximum
NACO	nouveau anticoagulant oral
NG	nasogastrique
NPO ; npo (*nil per os*)	rien par la bouche
NV	nausées et vomissements
NVD	nausées, vomissements, diarrhée
Rx	prescription, médication
$\bar{S}$ (*sine*)	sans
TVO ; GVO	tenir veine ouverte ou garder veine ouverte
Tx	traitement

Exercez-vous : p. 30 du cahier d'exercices.

Des erreurs de médication peuvent résulter d'une mauvaise interprétation de certaines abréviations contenues dans une ordonnance. Dans le bulletin de l'Institut pour la sécurité des médicaments aux patients du Canada (ISMP)[8], on trouve les abréviations qu'il ne faut pas employer lorsqu'on rédige une ordonnance médicale ou qu'on inscrit un médicament dans le dossier de la personne. Certains établissements de soins de santé interdisent d'autres abréviations également. Vérifiez toujours la politique de l'établissement relativement à l'utilisation des abréviations. Le **tableau 2.4** présente les principales abréviations à éviter.

Tableau 2.4 Abréviations à éviter

Abréviation	Sens recherché	Problème	Correction recommandée
Abréviation du nom du médicament		On risque de prendre un médicament pour un autre, car les abréviations du nom de certains médicaments se ressemblent, par exemple MSO_4 (sulfate de morphine) et $MgSO_4$ (sulfate de magnésium).	Inscrire le nom en toutes lettres.
AD, AL, AS, AU	Oreille droite, oreille gauche, oreille gauche, les deux oreilles	On risque de les confondre.	Inscrire l'information en toutes lettres : oreille droite, oreille gauche, oreille gauche ou les deux oreilles.
OS, OD, OU	Œil gauche, œil droit, les deux yeux	On risque de les confondre.	Inscrire l'information en toutes lettres : œil droit, œil gauche ou les deux yeux.
µg	Microgramme	On doit écrire très lisiblement le symbole « µ » pour ne pas lire « mg » (milligramme), ce qui donnerait 1000 fois la dose et provoquerait un surdosage.	Utiliser l'abréviation « mcg ».
U	Unité	On risque de lire « 0 » (zéro) ou « 4 » (quatre) si l'écriture n'est pas parfaitement lisible.	Écrire « unité » en toutes lettres.
IU	Unité internationale	On risque de lire « IV » (intraveineux) ou « 10 » (dix).	Écrire « unité » en toutes lettres.
QD QOD	Chaque jour Un jour sur deux	QD et QOD sont souvent confondus l'un pour l'autre, comme « qid » (4 fois par jour). Le Q a aussi été mal interprété comme « 2 » (deux).	Utiliser « par jour » ou « un jour sur deux ».

8. https://www.ismp-canada.org/fr/dossiers/bulletins/2018/BISMPC2018-04-nepasutiliser.pdf
http://ismp-canada.org/fr/dossiers/bulletins/BISMPC2006-04.pdf

OBJECTIF 2.12

Décrire les informations contenues dans la feuille d'administration des médicaments (FADM)

Feuille d'administration des médicaments (FADM)

La feuille d'administration des médicaments (FADM) est le formulaire sur lequel l'infirmière consigne les données relatives à l'administration des médicaments (**figure 2.17**).

La FADM est une pièce permanente du dossier clinique de la personne, et elle est exigée par la loi. Chaque établissement a ses propres politiques sur la façon de remplir et d'utiliser la FADM. Ces politiques définissent la marche à suivre dans diverses circonstances : inscription de nouveaux médicaments, abandon d'un médicament, médicaments à administrer d'urgence ou une seule fois, instructions relatives à la prise en retard d'un médicament ou au refus de la personne de le prendre, façon de corriger une erreur d'entrée sur le formulaire, etc.

Rempli par voie électronique ou à la main, le formulaire doit contenir la date, le nom complet (nom à la naissance et prénom) de la personne qu'il concerne et d'autres renseignements pertinents, tels que la date de naissance, le numéro de dossier de l'hôpital et le nom du médecin traitant, le poids, la taille ainsi que la **clairance de créatinine**. Il comporte aussi une section sur les allergies et les intolérances de la personne. Dans les centres de soins hospitaliers généraux et spécialisés, la FADM, également appelée PAM (profil d'administration des médicaments) ou profil infirmier est mise à jour quotidiennement par le service de pharmacie de l'établissement. Dans les centres d'hébergement et de soins de longue durée, la FADM est généralement mise à jour chaque mois, ou plus fréquemment si des modifications importantes ont été apportées aux médicaments prescrits à la personne. La validité des ordonnances inscrites à la FADM peut varier selon les procédures de l'établissement, la classe du médicament ou l'indication thérapeutique.

La FADM peut également contenir les instructions relatives au moment de l'administration des médicaments ainsi que la légende servant à remplir correctement le formulaire. On y trouve aussi une section réservée à la signature de l'infirmière (nom complet) et à ses initiales afin de retracer plus facilement et rapidement la personne ayant administré les médicaments.

ASTUCE

En consignant rapidement et avec précision sur la FADM les informations relatives aux médicaments administrés à chaque personne, et ce, immédiatement après l'administration, vous contribuerez à prévenir les erreurs liées à la fréquence d'administration.

Figure 2.17 **Feuille d'administration des médicaments (FADM).**

FADM

NOM : TREMBLAY Jean-Paul
DOSSIER : 689825
CHAMBRE : 475-1
DATE DE NAISSANCE : 1950-06-03
DATE D'ADMISSION : 2019-02-01
FADM valide du 2019-02-03 à 00 h 00 au 2019-02-03 à 23 h 59

Poids : 104,32 kg — SC : 2,22 m^2 — Allergies : pénicilline
Taille : 177,8 cm — Clcr : 0,32 mL/sec — Intolérances : lactose, hydromorphone

Médicaments	Nuit (00 h 00-07 h 59) Heure Initiales	Jour (8 h 00-15 h 59) Heure Initiales	Soir (16 h 00-23 h 59) Heure Initiales	Validité
DIMENHYDRATE 50 mg co. **PO** Gravol **antiémétique** **1 comprimé(s) = 50 mg** **3 fois par jour** 30 minutes avant les repas Si non reçu IV	**07 h 00** (barré) *CD*	**11 h 00**	**17 h 00**	2019-02-01 15 h 15 2019-04-01 23 h 59
DIMENHYDRATE 10 mg/mL sol. inj. 5 mL **IV** Gravol antiémétique **50 mg = 5 mL IV tubulure** **3 fois par jour** Injecter lentement en 2 minutes 30 minutes avant les repas Si non reçu PO	**07 h 00** (encerclé) *CD* Reçu PO	**11 h 00**	**17 h 00**	2019-02-01 15 h 15 2019-04-01 23 h 59
ENOXAPARINE 30 mg/0,3 mL ser. sol. inj. **SC** **(100 mg/mL)** Lovenox anticoagulant **30 mg = 0,3 mL sous-cutanée** HR **1 fois par jour**		**09 h 00** (barré) *SL*		2019-02-01 15 h 15 2019-04-01 23 h 59

N		J		S	
Carole Dufresne inf.	*CD*	*Sophie Lavigne inf.*	*SL*		
Profil vérifié et conforme	*CD*				

⬭ Non donné (justifier)	A Personne absente	V Vomissement	J À jeun Voir note d'obs.	AA Auto-administration	NS Non servi
/ Rx administré	N Nausée	R Refuse	M* Manquant et note d'obs. requise	CT Congé temporaire	Ø Aucune unité d'insuline

Exercez-vous : p. 31 du cahier d'exercices.

La préparation des médicaments destinés à la voie orale

3

 Certains objectifs sans portée pratique n'ont pas d'exercices correspondants ; ils ne figurent donc pas dans le cahier d'exercices.

Médicaments destinés à la voie orale

Avant d'administrer des médicaments, vous devez les préparer, ce qui nécessite de choisir le matériel approprié. Très souvent, lorsque vous aurez à administrer un médicament liquide par voie orale, vous devrez le prélever d'un grand contenant (format multidose). Habituellement, on mesure les médicaments liquides destinés à la voie orale à l'aide d'un gobelet gradué ou d'une seringue d'un format adéquat. Après avoir choisi le matériel approprié, il vous faudra mesurer la dose exacte du médicament prescrit.

OBJECTIF 3.1

Utiliser le matériel approprié pour administrer des médicaments par voie orale

L'administration des médicaments solides par voie orale se fait au moyen de gobelets en plastique ou cartonnés, gradués ou non. Il faut faire attention pour que le médicament n'entre pas en contact avec les doigts quand on le dépose dans le gobelet. Très souvent, lorsqu'on administre un médicament liquide par voie orale, on le prélève d'un grand contenant (format multidose). Pour ce faire, on utilise un gobelet gradué en plastique ou une seringue graduée d'un format adapté à la quantité à mesurer.

Gobelet gradué

Le **gobelet gradué** sert à mesurer la plupart des médicaments liquides à administrer par voie orale. Il s'agit d'un petit verre jetable, en plastique, gradué en unités du système métrique et contenant 30 millilitres (**figure 3.1**).

Figure 3.1 Gobelet gradué en millilitres (mL).

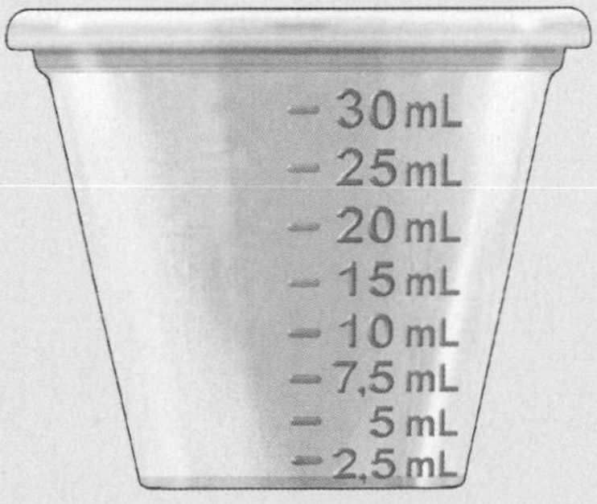

Pour administrer le médicament prescrit, on verse le liquide dans le gobelet jusqu'au trait correspondant à la quantité prescrite. La **figure 3.2** illustre une dose de 15 mL versée dans un gobelet.

Figure 3.2 **Mesure d'une dose de 15 mL dans un gobelet.**

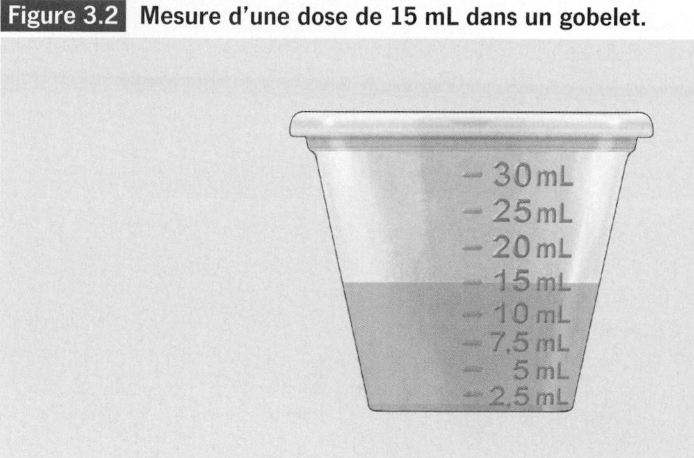

ASTUCE

Utilisez le bon type d'instrument pour mesurer avec précision la quantité à prélever. Le gobelet gradué ne convient pas pour mesurer avec précision des quantités de médicaments inférieures à 2,5 mL puisque le premier trait de graduation commence à 2,5 mL.

Lorsque vous utilisez le gobelet pour mesurer une préparation à administrer par voie orale, tenez-le à la hauteur des yeux pendant que vous versez le médicament jusqu'à ce que le bord supérieur du liquide soit au même niveau que le trait correspondant à la quantité prescrite. Cette façon de faire permet de mesurer avec précision la préparation à administrer.

Supposons que vous devez préparer 10 mL de sirop contre la toux ainsi que 30 mL de lactulose que vous administrerez à l'aide de gobelets gradués séparés. Après y avoir versé les liquides, prenez soin d'apposer une étiquette d'identification avec le nom de la personne et son numéro de dossier, le numéro de la chambre, ainsi que le nom du médicament, la dose et l'heure d'administration. Lorsque vous aurez versé les médicaments dans les gobelets, ils se présenteront comme ceux de la **figure 3.3**.

Figure 3.3 **Mesure d'un médicament dans un gobelet. A. Sirop contre la toux, 10 mL. B. Lactulose, 30 mL. C. Position adéquate pour bien mesurer une dose.**

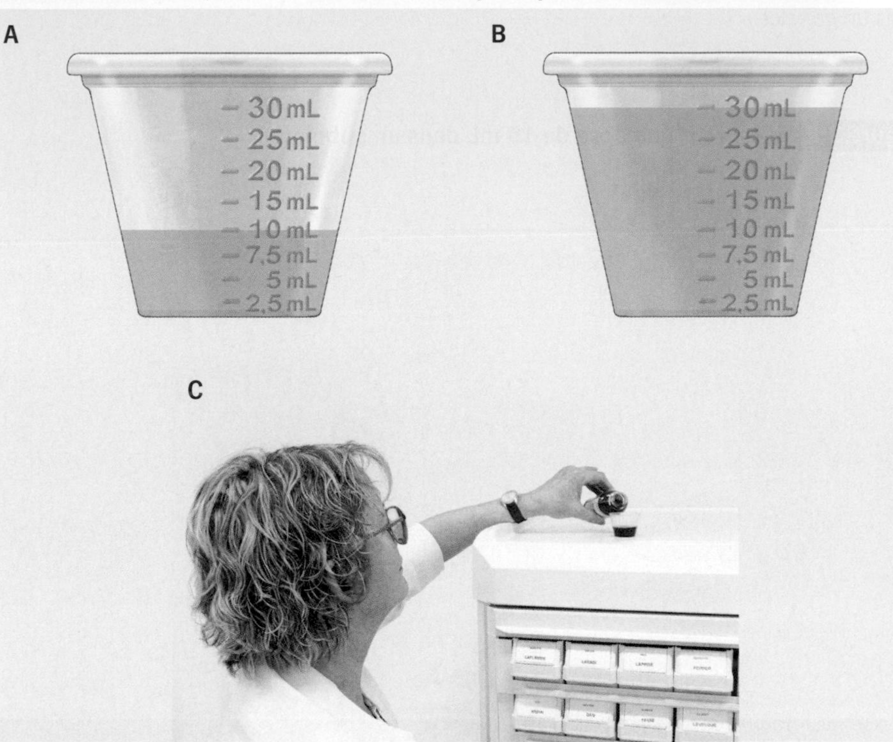

Seringues

L'emploi de **seringues** de formats variés (**figure 3.4**) pour la préparation des doses de médicaments liquides est parfois nécessaire, surtout lorsque la quantité en millilitres est petite et qu'il est impossible d'obtenir une mesure précise avec le gobelet gradué. Certains médicaments comme les antiépileptiques ou les analgésiques opioïdes exigent une très grande précision de la part de l'infirmière. Un écart de 1 mL dans la dose prescrite lors de la préparation peut avoir de graves répercussions sur l'état de la personne hospitalisée. Le gobelet gradué n'est donc pas toujours le premier choix pour mesurer des médicaments sous forme liquide.

Figure 3.4 **Seringues de formats variés. De gauche à droite : Seringue à tuberculine (1 mL), seringue de 3 mL et seringue de 5 mL.**

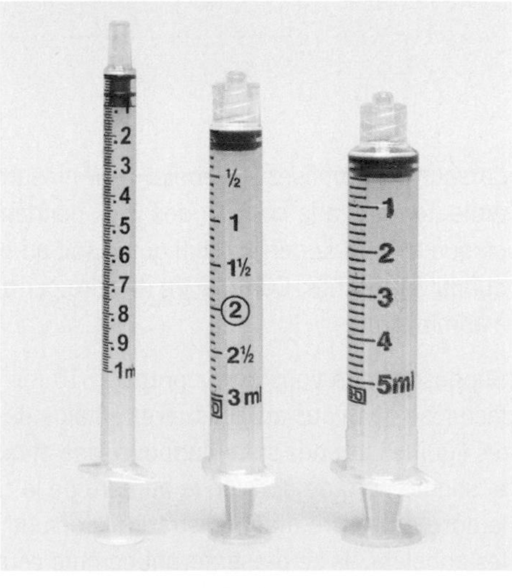

Les seringues de 1 mL (**seringue à tuberculine**), 3 mL et 5 mL sont les plus utilisées pour la préparation des médicaments liquides. Elles sont graduées en unités métriques et chaque trait représente un centième de millilitre (0,01 mL), un vingtième de millilitre (0,02 mL) ou un dixième de millilitre (0,1 mL) selon la seringue utilisée.

Pour prélever une quantité précise, on doit arrondir en fonction de la seringue utilisée. Par exemple : 0,756 mL à prélever devient 0,76 mL lorsqu'on utilise la seringue de 1 mL, ou seringue à tuberculine (**figure 3.5**).

Avec la seringue de 3 mL, une quantité de 2,43 mL devient 2,4 mL (**figure 3.6**), et avec la seringue de 5 mL, une quantité de 4,17 mL devient 4,2 mL (**figure 3.7**).

Exercez-vous : p. 42 du cahier d'exercices.

Figure 3.5 Dose de 0,76 mL prélevée à l'aide d'une seringue de 1 mL.

Figure 3.6 Dose de 2,4 mL prélevée à l'aide d'une seringue de 3 mL.

Figure 3.7 Dose de 4,2 mL prélevée à l'aide d'une seringue de 5 mL.

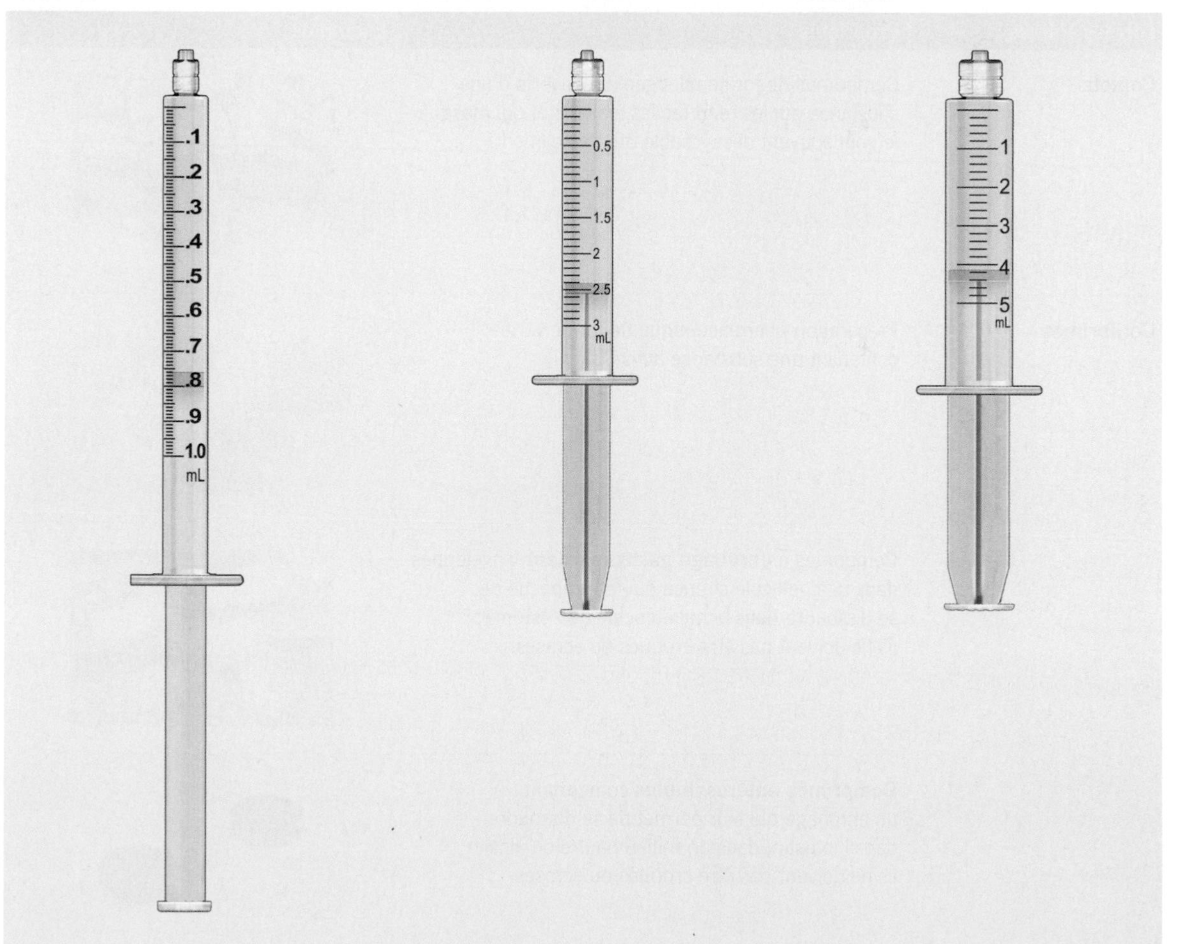

OBJECTIF 3.2

Se familiariser avec les différentes formes de médicaments administrés par voie orale

Les médicaments administrés par voie orale sont des médicaments qui doivent être pris par la bouche (PO ou *per os*). Ils se présentent sous diverses formes, dont les formes solide et liquide.

Médicaments sous forme solide

Les médicaments solides destinés à la voie orale existent sous diverses formes : **caplets**, **comprimés**, **capsules**, ou **gélules**. Le **tableau 3.1** présente les caractéristiques qui permettent de les reconnaître.

Tableau 3.1 **Propriétés des médicaments administrés par la bouche sous forme solide**

Formes solides	Propriétés	Exemples
Caplets	Comprimés de forme allongée, recouverts d'une substance qui les rend faciles à avaler et qui masque le goût souvent désagréable du médicament.	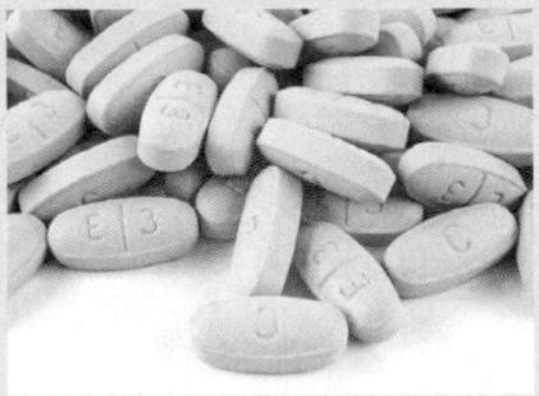
Comprimés	Préparation pharmaceutique de forme variée contenant une substance active.	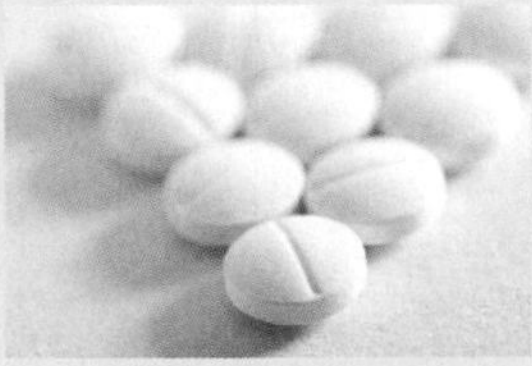
	Comprimés à **enrobage gastrorésistant**, enveloppés dans une pellicule cireuse qui les empêche de se dissoudre dans le milieu acide de l'estomac ; ils ne doivent pas être croqués ou écrasés.	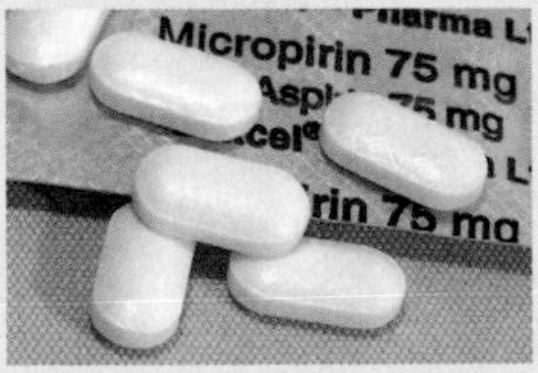
	Comprimés entérosolubles comportant un enrobage qui leur permet de se dissoudre dans l'intestin, dans un milieu neutre ou alcalin ; ils ne doivent pas être croqués ou écrasés.	

Formes solides	Propriétés	Exemples
Comprimés (*suite*)	Comprimés effervescents contenant une substance solide qui se dissout dans l'eau.	
Capsules	Forme solide constituée de deux enveloppes de gélatine dure emboîtées l'une dans l'autre et qui renferment le médicament à l'état de poudre ou de granules.	
Gélules	Capsule constituée d'une enveloppe gélatineuse molle contenant un médicament liquide ; elle ne doit pas être croquée.	

Certains médicaments solides, comme les capsules, sont à **libération continue** ou à libération retardée. Ils libèrent une quantité fixe de principe actif pendant une période prolongée. On les reconnaît par leur nom commercial suivi d'un sigle (**tableau 3.2**).

Tableau 3.2 Signification des sigles désignant le type d'action des médicaments

SIGLE	SIGNIFICATION ANGLAISE	SIGNIFICATION FRANÇAISE	EXEMPLE
CD	Controlled delivery	Libération contrôlée	*Cardizem CD*
CR	Controlled release	Libération contrôlée	*Flomax CR*
LA	Long action	Action prolongée	*Inderal LA*
SR	Sustained release	Libération retardée	*Lopressor SR*
XL	Extreme long action	Action très prolongée	*Cipro XL*
XR	Extended release	Libération prolongée	*Seroquel XR*

Il est parfois nécessaire d'écraser le médicament solide afin de le réduire en poudre pour en faciliter l'administration, par exemple chez les personnes hospitalisées souffrant de **dysphagie** (difficulté à avaler) et celles qui sont alimentées à l'aide d'un tube relié à l'estomac. Avant de modifier la forme originale d'un médicament, il importe de s'assurer que cela ne modifiera pas les effets attendus ou secondaires. Par exemple, le fait de couper ou d'écraser un médicament à action prolongée peut altérer la vitesse d'absorption par l'organisme et engendrer une augmentation rapide de la concentration sanguine du médicament, ce qui risque d'avoir des conséquences très graves chez la personne.

Souvent, les médicaments destinés à la voie orale sont disponibles dans des teneurs qui correspondent à celles des doses couramment prescrites. Ces teneurs deviennent des points de référence pour l'infirmière, qui peut ainsi établir si une ordonnance indique une dose plus ou moins supérieure à la dose courante. Lorsqu'on divise un comprimé **sécable**, on le coupe délicatement en deux moitiés en suivant la rainure tracée par le fabricant au moyen d'un coupe-comprimé (**figure 3.8**), afin que la dose soit la plus exacte possible.

Figure 3.8 **Coupe-comprimé.**

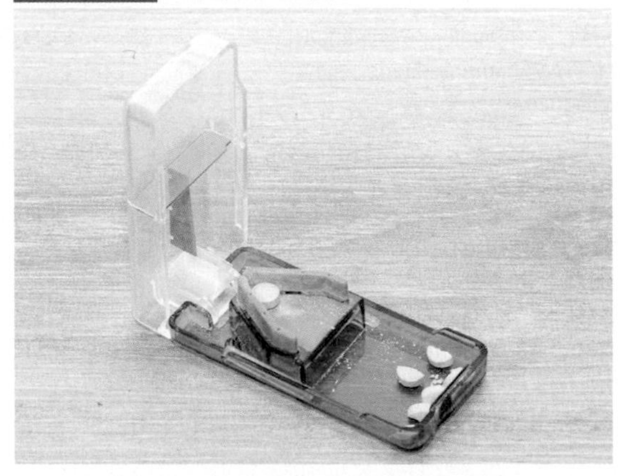

ALERTE INFIRMIÈRE

Pour l'administration d'une dose précise et exacte, il est recommandé de ne pas fractionner les comprimés lorsque c'est possible. Également, il est d'usage courant d'utiliser la concentration qui assure l'ingestion de la plus petite quantité de comprimés par la personne.

Un médecin prescrit parfois une dose différente de celle habituellement prescrite, en tenant compte du poids ou de l'âge de la personne, de son état (critique, par exemple), de l'urgence du problème ou du type de médicament. Dans certains cas, il prescrit d'abord une dose plus faible que la dose standard afin d'évaluer la réaction de la personne ; par la suite, il peut décider d'augmenter la dose afin d'accroître la concentration sanguine du médicament. Il lui arrive aussi de prescrire une dose plus forte (dose initiale d'attaque)

que la dose standard afin que le médicament entre dans la circulation plus rapidement et en plus grande quantité. Quelle que soit la situation, l'infirmière doit calculer avec précision la dose à administrer.

ASTUCE

Si une préparation doit être réduite en poudre, vous pouvez la mélanger avec de la compote de fruits, de la nourriture en purée ou avec une petite quantité d'eau afin de faciliter son ingestion. Utilisez une petite quantité de nourriture ou de liquide afin de vous assurer que la personne ingère la totalité du médicament. Le mélange doit être ingéré immédiatement.

Médicaments sous forme liquide

Les médicaments liquides existent également sous diverses formes : émulsions, sirops, élixirs ou suspensions. Une **émulsion** est une combinaison de deux médicaments qui ne se mélangent pas bien (suspension de particules fines d'un liquide dans un autre). Lorsqu'on agite l'émulsion, l'un des médicaments se répartit uniformément dans l'autre. Un **sirop** est une solution concentrée de sucre qui renferme le principe actif. Un **élixir** est un médicament liquide habituellement composé d'une substance médicamenteuse, d'eau et d'alcool. Une **suspension** est un liquide qui contient le principe actif solide réduit en fines particules. On doit l'agiter avant usage puisque les particules se déposent au fond du flacon. Un grand nombre d'antibiotiques pour usage pédiatrique se présentent sous forme de suspension.

Démarche pour préparer de façon sécuritaire une dose de médicament

Pour administrer des médicaments de manière sécuritaire, l'infirmière doit savoir déterminer la dose et faire les calculs pour y arriver. La **démarche en cinq étapes** est un bon outil pour mener à bien cette tâche. À l'étape du calcul de la dose d'un médicament, l'infirmière peut utiliser la méthode de la formule ou celle du rapport-proportion. Il est préférable de *choisir la méthode de calcul avec laquelle on est le plus à l'aise et de s'y tenir afin de réduire le risque d'erreurs*. Il importe également de faire les six vérifications recommandées[1] *avant* d'administrer un médicament afin de s'assurer qu'il est donné de manière sûre et appropriée. Pour administrer sans danger les médicaments, il faut aussi effectuer *par la suite* les deux autres vérifications recommandées en vue d'assurer un suivi clinique rigoureux. L'ensemble de ces vérifications constitue les 8 bons gestes.

1. Voir le chapitre 2, « Huit bons gestes » (p. 39).

OBJECTIF 3.3

Utiliser une démarche pour préparer de façon sécuritaire une dose de médicament

Étape 1 Collecter les données

La première étape de cette démarche consiste à s'assurer de la validité de l'ordonnance ou de la FADM[2] et de rechercher les informations pertinentes pour administrer une dose sécuritaire.

- Vérifiez la présence de toutes les informations qui permettent d'établir que l'ordonnance est conforme[3].
- Déterminez le nom du médicament à administrer et recherchez les informations sur le médicament concernant la situation clinique, notamment l'indication et la raison d'administration, le mécanisme d'action, les éléments de surveillance des effets thérapeutiques et secondaires, et ce à partir d'une source fiable, à jour et complète avant de poursuivre.
- Vérifiez, selon la situation clinique, toutes autres données pertinentes pour effectuer le calcul de la dose à préparer telles que le poids de la personne et certaines analyses sanguines, et assurez-vous que la personne ne présente aucune allergie connue associée à la prise du médicament.

Étape 2 Analyser les données

La deuxième étape consiste à analyser la situation à partir des données recueillies.

- Repérez les données pertinentes qui serviront au calcul de la dose à administrer : la dose prescrite, la teneur ou la concentration, le volume, etc.
- Comparez la dose prescrite avec le médicament disponible pour vous assurer que les unités de mesure et le système sont bien les mêmes. Si ce n'est pas le cas, vous devrez convertir la dose prescrite afin que celle-ci ait la même teneur que le produit disponible[4].
- Vérifiez la pertinence d'utiliser le poids (en kilogrammes) ou certains résultats d'analyses sanguines pour effectuer les calculs.

Étape 3 Planifier la préparation

Cette étape consiste à se préparer, c'est-à-dire, réfléchir à la meilleure façon de calculer la dose requise, sélectionner les données utiles et rassembler le matériel nécessaire pour administrer la dose préparée, en fonction de la voie d'administration.

Choisissez une méthode de calcul de la dose appropriée au contexte selon les données analysées :

- **La méthode de la formule** ;
- **La méthode du rapport-proportion**.

---

2. FADM : feuille d'administration des médicaments.
3. Voir le chapitre 2, « Ordonnances et FADM » (p. 56).
4. Voir le chapitre 1, « Systèmes de mesure » (p. 23).

- Établissez les données nécessaires au calcul :
  - dose prescrite ;
  - teneur (mcg, mg, g ou autre) ;
  - quantité (co., caps., gélule) ou volume (mL ou autre)[5].

Étape 4 Calculer la dose

Cette étape consiste à effectuer le calcul de la dose avec la méthode de la formule ou du rapport-proportion.

- Transcrivez la formule ou le rapport-proportion et remplacez les inconnues par les données pertinentes sans oublier d'y inscrire les unités de mesure.
- Effectuez le calcul selon la méthode de la formule ou du rapport-proportion.
- Obtenez un résultat comprenant une valeur numérique et une unité de mesure.

Étape 5 Vérifier le résultat obtenu

Cette cinquième et dernière étape est essentielle à l'administration sécuritaire d'un médicament.

- Validez le résultat obtenu : le calcul est-il exact ? Avez-vous fait une vérification mathématique pour vous assurer de l'exactitude de votre calcul ? En milieu hospitalier, vous pourriez demander à une collègue de vérifier vos calculs.
- Utilisez votre jugement : le résultat est-il vraisemblable ? Est-il raisonnable d'administrer par voie orale ou parentérale cette quantité de comprimés, de capsules ou de préparation liquide ? La dose semble-t-elle anormalement élevée ou faible ? Si le résultat obtenu indique une quantité inhabituelle et peu courante, une pratique sécuritaire exige de faire vérifier vos calculs. En cas de doute, consultez la section « Posologie » d'un guide de médicaments récent et comparez le résultat obtenu à la dose recommandée par le fabricant.
- Rassemblez le matériel requis et revoyez les étapes de préparation/administration pour assurer la qualité des soins, par exemple un pilulier, une seringue, une aiguille, un tampon d'alcool, une étiquette d'identification, etc.

ASTUCE

Lorsque vous êtes vraiment dans le doute, demandez à une autre infirmière de faire les calculs de son côté, puis comparez sa réponse avec la vôtre. Si les résultats sont différents, les deux infirmières doivent refaire leurs calculs et comparer à nouveau leur réponse. Vérifiez mutuellement vos calculs pour voir où vous avez fait une erreur.

5. « co. » est l'abréviation de « comprimé » ; « caps. » est l'abréviation de « capsule ».

OBJECTIF 3.4

Utiliser une démarche pour préparer de façon sécuritaire un médicament solide pris par voie orale

À partir de l'ordonnance suivante, utilisons maintenant la démarche en 5 étapes afin préparer, de façon sécuritaire, un médicament solide administré par voie orale.

<table>
<tr><td colspan="3">MÉDICAMENTS</td><td colspan="3">Lalonde Thérèse   DDN : 1939-08-06
80 ans</td></tr>
<tr><td colspan="3">POIDS : 73,6 kg ________ lb</td><td colspan="3">TAILLE : 160 cm ________ po</td></tr>
<tr><td colspan="3">ALLERGIE SUSPECTÉE :</td><td colspan="3">ALLERGIE CONFIRMÉE :</td></tr>
<tr><td colspan="3">GROSSESSE : __________ / Semaines grossesse</td><td>☐ Biberon</td><td colspan="2">☐ Allaitement maternel</td></tr>
<tr><td>NOM</td><td>DOSE</td><td>VOIE</td><td>FRÉQUENCE</td><td>DURÉE</td><td>S. INF.</td></tr>
<tr><td>Acétaminophène</td><td>1 g</td><td>PO</td><td>Aux 6 heures PRN</td><td></td><td></td></tr>
<tr><td></td><td></td><td></td><td></td><td></td><td></td></tr>
<tr><td></td><td></td><td></td><td></td><td></td><td></td></tr>
<tr><td></td><td></td><td></td><td></td><td></td><td></td></tr>
<tr><td></td><td></td><td></td><td></td><td></td><td></td></tr>
<tr><td></td><td></td><td></td><td></td><td></td><td></td></tr>
<tr><td></td><td></td><td></td><td></td><td></td><td></td></tr>
</table>

2019-10-16	*16 h 00*	*Dre Françoise Laliberté*	*981367*
Date	Heure	Signature du médecin	Nº de permis

Étape 1 Collecter les données

Lors de la première étape, l'infirmière s'assure de la validité de l'ordonnance ou de la FADM et recherche les informations pertinentes pour administrer une dose sécuritaire. Les éléments suivants doivent se retrouver sur l'ordonnance :

- Date et heure de la rédaction de l'ordonnance : ***2019-10-16, 16 h 00***
- Nom, prénom de la personne et date de naissance : ***Lalonde Thérèse, 1939-08-06***
- Nom générique ou commercial du médicament : ***acétaminophène***

- Dose en grammes ou milligrammes du médicament : ***1 g***
- Voie d'administration du médicament : ***per os ou par la bouche***
- Moment ou fréquence de l'administration du médicament : ***toutes les 6 heures au besoin***
- Signature de la personne autorisée à prescrire le médicament : **Dre Françoise Laliberté**

Elle détermine le nom du médicament à administrer, l'***acétaminophène***, et recherche les informations importantes, notamment l'indication et la raison d'administration, le mécanisme d'action, les éléments de surveillance des effets thérapeutiques et secondaires, et ce à partir d'une source fiable, à jour et complète avant de poursuivre.

Elle repère les données pertinentes, telles que la dose requise et les unités de mesure utilisées, soit ***1 g***, pour effectuer le calcul de la dose à administrer.

Étape 2 Analyser les données

La deuxième étape consiste à analyser toutes les données recueillies.

- Repérez les données pertinentes qui serviront au calcul de la dose administrée : la dose prescrite, la teneur du médicament et la quantité de médicament disponible.
- Comparez la dose prescrite avec le médicament disponible afin de vous assurer que les unités de mesure sont les mêmes. Si les unités sont différentes ou si elles appartiennent à un système différent, effectuez la conversion requise[6]. Dans l'exemple de Mme Lalonde, *le médicament est prescrit en grammes (système métrique) et il est disponible en comprimés de 500 mg*. Il faut donc convertir la dose prescrite en grammes pour obtenir des milligrammes.

  1 g = 1000 mg

- Vérifiez la pertinence d'utiliser le poids (en kilogrammes) ou certains résultats d'analyses sanguines pour effectuer les calculs. Dans cet exemple, cela n'est pas nécessaire. Par contre, vous devez vous assurer que la totalité des doses administrées par jour à la personne ne dépasse pas la dose maximale recommandée, qui est de 4 g.

Étape 3 Planifier la préparation

Cette étape consiste à se préparer, à réfléchir à la meilleure façon de calculer la dose requise et à sélectionner les données utiles. Choisissez la méthode de calcul de dose appropriée au contexte selon les données analysées : la méthode de la formule ou la méthode du rapport-proportion.

Méthode de la formule

$$\text{Quantité à administrer (co.)} = \frac{\text{Dose prescrite (mg)} \times \text{Quantité du médicament disponible (co.)}}{\text{Teneur du médicament disponible (mg)}}$$

Méthode du rapport-proportion

$$\frac{\text{Teneur du médicament disponible (mg)}}{\text{Quantité du médicament disponible (co.)}} = \frac{\text{Dose prescrite (mg)}}{x \text{ (co.)}}$$

6. Voir le chapitre 1, « Systèmes de mesure » (p. 23).

- Sélectionnez les données nécessaires au calcul à partir de l'exemple de Mme Lalonde.
  Dose prescrite (convertie) : 1000 mg
  Teneur du médicament disponible : 500 mg
  Quantité du médicament disponible : 1 comprimé

Étape 4 Calculer la dose

Cette étape consiste à effectuer le calcul exact de la dose prescrite avec la méthode de la formule ou celle du rapport-proportion.

Méthode de la formule

- Transcrivez la formule et remplacez les inconnues de la formule par les données pertinentes en n'oubliant pas d'inscrire les unités de mesure :

$$\text{Quantité à administrer (co.)} = \frac{\text{Dose prescrite (mg)} \times \text{Quantité du médicament disponible (co.)}}{\text{Teneur du médicament disponible (mg)}}$$

$$\text{Quantité à administrer (co.)} = \frac{1000 \text{ mg} \times 1 \text{ comprimé}}{500 \text{ mg}}$$

- Effectuez le calcul selon la méthode de la formule afin de déterminer la quantité de comprimés à administrer. Simplifiez l'équation au besoin :

$$\text{Quantité à administrer (co.)} = \frac{^{2}\,\cancel{1000}\ \cancel{\text{mg}} \times 1 \text{ comprimé}}{\cancel{500}\ \cancel{\text{mg}}}$$

- Obtenez un résultat contenant une valeur numérique et une unité de mesure : la quantité de médicament à administrer en comprimés à Mme Lalonde, est de *2 co. de 500 mg d'acétaminophène pour obtenir une dose précise de 1 g.*

Méthode du rapport-proportion

- Transcrivez le rapport et remplacez les inconnues de l'équation par les données pertinentes en n'oubliant pas d'inscrire les unités de mesure :

$$\frac{\text{Teneur du médicament disponible (mg)}}{\text{Quantité du médicament disponible (co.)}} = \frac{\text{Dose prescrite (mg)}}{x \text{ (co.)}}$$

$$\frac{500 \text{ mg}}{1 \text{ co.}} = \frac{1000 \text{ mg}}{x \text{ co.}}$$

- Effectuez le calcul selon la méthode du rapport-proportion afin de déterminer la valeur de l'inconnue x, c'est-à-dire la quantité à administrer en comprimés. Simplifiez l'équation au besoin :

$$x \text{ co.} \times 500 \text{ mg} = 1000 \text{ mg} \times 1 \text{ co.}$$

$$x \text{ co.} \times \frac{\cancel{500 \text{ mg}}}{\cancel{500 \text{ mg}}} = \frac{\cancel{1000 \text{ mg}}}{\cancel{500 \text{ mg}}} \times 1 \text{ co.}$$

$$x = \frac{10}{5} \text{ co.}$$

$$x = 2 \text{ co.}$$

- Obtenez un résultat contenant une valeur numérique et une unité de mesure : Mme Lalonde doit recevoir *2 comprimés d'acétaminophène de 500 mg afin de respecter la dose prescrite de 1 g.*

Étape 5 Vérifier le résultat obtenu

Cette cinquième et dernière étape est essentielle à l'administration sécuritaire d'un médicament.

- Validez le résultat obtenu : le calcul est-il exact ? Vérifiez-le en effectuant 2 fois votre calcul.
- Si vous avez utilisé la méthode du rapport-proportion, vérifiez votre calcul en remplaçant la valeur de *x* dans l'équation par la réponse obtenue :

$$\frac{500 \text{ mg}}{1 \text{ co.}} = \frac{1000 \text{ mg}}{2 \text{ co.}}$$

$$500 = \frac{1000}{2}$$

$$500 = 500$$

- Utilisez votre jugement pour déterminer si le résultat obtenu est vraisemblable. Effectivement, ce résultat est plausible et conforme, car il respecte la dose maximale sécuritaire recommandée. Il est fréquent d'administrer 2 comprimés de 500 mg d'acétaminophène en une seule dose chez un adulte, pourvu que la quantité totale reçue ne dépasse pas 4 g (4000 mg) sur 24 heures.

Puisqu'il s'agit de l'administration d'un médicament en comprimés, l'infirmière doit prévoir un gobelet afin d'y déposer les comprimés et une étiquette d'identification avec le nom et prénom de la personne, sa date de naissance ou son numéro de dossier, ainsi que les informations relatives au médicament. Ces informations permettent d'effectuer une double vérification de la personne hospitalisée avant l'administration du médicament.

Exercez-vous : p. 45 du cahier d'exercices.

OBJECTIF 3.5 Utiliser une démarche pour préparer de façon sécuritaire un médicament liquide pris par voie orale

À partir de l'ordonnance suivante, utilisons maintenant la démarche en 5 étapes afin préparer de façon sécuritaire, un médicament liquide administré par voie orale.

<table>
<tr><td colspan="3">MÉDICAMENTS</td><td colspan="3">Lajoie Joseph DDN : 1944-12-19
74 ans</td></tr>
<tr><td colspan="3">POIDS : 84,5 kg _______ lb</td><td colspan="3">TAILLE : 175 cm _______ po</td></tr>
<tr><td colspan="3">ALLERGIE SUSPECTÉE :
____
____________</td><td colspan="3">ALLERGIE CONFIRMÉE :
____
____________</td></tr>
<tr><td colspan="3">GROSSESSE : _________ / Semaines grossesse</td><td>☐ Biberon</td><td colspan="2">☐ Allaitement maternel</td></tr>
<tr><td>NOM</td><td>DOSE</td><td>VOIE</td><td>FRÉQUENCE</td><td>DURÉE</td><td>S. INF.</td></tr>
<tr><td>Docusate sodique en sirop</td><td>100 mg</td><td>PO</td><td>BID</td><td>7 jours</td><td></td></tr>
<tr><td></td><td></td><td></td><td></td><td></td><td></td></tr>
<tr><td></td><td></td><td></td><td></td><td></td><td></td></tr>
<tr><td></td><td></td><td></td><td></td><td></td><td></td></tr>
<tr><td></td><td></td><td></td><td></td><td></td><td></td></tr>
</table>

2019-10-12	*11 h 00*	*Dre Carole Tremblay*	*978452*
Date	Heure	Signature du médecin	Nº de permis

Étape 1 Collecter les données

Assurez-vous que l'ordonnance ou la FADM est valide et recherchez les informations pertinentes pour administrer une dose sécuritaire :

- Date et heure de la rédaction de l'ordonnance : ***2019-10-12, 11 h 00***
- Nom, prénom de la personne et date de naissance : ***Lajoie Joseph, 1944-12-19***
- Nom générique ou commercial du médicament : ***docusate sodique***
- Dose en grammes ou milligrammes du médicament : ***100 mg***
- Voie d'administration du médicament : ***per os ou par la bouche***
- Moment ou fréquence de l'administration du médicament : ***BID, soit 2 fois par jour***
- Signature de la personne autorisée à prescrire le médicament : ***Dre Carole Tremblay***

Complétez la collecte des données en consultant la note d'évolution au dossier de la personne ainsi qu'une source de références fiable et récente. Assurez-vous de bien connaître le médicament à administrer, le docusate sodique, en recherchant les informations importantes telles que l'indication et la raison d'administration, le mécanisme d'action, les éléments de surveillance des effets thérapeutiques et secondaires, et ce, à partir d'une source fiable, à jour et complète avant de poursuivre. Vérifiez l'inscription au dossier par le médecin, d'informations complémentaires et pertinentes. Le médecin a privilégié, lors de la rédaction de l'ordonnance, la forme liquide du docusate sodique dont la concentration est de 20 mg/5 mL, à la forme solide.

Repérez les données pertinentes, telles que la dose requise et les unités de mesure utilisées, soit ***100 mg***, pour effectuer le calcul de la dose à administrer.

Étape 2 Analyser les données

La deuxième étape consiste à analyser toutes les données recueillies.

- Repérez les données pertinentes qui serviront au calcul de la dose administrée : la dose prescrite, la teneur du médicament et la quantité du médicament disponible.
- Comparez la dose prescrite avec le médicament disponible afin de vous assurer que les unités de mesure et le système sont les mêmes.
- Dans l'exemple de M. Lajoie, *la dose prescrite (100 mg) et la concentration (20 mg/5 mL) du médicament disponible sont exprimées dans la même unité, soit en milligrammes.* Par conséquent, vous n'avez pas besoin d'effectuer une conversion avant de calculer la dose à administrer.
- Vérifiez s'il est pertinent d'utiliser le poids (en kilogrammes) ou certains résultats d'analyses sanguines pour effectuer les calculs. Dans cet exemple, cela n'est pas nécessaire.

ALERTE INFIRMIÈRE

Lorsque vous administrez un médicament liquide, vérifiez attentivement la concentration (mg/mL) de la solution. La concentration ne correspond pas toujours à un volume de 1 mL. Il arrive souvent que la dose d'un médicament corresponde à un plus grand volume de liquide. Si vous utilisez un volume erroné en faisant vos calculs, la personne recevra une dose inappropriée. *Ne présumez jamais que la dose unitaire d'un médicament correspond à un volume de 1 mL.*

Étape 3 Planifier la préparation

Cette étape consiste à se préparer, à réfléchir à la meilleure façon de calculer la dose requise et à sélectionner les données utiles. Choisissez la méthode de calcul de dose appropriée au contexte selon les données analysées : la méthode de la formule ou la méthode du rapport-proportion.

Méthode de la formule

$$\text{Volume à administrer (mL)} = \frac{\text{Dose prescrite (mg)} \times \text{Volume du médicament disponible (mL)}}{\text{Teneur du médicament disponible (mg)}}$$

Méthode du rapport-proportion

$$\frac{\text{Teneur du médicament disponible (mg)}}{\text{Volume du médicament disponible (mL)}} = \frac{\text{Dose prescrite (mg)}}{x \text{ (mL)}}$$

- Sélectionnez les données nécessaires au calcul à partir de l'exemple de M. Lajoie.
  Dose prescrite : 100 mg
  Teneur du médicament disponible : 20 mg
  Volume du médicament disponible : 5 mL

Étape 4 Calculer la dose

Cette étape consiste à résoudre le calcul exact de la dose prescrite avec la méthode de la formule ou du rapport-proportion.

Méthode de la formule

- Transcrivez la formule et remplacez les inconnues de la formule par les données pertinentes en n'oubliant pas d'y inscrire les unités de mesure :

$$\text{Volume à administrer (mL)} = \frac{\text{Dose prescrite (mg)} \times \text{Volume du médicament disponible (mL)}}{\text{Teneur du médicament disponible (mg)}}$$

$$\text{Volume à administrer (mL)} = \frac{100\text{ mg} \times 5\text{ mL}}{20\text{ mg}}$$

- Effectuez le calcul selon la méthode de la formule afin de déterminer le nombre de millilitres à administrer. Simplifiez l'équation au besoin :

$$\text{Volume à administrer (mL)} = \frac{^{5}\cancel{100\text{ mg}}}{^{1}\cancel{20\text{ mg}}} \times 5\text{ mL}$$

$$\text{Volume à administrer} = 25\text{ mL}$$

- Obtenez un résultat contenant une valeur numérique et une unité de mesure : le volume de médicament à administrer en millilitres à M. Lajoie est de ***25 mL de docusate sodique***.

ALERTE INFIRMIÈRE

Vérifiez attentivement la concentration du médicament indiquée sur l'étiquette de la préparation dont vous disposez. En utilisant le bon volume dans vos calculs, vous éviterez les erreurs dans l'administration des médicaments.

Méthode du rapport-proportion

- Transcrivez le rapport et remplacez les inconnues de l'équation par les données pertinentes en n'oubliant pas d'y inscrire les unités de mesure :

$$\frac{\text{Dose prescrite (mg)}}{x\text{ (mL)}} = \frac{\text{Teneur du médicament disponible (mg)}}{\text{Volume du médicament disponible (mL)}}$$

$$\frac{100\text{ mg}}{x\text{ mL}} = \frac{20\text{ mg}}{5\text{ mL}}$$

- Effectuez le calcul selon la méthode du rapport-proportion afin de déterminer la valeur de l'inconnue *x*, c'est-à-dire le volume à administrer en millilitres. Simplifiez l'équation au besoin :

$$x \text{ mL} \times 20 \text{ mg} = 100 \text{ mg} \times 5 \text{ mL}$$

$$\frac{x \text{ mL} \times \cancel{20 \text{ mg}}}{\cancel{20 \text{ mg}}} = \frac{{}^{5}\cancel{100 \text{ mg}}}{{}^{1}\cancel{20 \text{ mg}}} \times 5 \text{ mL}$$

$$x = 25 \text{ mL}$$

- Obtenez un résultat contenant une valeur numérique et une unité de mesure : M. Lajoie doit recevoir *25 mL de docusate sodique afin que la dose prescrite soit respectée.*

Étape 5 Vérifier le résultat obtenu

Cette cinquième et dernière étape est essentielle à l'administration sécuritaire d'un médicament.

- Validez le résultat obtenu : le calcul est-il exact ? Vérifiez-le en effectuant 2 fois votre calcul.
- Si vous avez utilisé la méthode du rapport-proportion, vérifiez votre calcul en remplaçant la valeur de *x* dans l'équation par la réponse obtenue :

$$\frac{20 \text{ mg}}{5 \text{ mL}} = \frac{100 \text{ mg}}{25 \text{ mL}}$$

$$\frac{20}{5} = \frac{100}{25}$$

$$4 = 4$$

- Utilisez votre jugement pour déterminer si le résultat obtenu est vraisemblable. Effectivement, ce résultat est plausible et conforme à la dose maximale sécuritaire recommandée. Il est fréquent d'administrer 25 mL de docusate de sodium en sirop d'une concentration de 20 mg par 5 mL à la fréquence BID prescrite.

Puisqu'il s'agit d'un médicament liquide par voie orale et que la quantité à administrer en millilitres est supérieure à 2,5 mL, il faut utiliser un gobelet gradué en plastique afin d'y déposer le sirop. Apposez une étiquette d'identification avec le nom et prénom du patient, ainsi que sa date de naissance ou son numéro de dossier, afin de pouvoir effectuer une double vérification avant d'administrer le médicament. Cette étiquette doit également contenir les informations relatives au médicament : le nom, la dose, la voie d'administration ainsi que l'heure d'administration.

Vous possédez maintenant les outils nécessaires pour calculer et préparer, de façon sécuritaire, une dose de médicament. Vous pouvez maintenant faire les exercices du chapitre 3 du cahier d'exercices afin de développer vos habiletés et vos compétences.

Exercez-vous : p. 52 du cahier d'exercices.

La préparation des médicaments destinés aux voies parentérales

4

Certains objectifs sans portée pratique n'ont pas d'exercices correspondants ; ils ne figurent donc pas dans le cahier d'exercices.

Voies parentérales

Les voies parentérales sont les voies d'administration d'un médicament autres que la voie digestive. Les infirmières utilisent les voies parentérales chaque fois qu'elles font des injections intradermiques (ID), sous-cutanées (SC), intramusculaires (IM) et intraveineuses (IV). Elles y recourent lorsqu'il est nécessaire d'obtenir une absorption et une distribution du médicament plus rapide ou bien lorsque l'utilisation de la voie digestive est inadéquate, par exemple lorsque la personne présente une altération de l'état de conscience, telle qu'un état de somnolence ou d'inconscience, ou un trouble de la **déglutition**.

OBJECTIF 4.1

Différencier les voies parentérales

Certains médicaments peuvent s'administrer par l'une ou l'autre des voies parentérales, tandis que d'autres médicaments ne sont destinés qu'à une seule voie. Par exemple, on peut administrer un anxiolytique hypnosédatif comme le midazolam par les voies intramusculaire ou intraveineuse, mais pas par voie sous-cutanée (**figure 4.1**). Cette information essentielle est indiquée sur l'emballage du médicament injectable et dans les ouvrages de référence fiables et reconnus, comme les guides de médicaments. L'infirmière doit être vigilante et s'assurer qu'elle utilise la voie d'administration appropriée et conforme à l'ordonnance afin d'administrer les médicaments de façon sécuritaire pour la personne.

Figure 4.1

Étiquette de médicament comportant les indications relatives à la voie d'administration.

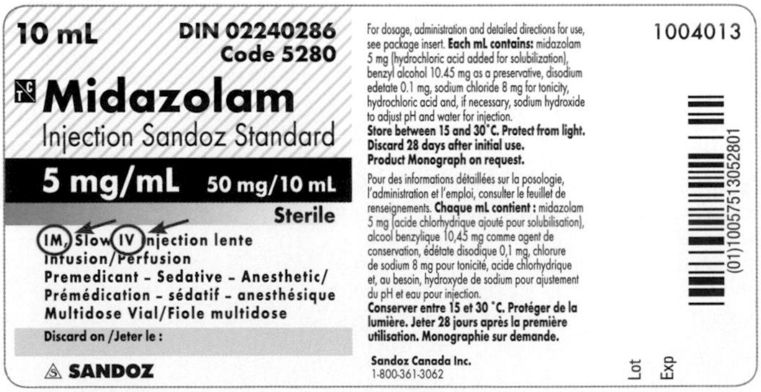

ALERTE INFIRMIÈRE

Avant d'administrer un médicament à une personne, vérifiez toujours les antécédents médicaux afin de déterminer une possibilité de réaction allergique ou d'intolérance à un médicament, en particulier à l'égard des agents anti-infectieux et des analgésiques **opioïdes**. N'oubliez pas que les médicaments administrés par voie parentérale sont absorbés rapidement et peuvent provoquer des **réactions anaphylactiques** graves.

Voie intradermique

Lorsqu'on administre un médicament par **voie intradermique**, on l'injecte dans le derme, soit la couche de tissus située immédiatement sous la couche externe de la peau, ou épiderme. Les sites d'injection intradermique sont : la face interne de l'avant-bras (**figure 4.2**), la partie supérieure du thorax ou du dos, sous la ceinture scapulaire, dans une zone de peau saine. La plupart du temps, on utilise cette voie d'administration pour déterminer la sensibilité d'une personne à certaines substances lors d'un test d'allergie ou pour évaluer le degré de sensibilité à la tuberculine (**test cutané à la tuberculine** (TCT).

Figure 4.2 **Injection intradermique.**

Voie sous-cutanée

Lorsqu'on administre un médicament par **voie sous-cutanée**, on l'injecte dans le tissu immédiatement sous le derme, sans atteindre le muscle. Les sites d'injection de choix sont la face postéroexterne du bras (**figure 4.3**), la région antérieure des cuisses ou la paroi abdominale au niveau de la région périombilicale. L'absorption du médicament par voie sous-cutanée est plus lente que par voie intraveineuse ou intramusculaire. On l'utilise pour administrer l'héparine, de l'héparine de faible poids moléculaire (HFPM), de l'insuline, certains vaccins, les médicaments nécessaires avant une intervention chirurgicale ainsi que des analgésiques opioïdes.

Figure 4.3 **Injection sous-cutanée.**

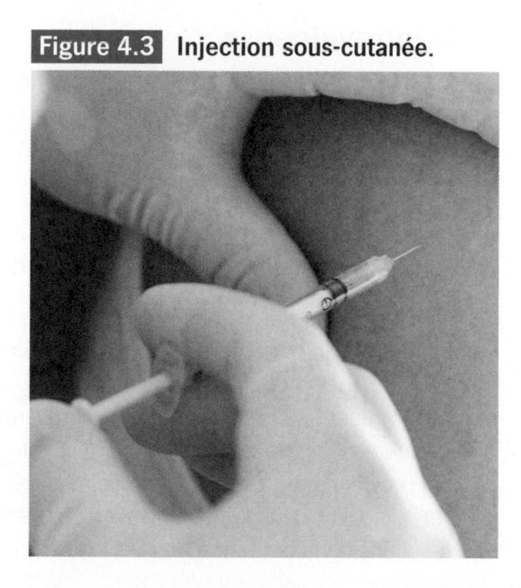

Voie intramusculaire

On utilise la **voie intramusculaire** pour injecter un médicament directement dans le tissu musculaire situé immédiatement sous le tissu sous-cutané. C'est de cette façon qu'on injecte certains antibiotiques, des vaccins, du sulfate ferreux et quelquefois des analgésiques opioïdes. L'absorption du médicament est plus rapide que par voie sous-cutanée puisque la vascularisation des muscles est plus dense ; elle est cependant plus lente que par voie intraveineuse. On administre l'injection dans le muscle deltoïde à la partie latérale du bras (**figure 4.4**) ou dans le muscle vaste latéral à la face antérieure et latérale de la cuisse ou dans le muscle fessier antérieur (ventroglutéal).

Figure 4.4 Injection intramusculaire, dans le muscle deltoïde.

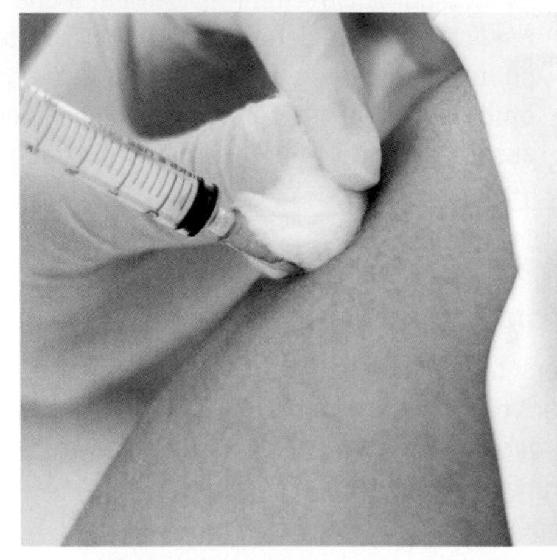

ALERTE INFIRMIÈRE

Lorsque vous administrez un médicament par voie intramusculaire, avant d'injecter la solution, vous devez vous assurer que la seringue ne contient pas de sang. La présence de sang signifierait qu'un vaisseau sanguin a été atteint accidentellement.

Voie intraveineuse

La voie intraveineuse permet d'injecter un médicament directement dans la circulation sanguine. On y recourt lorsqu'on veut que le médicament exerce son effet plus rapidement puisqu'il entre directement dans la circulation sanguine par le réseau veineux.

La voie veineuse est *périphérique* lorsqu'on installe un dispositif d'accès intraveineux dans une veine superficielle de petit calibre située sur le dos de la main, la face antérieure de l'avant-bras ou au niveau du pli du coude du membre supérieur.

La voie veineuse est *centrale* lorsqu'on insère un **cathéter** dans une veine de plus grand calibre, comme la veine jugulaire interne ou la veine sous-clavière, et que l'extrémité du cathéter termine sa course dans la veine cave supérieure au-dessus de l'oreillette droite du cœur. On peut aussi insérer le cathéter central dans une voie périphérique au niveau de la veine céphalique ou de la veine basilique du bras par la région antébrachiale jusqu'à ce qu'il parvienne à proximité de la veine cave supérieure (**figure 4.5**). L'administration d'un médicament dans la voie intraveineuse exige d'effectuer une surveillance étroite des réactions de la personne, car les effets du médicament se manifestent rapidement.

Figure 4.5

Points d'insertion intraveineuse. A. Accès périphérique. B. Accès veineux central.

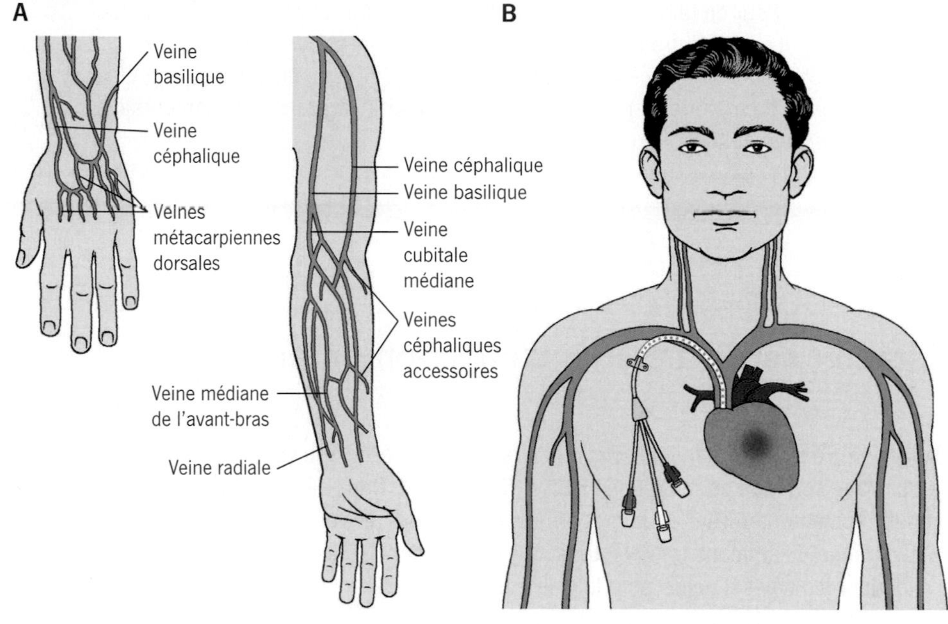

ALERTE INFIRMIÈRE

Avant d'administrer un médicament par voie intraveineuse, vérifiez toujours la compatibilité du médicament à injecter ou à ajouter à celui de la perfusion en cours. Pour ce faire, consultez un tableau de compatibilité des médicaments intraveineux injectés en dérivé (Y). Habituellement, ce tableau est disponible dans chacune des unités de soins. Dans le cas contraire, contactez le service de pharmacie de l'établissement.

Matériel destiné à l'administration des médicaments par voie parentérale

Les injections par voie parentérale permettent aux médicaments de traverser les tissus qui protègent le corps et d'atteindre le réseau sanguin. Les infirmières doivent bien connaître le matériel d'injection, puisqu'il est de leur responsabilité de préparer, de mesurer et d'administrer les médicaments. Elles doivent choisir les instruments appropriés pour injecter les doses requises de médicaments dans les tissus situés sous la peau. Pour ce faire, elles utilisent divers types de seringues munies d'une aiguille pour les voies intradermique, sous-cutanée et intramusculaire, ou elles installent un dispositif d'accès intraveineux intermittent dans une veine périphérique. Le bon usage du matériel permet à l'infirmière d'administrer les médicaments de façon conforme et sécuritaire.

OBJECTIF 4.2

Caractériser le matériel d'injection parentérale

L'injection parentérale par voie sous-cutanée ou intramusculaire se fait généralement à l'aide d'une seringue munie d'une aiguille (**figure 4.6**). Dans certaines situations cliniques, on peut également utiliser un microperfuseur pour administrer des médicaments par voie sous-cutanée. Examinons les caractéristiques générales de ces deux dispositifs, avant d'expliquer les types d'accès pour la voie intraveineuse.

Figure 4.6 Parties d'une seringue et d'une aiguille.

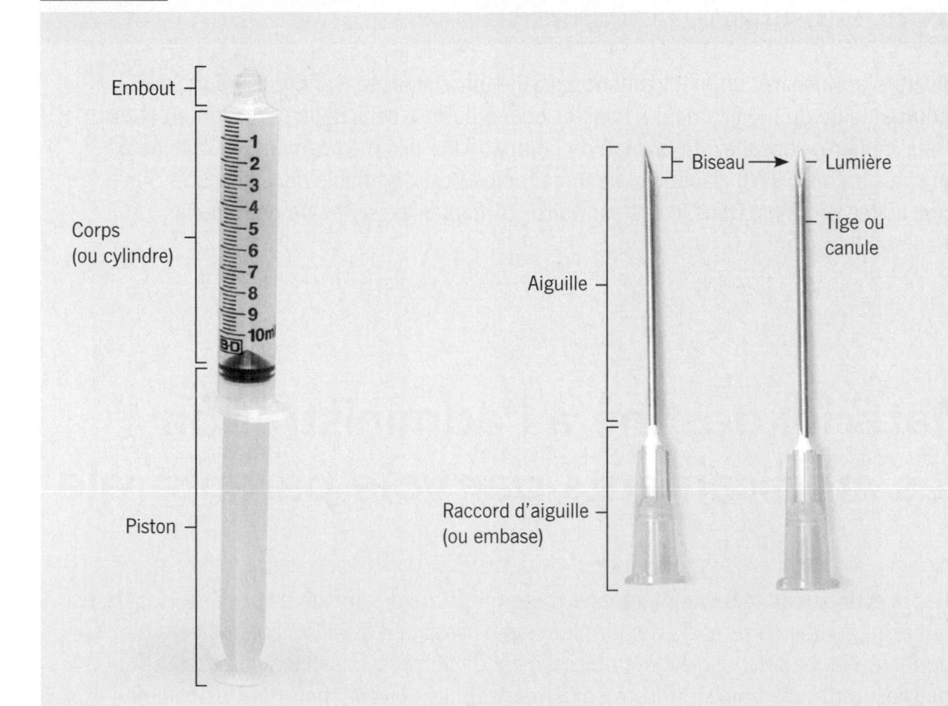

Seringue et aiguille

La **seringue** sert à prélever, mesurer et administrer une dose exacte de médicament sous forme liquide. Cet instrument est fabriqué en plastique et se compose de trois parties :

- un cylindre, destiné à recevoir le liquide, sur lequel est imprimée l'échelle de mesure de volume ;
- un piston, qui glisse dans le cylindre ;
- un embout pouvant recevoir une aiguille ou s'adapter à un système sans aiguille de type Luer-Lock.

Les seringues sont stériles, à usage unique, emballées individuellement et ne contiennent pas de latex.

Les aiguilles sont en acier inoxydable avec une embase de plastique. L'aiguille se compose de trois parties :

- l'embase à laquelle s'adapte la seringue ;
- la canule ou tige ;
- le biseau, la partie oblique au bout de l'aiguille.

Le biseau peut être court ou allongé : plus le biseau est long, plus l'aiguille est pointue, et moins elle cause de douleur lorsqu'elle pénètre dans les tissus. Le calibre ou diamètre de l'aiguille varie de 15 à 30 (**figure 4.7**). Il faut savoir que plus le chiffre est élevé, plus le diamètre de la canule est petit. La longueur de l'aiguille peut varier de 1,2 cm à 4 cm. Le choix de la longueur et du calibre se fait en fonction du site d'injection et de la masse musculaire de la personne. Les aiguilles doivent être jetées après usage dans un **contenant biorisque** résistant (**figure 4.8**) à l'épreuve des perforations.

Figure 4.7 **Différents calibres et longueurs d'aiguilles.**

Figure 4.8 **Contenants biorisques résistants.**

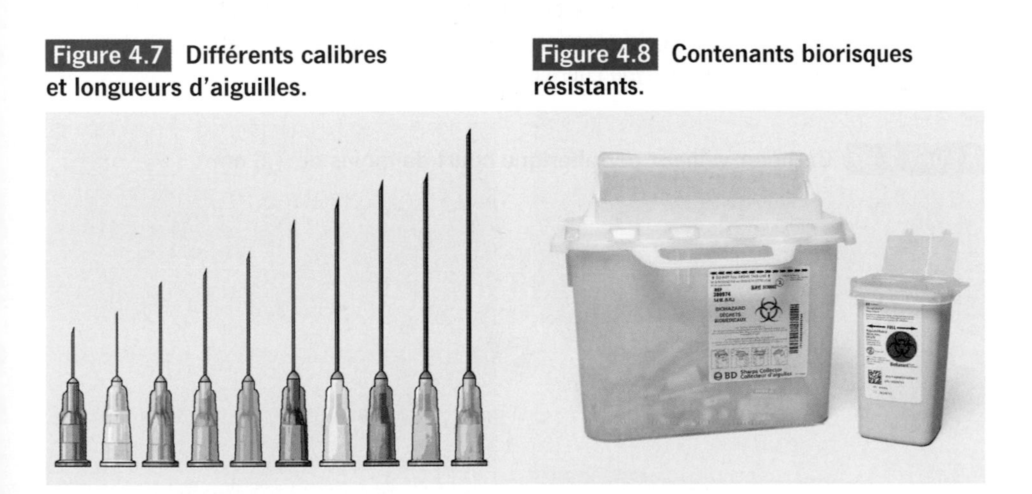

Microperfuseur

Le **microperfuseur à ailettes de type papillon** (**figure 4.9 A**) est un dispositif permettant d'administrer un médicament par voie sous-cutanée. Il peut être installé dans la région thoracique antérieure, sous la clavicule, dans la région abdominale, sur un bras ou sur

Figure 4.9 **A. Microperfuseur à ailettes de type papillon. B. Dispositif intermittent.**

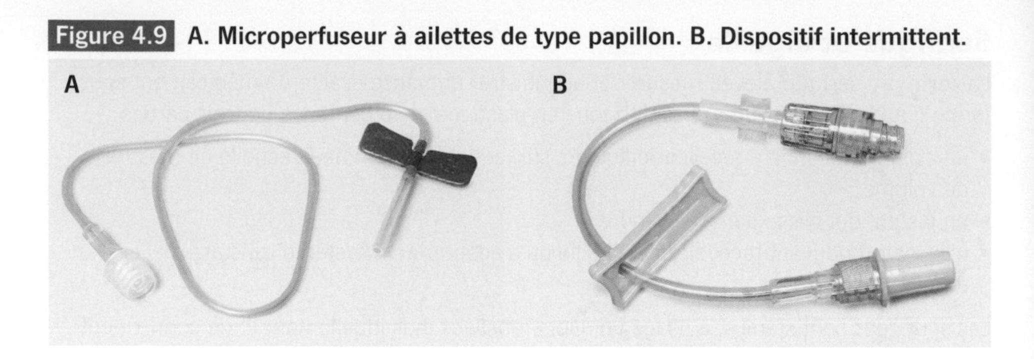

une cuisse. En l'absence de réaction locale au site d'injection, ce dispositif peut rester en place jusqu'à 7 jours[1] ; il permet à la personne de recevoir plusieurs doses de médicaments sans l'inconfort de recevoir plusieurs piqûres.

Dispositif d'accès intraveineux périphérique ou central

L'administration de médicaments par voie intraveineuse nécessite l'utilisation d'un accès intraveineux. Un cathéter veineux périphérique (CVP) (**figure 4.10**) doit être installé préalablement au niveau d'une veine périphérique de la main ou du bras, puis relié à un dispositif de perfusion intraveineuse. Ces cathéters veineux périphériques courts se présentent en différents calibres et longueurs. Ils sont associés à un code couleur spécifique qui varie selon leur diamètre externe. Ils sont munis d'un système de mise en sécurité : l'aiguille se rétracte dans le piston en plastique après la pose du cathéter. Ils se composent de trois parties : le trocart ou aiguille, le cathéter recouvrant l'aiguille et l'embase transparente pour la visualisation du reflux sanguin. L'extrémité du cathéter court est munie d'un raccord de type Luer-Lock.

Figure 4.10 **Cathéter veineux périphérique court de moins de 7,5 cm.**

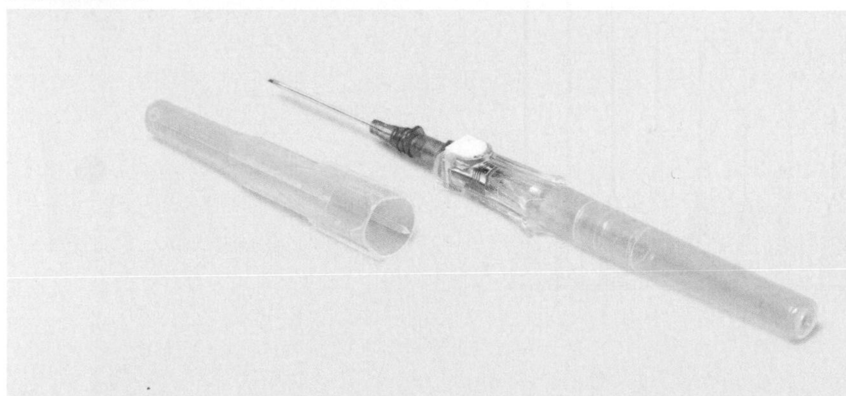

---

1. C. FOUCAULT et S. MONGEAU, *L'art de soigner en soins palliatifs*, Montréal, Presses de l'Université de Montréal, 2004. https://books.openedition.org/pum/10625?lang=fr

Selon la situation, on peut administrer un médicament par l'une ou l'autre des méthodes suivantes :

- ajouter à une perfusion intraveineuse (chapitre 5) et diluer dans un grand volume de solution intraveineuse de 500 mL ou de 1000 mL ;
- administrer en dérivé par un des points d'injection (en Y) de la tubulure de perfusion en utilisant un minisac de 25 mL, 50 mL, 100 mL ou 250 mL ;
- diluer dans une solution intraveineuse et administrer en perfusion intermittente (PI) à l'aide d'une pompe à seringue à vitesse variable, aussi appelée miniperfuseur (**figure 4.11**) ;
- administrer par injection intraveineuse directe (IVD) en **bolus** à l'aide d'un dispositif périphérique d'injection intraveineuse intermittente (**figure 4.9 B**).

Figure 4.11 **Pompe à seringue à vitesse variable.**

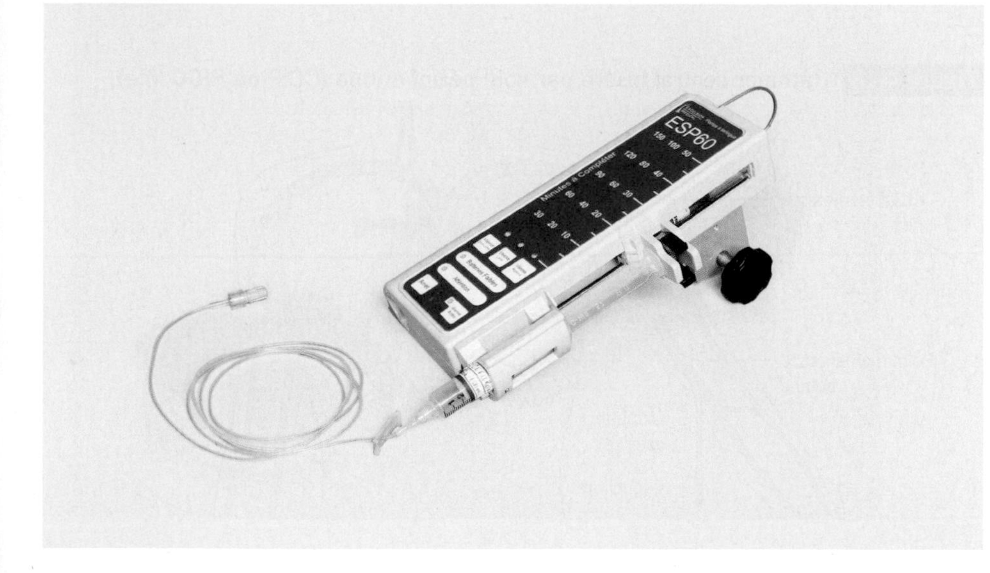

L'administration d'un médicament intraveineux par voie centrale nécessite l'installation d'un cathéter différent de celui utilisé pour la voie périphérique. Un cathéter veineux central (CVC) est un tube fin et flexible de 1 mm à 2 mm de diamètre et d'une trentaine de centimètres de longueur implanté par voie chirurgicale. Il peut rester en place pendant une plus longue période que le cathéter veineux périphérique. Il existe trois types courants de cathéters veineux centraux :

- le cathéter veineux central tunnellisé (**figure 4.12**) installé dans la veine sous-clavière, la veine jugulaire interne ou la veine fémorale (on désigne souvent les CVC tunnellisés par leur nom de commerce : Broviac, Hickman ou Groshong) ;
- le cathéter central inséré par voie périphérique (CCIP ou *PICC line*) à simple ou double voie (**figure 4.13**) ;
- la chambre implantable sous-cutanée (Port-A-Cath) (**figure 4.14**).

Figure 4.12 Cathéter veineux central tunnellisé.

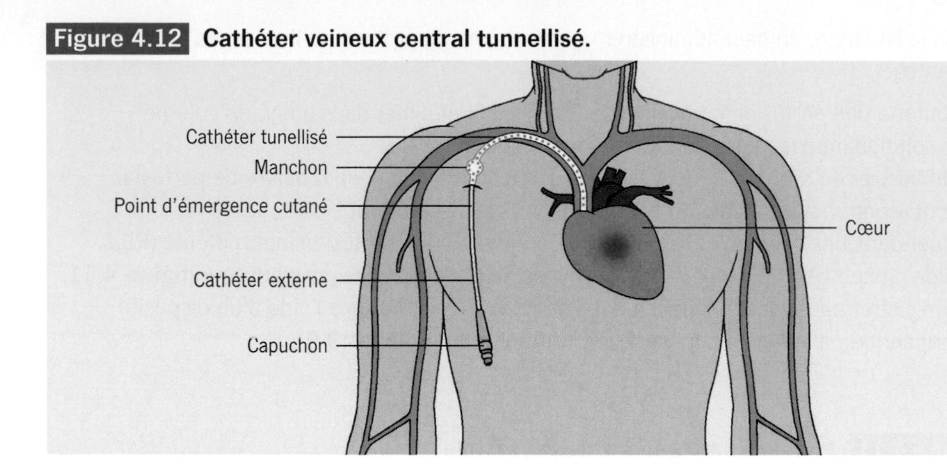

Figure 4.13 Cathéter central inséré par voie périphérique (CCIP ou *PICC line*).

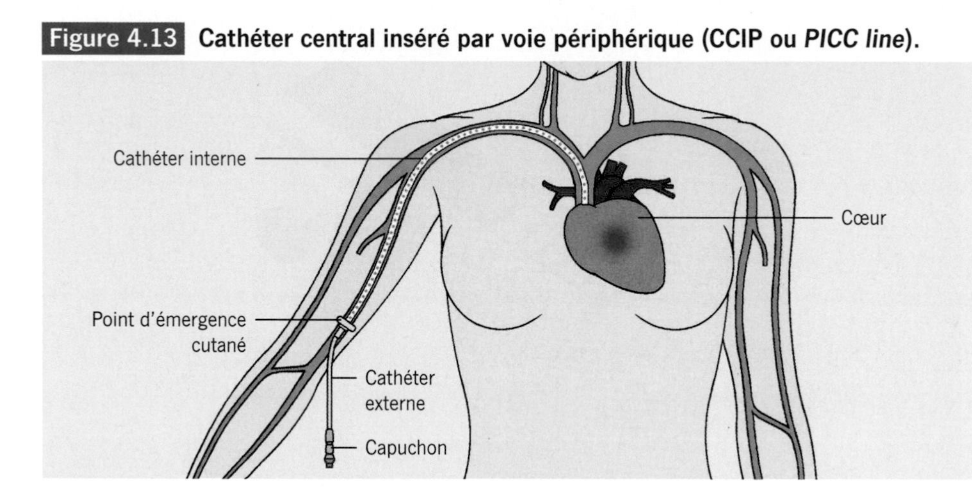

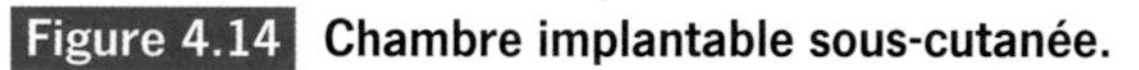

Figure 4.14 Chambre implantable sous-cutanée.

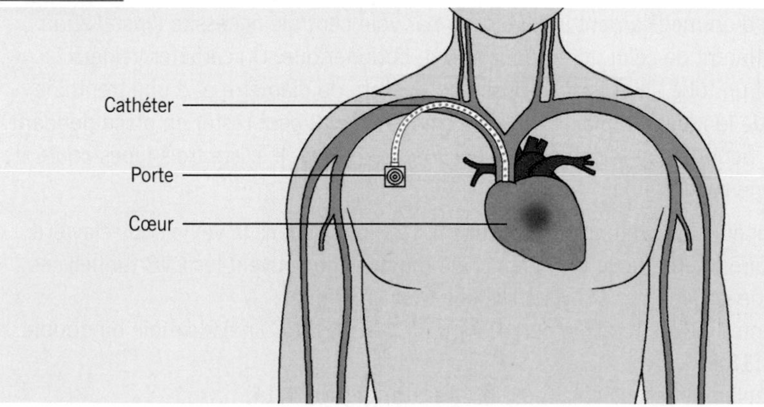

OBJECTIF 4.3 Différencier les types de seringues

Une seringue sert à prélever, à mesurer et à administrer une dose exacte de médicament sous forme liquide lorsqu'on doit l'injecter par voie parentérale. Il existe diverses tailles de seringues pour administrer les médicaments par voie parentérale : 1 mL, 3 mL, 5 mL, 10 mL, 20 mL, 30 mL et 60 mL, et des seringues spécialement conçues pour administrer l'insuline (**figure 4.15**). Pour choisir la bonne seringue, on doit tenir compte du médicament, de la dose et de la voie d'injection requise pour l'administrer. Il est primordial de choisir adéquatement la seringue et l'aiguille pour préparer et administrer correctement un médicament destiné à l'une ou l'autre des voies parentérales.

Les embouts de seringue sont de deux types, selon qu'ils comportent un système de verrouillage de l'aiguille de type Luer-Lock, qui l'empêche de se détacher accidentellement, ou qu'ils sont lisses et s'adaptent à d'autres types de dispositifs.

Choix de la seringue

On utilise les seringues de 1 mL et 3 mL pour les injections sous-cutanée et intramusculaire. Quant aux seringues de plus grand volume, soit 5 mL, 10 mL, 20 mL et 30 mL, elles servent surtout aux injections par voie intraveineuse. Les seringues de 60 mL peuvent servir à irriguer une sonde ou un tube nasogastrique.

Figure 4.15 **Seringues de différents formats. De gauche à droite, seringues de 1 mL, 3 mL, 5 mL, 10 mL, 20 mL, 30 mL, 60 mL avec un embout Luer-Lock et de 60 mL avec un embout lisse.**

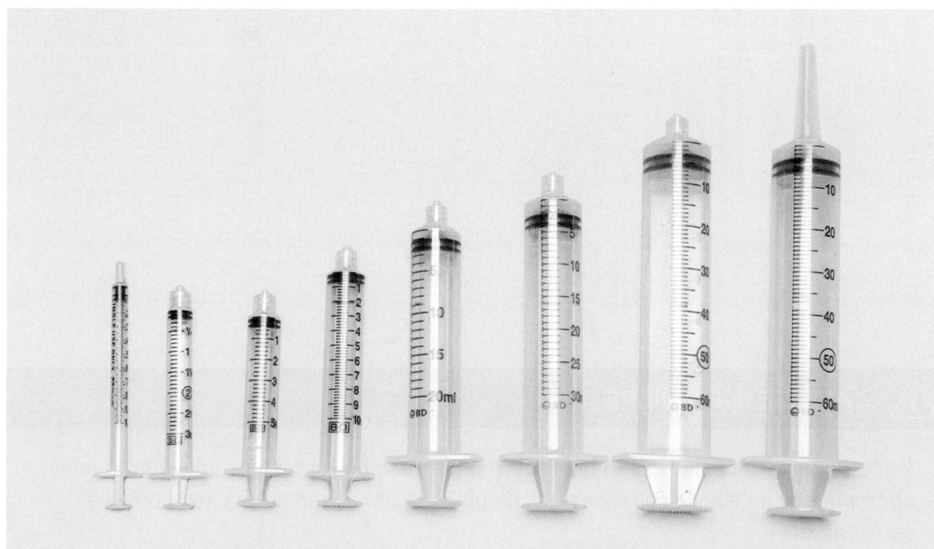

On privilégie habituellement la seringue de 1 mL, aussi appelée « seringue à tuberculine », pour les doses de 1 mL et moins, car elle offre une plus grande précision. Cette seringue est également utilisée pour la voie intradermique.

Seringue de 1 mL à tuberculine

La **seringue à tuberculine** est étroite et calibrée en dixièmes et en centièmes de millilitres. Elle sert à prélever un volume de médicament injectable compris entre 0,01 mL et 1 mL (**figure 4.16**). On l'utilise fréquemment pour injecter un médicament par voie sous-cutanée. Ce type de seringue est fourni avec une aiguille lorsqu'elle sert à administrer un médicament par injection.

Seringue de 3 mL

La seringue de 3 mL est l'une des plus utilisées (**figure 4.17**). Elle est graduée en unités métriques (millilitres), chaque trait représentant 0,1 mL (un dixième de millilitre). Les traits plus larges correspondent à des intervalles de 0,5 mL.

Figure 4.16 **Seringue à tuberculine de 1 mL.**

Figure 4.17 **Seringue de 3 mL.**

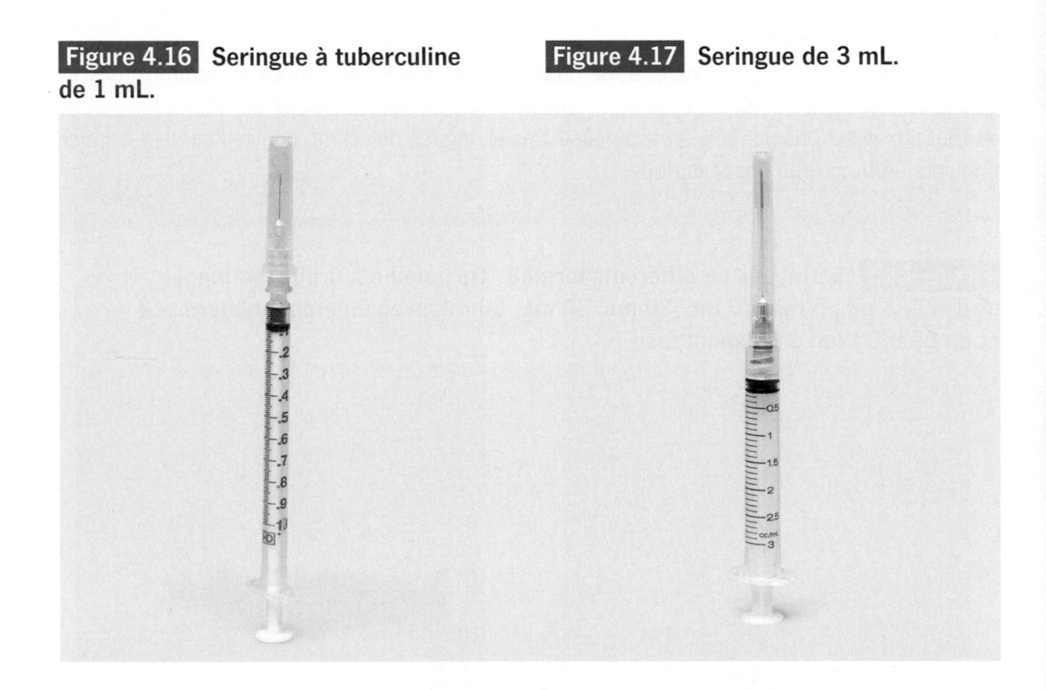

ALERTE INFIRMIÈRE

Veillez toujours à ce que la seringue soit remplie de médicament jusqu'à la graduation appropriée et qu'elle ne contienne pas de bulles d'air ; autrement, la dose prélevée serait inexacte.

Seringue de 5 mL

La seringue de 5 mL (**figure 4.18**) sert à préparer et à administrer des médicaments requérant un volume compris entre 0,2 mL et 5 mL. Elle offre moins de précision que la seringue de 3 mL. Chaque trait court représente 0,2 mL et chaque trait plus long correspond à un 1 mL. Elle est munie d'un système de verrouillage de l'aiguille de type Luer-Lock et peut être insérée dans le site d'injection en Y d'un dispositif de perfusion.

Seringue de 10 mL

La seringue de 10 mL (**figure 4.19**) est largement utilisée pour reconstituer un antibiotique en poudre et le diluer avant de l'administrer par voie intraveineuse. Chaque trait court représente 0,2 mL, chaque trait plus long, 1 mL. Chaque millilitre est indiqué par les chiffres 1 à 10. Cette seringue est également munie du système de verrouillage de type Luer-Lock et peut être insérée dans le site en Y d'un dispositif de perfusion.

Figure 4.18 **Seringue de 5 mL.**

Figure 4.19 **Seringue de 10 mL.**

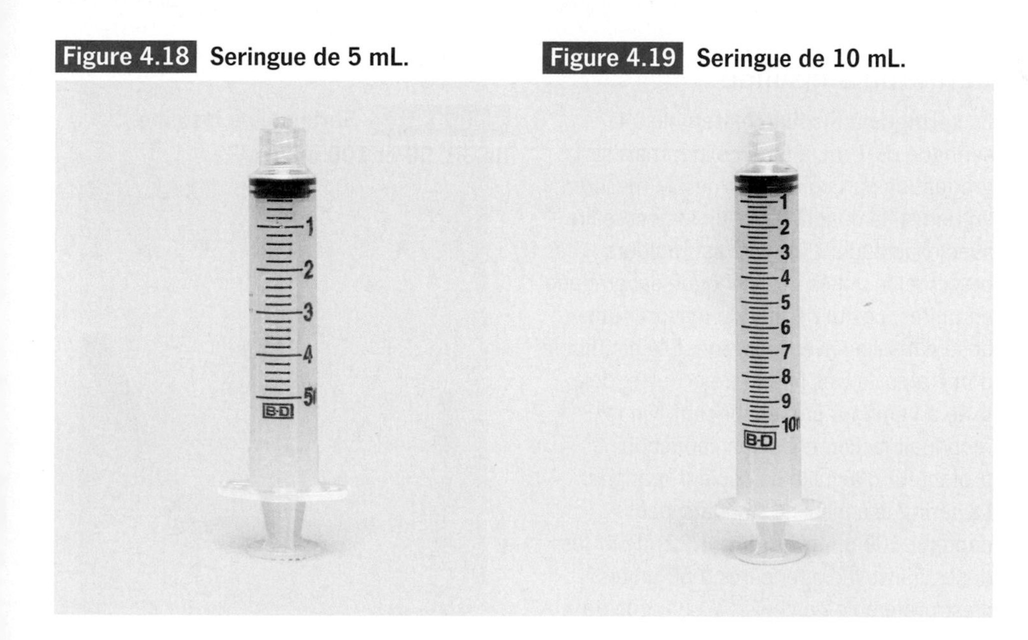

Seringues de 20 mL et 30 mL

Les seringues de 20 mL et 30 mL (**figures 4.20** et **4.21**) sont munies d'un embout Luer-Lock permettant de fixer une aiguille pour prélever et administrer un médicament. On les utilise principalement pour préparer et administrer des antibiotiques nécessitant un plus grand volume de dilution, ce qui permet de réduire l'irritation du vaisseau sanguin au moment de l'administration. Un trait court marque chaque millilitre, et un trait long, chaque 5 mL.

Figure 4.20 **Seringue de 20 mL.**

Figure 4.21 **Seringue de 30 mL.**

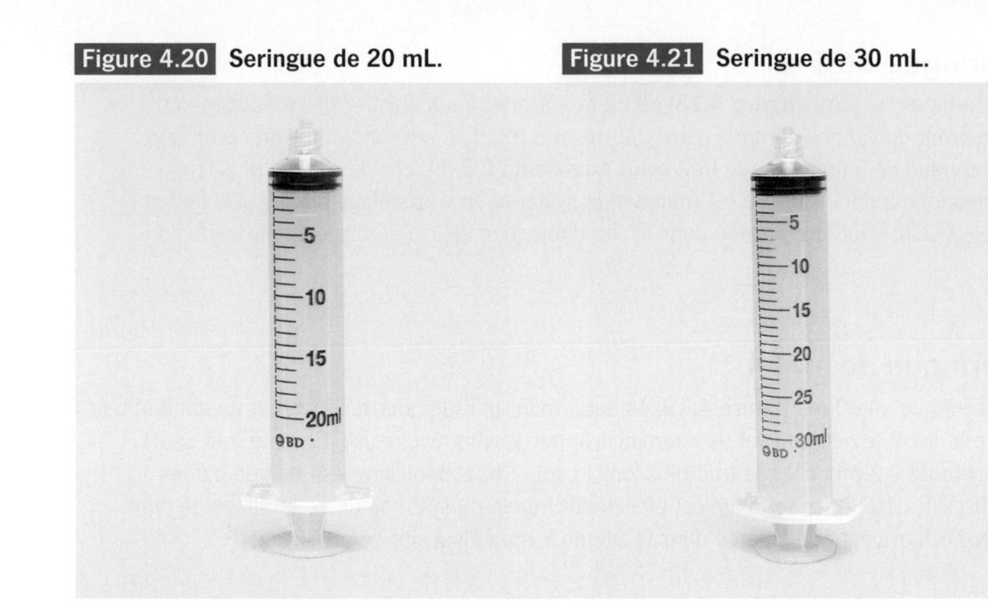

Seringue à insuline

La **seringue à insuline** ressemble à la seringue de 1 mL à tuberculine, mais sa graduation particulière permet de mesurer, en unités, la quantité d'insuline nécessaire avec exactitude. L'insuline est toujours prescrite en unités et la seringue est graduée en unités, ce qui permet de mesurer une dose d'insuline avec précision. Elle est munie d'une aiguille très fine et très courte, déjà fixée à l'embout par le fabricant. On la reconnaît facilement à son capuchon protecteur d'aiguille de couleur orangée. La seringue à insuline standard peut contenir 100 unités (**figure 4.22**). Pour les doses d'insuline inférieures à 50 unités, il est préférable de choisir la seringue de 30 ou 50 unités, selon la dose d'insuline nécessaire. Chaque graduation correspond à 1 unité et chaque groupe de 5 unités est indiqué par un trait plus long. Les seringues de 30 unités permettent de prélever les plus petites doses. L'infirmière doit toujours choisir le format de seringue (30, 50 ou 100 unités) en fonction de la quantité d'insuline à injecter, et ce, de façon à prélever la quantité requise avec précision.

Figure 4.22 **Seringues à insuline de 30, 50 et 100 unités.**

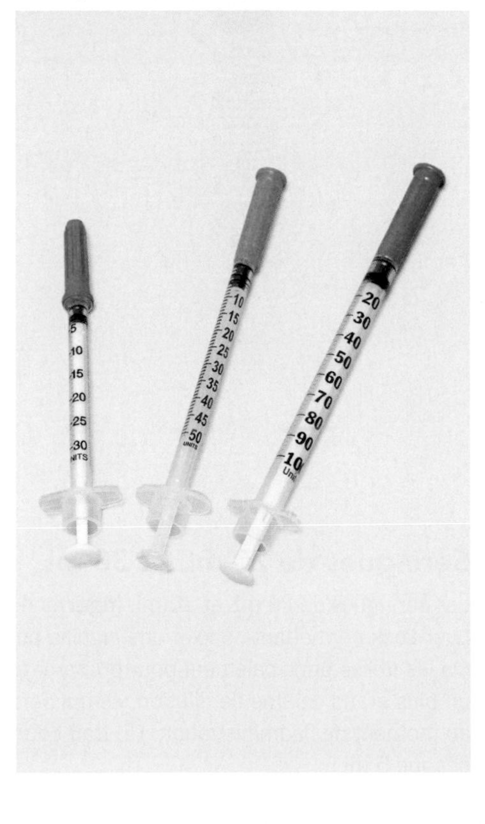

ALERTE INFIRMIÈRE

Par mesure de sécurité et de précision, utilisez exclusivement la seringue à insuline lorsque vous devez préparer et injecter une dose d'insuline. Choisissez la seringue de plus petit format pour administrer moins de 30 unités, puisque la graduation est plus facile à lire.

OBJECTIF 4.4 Prélever une quantité de liquide donnée dans une seringue

On prépare un médicament injectable en aspirant le contenu de l'ampoule ou de la fiole dans une seringue stérile. Le choix du bon format de seringue permet de prélever un volume avec précision. Par exemple, pour prélever une quantité de 0,15 mL, il est nécessaire de choisir la seringue de 1 mL puisqu'elle est graduée à chaque centième ; une seringue de 3 mL ne permet pas d'obtenir cette précision. Quel que soit le type de seringue utilisé, il est primordial d'administrer la dose exacte de médicament. L'infirmière doit donc exceller dans la lecture des traits de graduation de la seringue graduée. Pour bien voir le trait de graduation qui correspond à la dose à administrer, il faut toujours tenir la seringue à la hauteur des yeux. Pour mesurer avec précision, on doit toujours prendre le bord supérieur de l'anneau noir du piston comme trait de référence (**figure 4.23**).

Exercez-vous : p. 66 du cahier d'exercices.

Figure 4.23 **Mesure de 1 mL.**

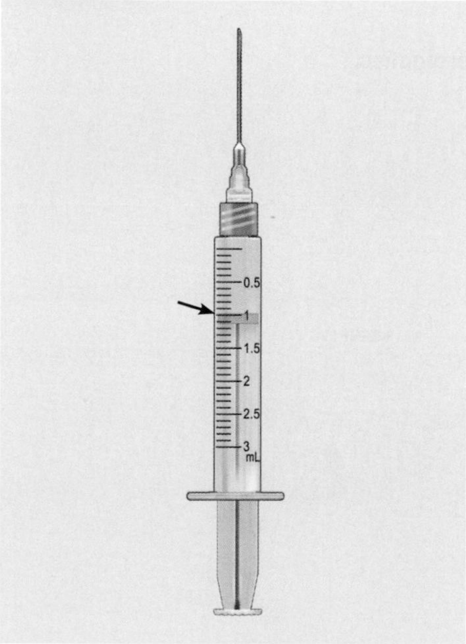

0.5
1
1.5
2
2.5
3 mL

ASTUCE

Pour repérer la quantité contenue dans la seringue, placez celle-ci à la verticale devant vos yeux. La base du piston et la partie saillante du milieu ne vous donneront pas la bonne quantité. Faites la lecture de la graduation à partir de la partie supérieure du piston, soit celle qui entre en contact avec le médicament.

Présentation des médicaments injectables

Les infirmières doivent connaître, manipuler et prélever correctement les différentes formes de médicaments injectables par voie parentérale. Les préparations parentérales se présentent sous différentes formes : **solutions limpides**, **suspensions** homogènes, **émulsions**, **poudre à reconstituer**. Elles doivent être stériles afin d'être administrées de façon sécuritaire.

OBJECTIF 4.5

Distinguer les différentes présentations de médicaments injectables

Les préparations parentérales se présentent dans des contenants de tailles et de formes diverses (**figure 4.24**) :

- **ampoules** ;
- **fioles** ponctionnables unidoses ou multidoses ;
- seringues préremplies ;
- cartouches destinées au stylo injecteur pour l'autoadministration d'insuline (voir « Administration de l'insuline par voie sous-cutanée », p. 130).

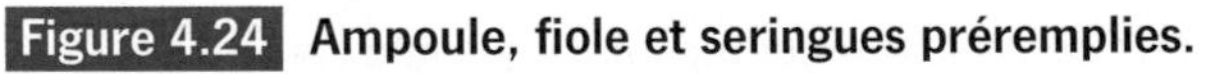
Figure 4.24 **Ampoule, fiole et seringues préremplies.**

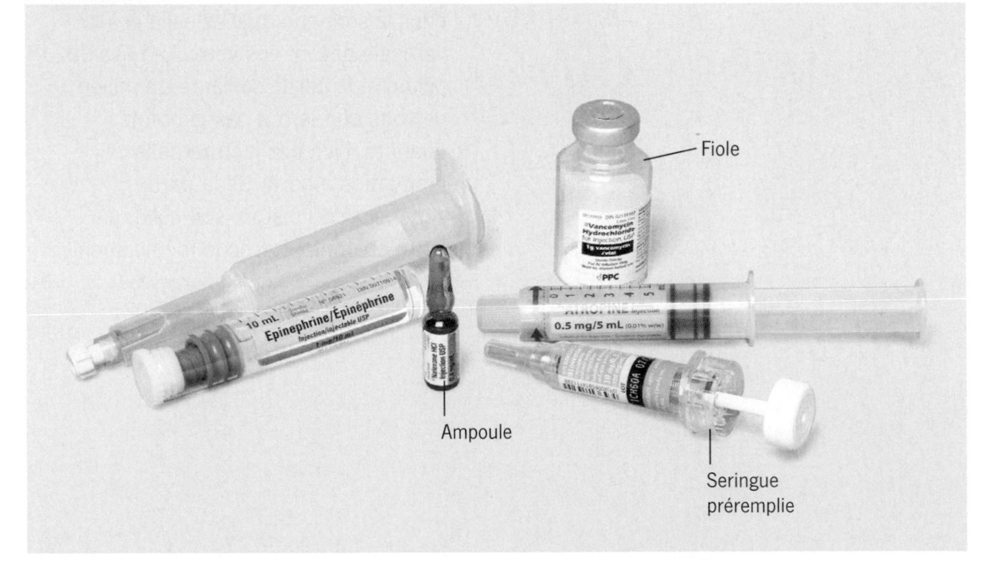

Tous les récipients destinés à l'administration des médicaments par voie parentérale doivent être bien identifiés, hermétiques et stériles. Les étiquettes ou les imprimés apposés sur le contenant doivent indiquer les informations suivantes : nom du médicament (commercial et générique), concentration ou teneur, quantité totale de médicament dans le contenant en millilitres, date de péremption, voie d'administration possible et le numéro du lot de production.

Ampoules

Une ampoule est un tube de verre transparent ou opaque, possédant un col étroit, allongé, renfermant une dose unitaire de médicament, et se présentant en différents formats. Après avoir cassé le col de l'ampoule, l'infirmière aspire le liquide à l'aide d'une seringue munie d'une aiguille.

Fioles

Les fioles sont de petites bouteilles de verre ou de plastique scellées par un bouchon de caoutchouc et renfermant un médicament liquide ou une poudre à diluer. Elles existent en différents formats et peuvent contenir une dose unitaire ou plusieurs doses, comme la fiole d'insuline. Pour prélever le médicament, l'infirmière ponctionne à travers le sceau de caoutchouc à l'aide d'une aiguille et d'une seringue.

Seringues préremplies

Certains médicaments destinés aux voies parentérales sont également disponibles en seringues préremplies, préparées, emballées par le fabricant et prêtes à l'emploi. Ils sont disponibles en différentes teneurs afin de répondre à des besoins particuliers. Il peut s'agir de vaccins, d'héparine de faible poids moléculaire (HFPM), de médicaments nécessaires dans une situation d'urgence, comme l'épinéphrine injectable, le sulfate d'atropine ou le dextrose injectable à 50 %. La pharmacie de l'établissement prépare également certains antibiotiques intraveineux prêts à être administrés dans la voie intraveineuse.

La seringue préremplie de solution saline est largement utilisée pour effectuer la procédure de rinçage d'un dispositif intraveineux intermittent : cette seringue se présente dans un emballage particulier et son étiquetage permet de l'identifier rapidement, ce qui diminue le risque d'erreur. Elle est prête à l'emploi, déjà remplie d'une solution saline stérile (**figure 4.25**). Son utilisation réduit la manipulation et les étapes de préparation, ce qui permet d'augmenter la sécurité et d'améliorer la qualité des soins.

Figure 4.25 Seringue préremplie d'une solution saline stérile.

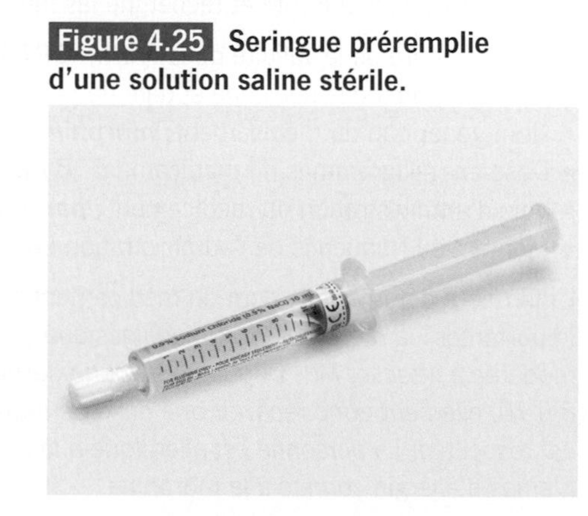

Calcul des doses unitaires de médicaments injectables

Lorsque l'infirmière reçoit une ordonnance, elle doit s'assurer d'administrer le médicament prescrit de façon sécuritaire. Au chapitre précédent, vous avez appris que des vérifications systématiques s'imposent en tout temps dans l'administration des médicaments par voie buccale. Quelle que soit la voie d'administration utilisée, il importe de calculer la dose appropriée en utilisant la **démarche en 5 étapes** présentée au chapitre 3. Étant donné que les médicaments administrés par voie parentérale sont absorbés plus rapidement, il est primordial d'effectuer des calculs exacts afin d'éviter toute forme d'erreur, et donc de se doter d'une démarche sécuritaire pour préparer les injections. L'infirmière emploie soit la méthode de la formule, soit la méthode du rapport-proportion pour calculer la dose requise avec exactitude.

OBJECTIF 4.6 Calculer la dose requise en utilisant la méthode de la formule

Mme Éliana Dupuis est hospitalisée à l'unité des soins orthopédiques pour une fracture transverse du fémur droit. Hier matin, elle a subi une réduction fermée de cette fracture fémorale. Il est 8 h 10 lorsque vous procédez à l'évaluation initiale. Vous constatez alors qu'elle est souffrante. À la suite de cette évaluation, vous vérifiez la FADM (**figure 4.26**) et vous décidez de préparer la dose d'analgésique requise pour soulager la douleur.

Étape 1 Collecter les données

L'infirmière valide la FADM et recherche les informations pertinentes :

- Date et heure de la validité de la FADM : ***2019-09-05, 00 h 00 à 2019-09-05, 23 h 59***
- Nom, prénom de la personne et date de naissance : ***Dupuis, Éliana, née le 7 février 1974***
- Nom générique du médicament : ***morphine***
- Dose en milligrammes du médicament : ***8 mg***
- Voie d'administration du médicament : ***par voie sous-cutanée***
- Moment ou fréquence de l'administration du médicament : ***toutes les 3 heures, au besoin***

L'infirmière détermine le nom du médicament à administrer et recherche les informations importantes : *la morphine est un analgésique opioïde administré pour soulager la douleur modérée à intense. Mme Dupuis a reçu une dernière dose de morphine à 1 h 45. Il est 8 h 10, elle peut donc recevoir une dose de morphine puisque la fréquence de 3 heures est respectée. La personne est allergique à la pénicilline, intolérante à l'ibuprofène, mais n'a pas d'allergie connue à la morphine.*

Figure 4.26 **FADM au nom d'Éliana Dupuis.**

FADM

NOM: DUPUIS, Éliana
DOSSIER: 67345
CHAMBRE: 312 lit 1
DATE DE NAISSANCE: 1974-02-07
DATE D'ADMISSION: 2019-09-03
FADM valide du 2019-09-05 à 00 h 00 au 2019-09-05 à 23 h 59

Poids: 54 kg	SC:	Allergies: pénicilline
Taille: 161 cm	Clcr: 0,32 mL/sec	Intolérances: ibuprofène

Médicaments	Nuit (00 h 00-07 h 59) Heure Initiales	Jour (8 h 00-15 h 59) Heure Initiales	Soir (16 h 00-23 h 59) Heure Initiales	Validité
MORPHINE 10 mg/mL sol. inj. 1 mL SC morphine analgésique opioïde **8 mg** STAT puis q 3 h PRN, si douleur **HR**	**PRN** ~~01 h 45~~ DG	**PRN**	**PRN**	2019-09-03 15 h 15 2019-11-03 23 h 59

N		J		S	
Marie Duplessis inf.	MD				
Daniela Gomez	DG				
Profil vérifié et conforme	SL				

⬭ Non donné (justifier)	A Personne absente	V Vomissement	J À jeun Voir note d'obs.	AA Auto-administration	NS Non servi
/ Rx administré	N Nausée	R Refuse	M* Manquant et note d'obs. requise	CT Congé temporaire	∅ Aucune unité d'insuline

Étape 2 Analyser les données

- Repérez les données pertinentes qui serviront au calcul de la dose administrée: *la dose prescrite, la teneur et le volume du médicament disponible.*
- Comparez la dose prescrite avec le médicament disponible afin de vous assurer que les unités de mesure sont les mêmes: *les unités sont les mêmes, aucune conversion n'est requise.*
- Vérifiez la pertinence d'utiliser le poids (en kilogrammes) ou certains résultats d'analyses sanguines pour effectuer les calculs: *dans cet exemple, cela n'est pas nécessaire.*

Étape 3 Planifier la préparation

Cette étape consiste à réfléchir à la meilleure façon de calculer la dose requise:

Méthode de la formule

$$\text{Volume à administrer (mL)} = \frac{\text{Dose prescrite (mg)} \times \text{Volume du médicament disponible (mL)}}{\text{Teneur du médicament disponible (mg)}}$$

Déterminez les données nécessaires au calcul à partir de la FADM (**figure 4.26**) :

- Dose prescrite : **8 mg**
- Teneur du médicament disponible : **10 mg**
- Volume du médicament disponible : **1 mL**

Étape 4 Calculer la dose

- Transcrivez la formule et remplacez les inconnues de la formule par les données pertinentes en n'oubliant pas d'inscrire les unités de mesure :

$$\text{Volume à administrer (mL)} = \frac{\text{Dose prescrite (mg)} \times \text{Volume du médicament disponible (mL)}}{\text{Teneur du médicament disponible (mg)}}$$

- Résolvez l'équation : les milligrammes s'annulent. Effectuez le calcul afin de déterminer le volume à administrer en millilitres :

$$\text{Volume à administrer (mL)} = \frac{8\,\cancel{\text{mg}}}{10\,\cancel{\text{mg}}} \times 1\text{ mL}$$

$$\text{Volume à administrer (mL)} = \frac{8}{10} \times 1\text{ mL}$$

$$\text{Volume de médicament à administrer en millilitres} = 0{,}8\text{ mL}$$

- Obtenez un résultat contenant une valeur numérique et une unité de mesure : *le volume de médicament à prélever (en millilitres) correspondant à la dose requise est de 0,8 mL d'une ampoule de morphine ayant une teneur de 10 mg/mL.*

Étape 5 Vérifier le résultat obtenu

- Validez le résultat obtenu : le calcul est-il exact ? Vérifiez-le en effectuant 2 fois votre calcul.
- Utilisez votre jugement pour déterminer si le résultat obtenu est vraisemblable : *la teneur de la morphine disponible est de 10 mg dans 1 mL, considérez le fait que 8 mg, c'est un peu moins que 10 mg et que le volume de 0,8 mL est légèrement inférieur à 1 mL. Sans même faire de calculs, vous constatez que le volume obtenu est proportionnel à la teneur disponible.*

Puisqu'il s'agit de l'administration d'un médicament par injection sous-cutanée, l'infirmière doit prévoir :

- une seringue de 1 mL ;
- une aiguille de longueur et de calibre appropriés pour une injection sous-cutanée ;
- un tampon d'alcool ;
- une étiquette pour identifier le médicament préparé (nom, dose, voie, heure) et portant le nom et le prénom du destinataire, ainsi que sa date de naissance ou son numéro de dossier.

ALERTE INFIRMIÈRE

Vérifiez attentivement la concentration du médicament indiquée sur l'étiquette de la préparation injectable dont vous disposez. La concentration n'est pas toujours exprimée en utilisant un volume de 1 mL. En utilisant la bonne concentration dans vos calculs, vous éviterez les erreurs dans la préparation et l'administration des médicaments.

Exercez-vous : p. 73 du cahier d'exercices.

OBJECTIF 4.7 Calculer la dose requise en utilisant la méthode du rapport-proportion

Calculons maintenant la dose requise en utilisant la méthode du rapport-proportion. Nous utiliserons également la situation clinique d'Éliana Dupuis et la FADM (**figure 4.26**).

Étape 1 Collecter les données

L'infirmière valide la FADM (**figure 4.26**) et recherche les informations pertinentes :

- Date et heure de la validité de la FADM : ***2019-09-05, 00 h 00 à 2019-09-05, 23 h 59***
- Nom, prénom de la personne et date de naissance : ***Dupuis, Éliana, née le 7 février 1974***
- Nom générique du médicament : ***morphine***
- Dose en milligrammes du médicament : ***8 mg***
- Voie d'administration du médicament : ***par voie sous-cutanée***
- Moment ou fréquence de l'administration du médicament : ***toutes les 3 heures, au besoin***

L'infirmière détermine le nom du médicament à administrer et recherche les informations importantes : *la morphine est un analgésique opioïde administré pour contrôler la douleur modérée à intense. Mme Dupuis a reçu une dose de morphine à 1 h 45. Il est 8 h 10, elle peut donc recevoir une dose de morphine puisque la fréquence de 3 heures est respectée. La personne est allergique à la pénicilline, intolérante à l'ibuprofène, mais n'a pas d'allergie connue à la morphine.*

Étape 2 Analyser les données

- Repérez les données pertinentes qui serviront au calcul de la dose administrée : *la dose prescrite, la teneur et le volume du médicament disponible.*
- Comparez la dose prescrite avec le médicament disponible afin de vous assurer que les unités de mesure sont les mêmes : *les unités sont les mêmes, aucune conversion n'est requise.*
- Vérifiez la pertinence d'utiliser le poids (en kilogrammes) ou certains résultats d'analyses sanguines pour effectuer les calculs : *dans cet exemple, cela n'est pas nécessaire.*

Étape 3 Planifier la préparation

Cette étape consiste à réfléchir à la meilleure façon de calculer la dose requise :

Méthode du rapport-proportion

$$\frac{\text{Teneur du médicament disponible (mg)}}{\text{Volume du médicament disponible (mL)}} = \frac{\text{Dose prescrite (mg)}}{x \text{ (mL)}}$$

- Déterminez les données nécessaires au calcul à partir de la FADM (**figure 4.26**).
  Dose prescrite : **8 mg**
  Teneur du médicament disponible : **10 mg**
  Volume du médicament disponible : **1 mL**

Étape 4 Calculer la dose

Méthode du rapport-proportion

- Transcrivez la formule et remplacez les inconnues par les données pertinentes en n'oubliant pas d'inscrire les unités de mesure :

$$\frac{\text{Teneur du médicament disponible (mg)}}{\text{Volume du médicament disponible (mL)}} = \frac{\text{Dose prescrite (mg)}}{x\ \text{(mL)}}$$

- Effectuez le calcul selon la méthode du rapport-proportion afin de déterminer la valeur de l'inconnue x, c'est-à-dire le volume à administrer en millilitres. Simplifiez l'équation au besoin :

$$\frac{10\ \text{mg}}{1\ \text{mL}} = \frac{8\ \text{mg}}{x\ \text{mL}}$$

Effectuez le produit croisé :

$$10\ \text{mg}\ x = 8\ \text{mg} \times 1\ \text{mL}$$

$$x = \frac{8\ \cancel{\text{mg}} \times 1\ \text{mL}}{10\ \cancel{\text{mg}}}$$

$$x = 0{,}8\ \text{mL}$$

- Obtenez un résultat contenant une valeur numérique et une unité de mesure : *Éliana Dupuis doit recevoir 0,8 mL de morphine dont la teneur est de 10 mg/mL par voie sous-cutanée afin de respecter la dose prescrite.*

Étape 5 Vérifier le résultat obtenu

- Validez le résultat obtenu : le calcul est-il exact ? Vérifiez-le en effectuant 2 fois votre calcul :

$$\frac{10\ \text{mg}}{1\ \text{mL}} = \frac{8\ \text{mg}}{0{,}8\ \text{mL}}$$

$$0{,}8 \times 10 = 1 \times 8$$

$$8 = 8$$

- Si vous utilisez la méthode du rapport-proportion, vérifiez votre calcul en remplaçant la valeur de x dans l'équation par la réponse obtenue.
- Utilisez votre jugement pour déterminer si le résultat obtenu est vraisemblable : *la teneur de la morphine disponible est de 10 mg dans 1 mL, considérez le fait que 8 mg, c'est un peu moins que 10 mg et que le volume de 0,8 mL est légèrement inférieur à 1 mL. Sans même faire de calculs, vous constatez que le volume obtenu est proportionnel à la teneur disponible.*

Puisqu'il s'agit de l'administration d'un médicament par injection sous-cutanée, l'infirmière doit prévoir :

- une seringue de 1 mL ;
- une aiguille de longueur et de calibre appropriés pour une injection sous-cutanée ;

- un tampon d'alcool ;
- une étiquette pour identifier le médicament préparé (nom, dose, voie, heure) et portant le nom et le prénom du destinataire, ainsi que sa date de naissance ou son numéro de dossier.

Exercez-vous : p. 79 du cahier d'exercices.

OBJECTIF 4.8 Appliquer une démarche sécuritaire pour préparer une dose de médicament injectable

Une situation clinique courante permettra d'illustrer l'application de la démarche en 5 étapes pour préparer une dose de médicament injectable par voie parentérale.

Un médecin prescrit à Mme Pauline Michaud de la vitamine B_{12} par voie intramusculaire une fois par mois, pour traiter une carence en vitamine B_{12} (**figure 4.27**).

Figure 4.27 **FADM au nom de Pauline Michaud.**

FADM

NOM : MICHAUD Pauline
DOSSIER : 24859
CHAMBRE : 342 lit 2
DATE DE NAISSANCE : 1930-03-26
DATE D'ADMISSION : 2019-07-01
FADM valide du 2019-07-05 à 00 h 00 au 2019-07-05 à 23 h 59

Poids : 65 kg — SC : — Allergies : aucune
Taille : 170 cm — Clcr : 0,59 mL/sec — Intolérances : produits laitiers

Médicaments	Nuit (00 h 00-07 h 59) Heure Initiales	Jour (8 h 00-15 h 59) Heure Initiales	Soir (16 h 00-23 h 59) Heure Initiales	Validité
VITAMINE B_{12} 1000 mcg/mL **sol. inj. 1 mL** **IM** cyanocobalamine supplément vitamine **<u>0,2 mg</u>** une fois par mois : chaque premier mercredi du mois		**10 h 00**		2019-07-01 00 h 00 2019-09-01 23 h 59

N		J		S	
Profil vérifié et conforme	JY				

⬭ Non donné (justifier)	A Personne absente	V Vomissement	J À jeun Voir note d'obs.	AA Auto-administration	NS Non servi
╱ Rx administré	N Nausée	R Refuse	M* Manquant et note d'obs. requise	CT Congé temporaire	Ø Aucune unité d'insuline

Étape 1 Collecter les données

L'infirmière valide la FADM (**figure 4.27**) et recherche les informations pertinentes :

- Date et heure de la validité de la FADM : **du 2019-07-05 à 00 h 00 au 2019-07-05 à 23 h 59**
- Nom, prénom de la personne et date de naissance : ***Michaud Pauline, née le 26 mars 1930***
- Nom générique ou commercial du médicament : ***cyanocobalamine ou vitamine*** B_{12}
- Dose en milligrammes du médicament : ***0,2 mg***
- Voie d'administration du médicament : ***par voie intramusculaire***
- Moment ou fréquence de l'administration du médicament : ***une fois par mois, le premier mercredi du mois***

Elle détermine le nom du médicament à administrer et recherche les informations importantes : la cyanocobalamine est une vitamine B, administrée pour traiter ou prévenir les carences en vitamine B_{12}. Vous consultez une source de références et vous vous assurez que, pour une personne adulte, la dose de 0,2 mg de vitamine B_{12} est conforme et sécuritaire. Mme Michaud n'a pas d'allergie connue, mais est intolérante aux produits laitiers. Elle peut donc recevoir ce médicament.

Étape 2 Analyser les données

- Repérez les données pertinentes qui serviront au calcul de la dose administrée : *la dose prescrite, la teneur et le volume du médicament disponible.*
- Comparez la dose prescrite avec le médicament disponible afin de vous assurer que les unités de mesure sont les mêmes :

  La FADM indique que vous devez administrer 0,2 mg du médicament ***et qu'il est disponible dans la concentration suivante : 1000 mcg par mL.*** *Vous devez convertir la dose prescrite en milligrammes pour obtenir des unités identiques à celle de la teneur disponible en microgrammes :*

  $$1 \text{ mg} = 1000 \text{ mcg}$$

  Pour ce faire, multipliez 0,2 par 1000 :

  $$0{,}2 \text{ mg} \times 1000 \text{ mcg}/1\text{mg} = 200 \text{ mcg}$$

- Vérifiez la pertinence d'utiliser le poids ou certains résultats d'analyses sanguines pour effectuer les calculs : *il n'est pas nécessaire de tenir compte du poids de la personne, mais il serait pertinent de connaître le taux d'hémoglobine sanguine de Mme Michaud puisque la vitamine* B_{12}, *essentielle à la formation des globules rouges, contribue à normaliser la quantité d'hémoglobine sanguine.*

Étape 3 Planifier la préparation

Cette étape consiste à réfléchir à la meilleure façon de calculer la dose requise.

Méthode de la formule

$$\text{Volume à administrer (mL)} = \frac{\text{Dose prescrite (mcg)}}{\text{Teneur du médicament (mcg)}} \times \text{Volume du médicament disponible (mL)}$$

Méthode du rapport-proportion

$$\frac{\text{Teneur du médicament (mcg)}}{\text{Volume du médicament disponible (mL)}} = \frac{\text{Dose prescrite (mcg)}}{x \text{ (mL)}}$$

- Sélectionnez les données nécessaires au calcul à partir de la FADM (**figure 4.27**) :
  Dose prescrite (convertie) : **200 mcg**
  Teneur du médicament disponible : **1000 mcg**
  Volume du médicament disponible : **1 mL**

Étape 4 Calculer la dose

Méthode de la formule

- Transcrivez la formule et remplacez les inconnues par les données pertinentes en n'oubliant pas d'inscrire les unités de mesure :

$$\text{Volume à administrer (mL)} = \frac{\text{Dose prescrite (mcg)} \times \text{Volume du médicament disponible (mL)}}{\text{Teneur du médicament disponible (mcg)}}$$

- Effectuez le calcul :

$$\text{Volume du médicament à administrer (mL)} = \frac{200 \text{ mcg}}{1000 \text{ mcg}} \times 1 \text{ mL}$$

$$0{,}2 \text{ mL} = \frac{2\cancel{00 \text{ mcg}}}{10\cancel{00 \text{ mcg}}} \times 1 \text{ mL}$$

- Obtenez un résultat contenant une valeur numérique et une unité de mesure : *le volume du médicament à administrer est de 0,2 mL prélevé d'une ampoule de cyanocobalamine (vitamine B_{12}) injectable à une teneur de 1000 mcg/mL afin que la dose de 200 mcg ou 0,2 mg soit respectée.*

Méthode du rapport-proportion

- Transcrivez la formule et remplacez les inconnues par les données pertinentes en n'oubliant pas d'inscrire les unités de mesure et d'utiliser la dose convertie dans votre équation :

$$\frac{\text{Teneur du médicament disponible (mcg)}}{\text{Volume du médicament disponible (mL)}} = \frac{\text{Dose prescrite (mcg)}}{x \text{ (mL)}}$$

- Effectuez le calcul selon la méthode du rapport-proportion afin de déterminer la valeur de l'inconnue x, c'est-à-dire le volume à prélever :

$$\frac{1000 \text{ mcg}}{1 \text{ mL}} = \frac{200 \text{ mcg}}{x \text{ mL}}$$

Effectuez le produit croisé :

$$x \text{ mL} \times 1000 \text{ mcg} = 200 \text{ mcg} \times 1 \text{ mL}$$

$$x \text{ mL} = \frac{2\cancel{00} \text{ mcg} \times 1 \text{ mL}}{10\cancel{00} \text{ mcg}}$$

- Obtenez un résultat contenant une valeur numérique et une unité de mesure : *le volume du médicament à administrer est de 0,2 mL prélevé d'une ampoule de cyanocobalanine (vitamine B_{12}) injectable à une teneur de 1000 mcg/mL afin de respecter la dose de 200 mcg ou 0,2 mg.*

Étape 5 Vérifier le résultat obtenu

- Validez le résultat obtenu : le calcul est-il exact ? Vérifiez-le en effectuant 2 fois votre calcul.
- Si vous utilisez la méthode du rapport-proportion, vérifiez votre calcul en remplaçant la valeur de x dans l'équation par la réponse obtenue :

$$\frac{1000 \text{ mcg}}{1 \text{ mL}} = \frac{200 \text{ mcg}}{0,2 \text{ mL}}$$

$$1000 \times 0,2 = 200 \times 1$$

$$200 = 200$$

- Utilisez votre jugement pour déterminer si le résultat obtenu est vraisemblable : *effectivement, ce résultat est plausible et conforme, car il respecte la posologie recommandée pour une dose de vitamine B_{12} (cyanocobalamine) chez une personne adulte.*

Puisqu'il s'agit d'un médicament administré par voie parentérale, l'infirmière prévoit :

- une seringue de 1 mL ;
- une aiguille de longueur et de calibre appropriés pour une injection IM ;
- un tampon d'alcool ;
- une étiquette pour identifier le médicament préparé (nom, dose, voie, heure) et portant le nom et le prénom du destinataire, ainsi que sa date de naissance ou son numéro de dossier.

Exercez-vous : p. 84 du cahier d'exercices.

ASTUCE

Pour prélever une quantité précise lorsque la dose prescrite comporte plus d'une décimale, arrondissez la quantité au dixième avant de prélever le médicament dans la fiole. Par exemple, si vous avez calculé que vous avez besoin de 2,27 mL d'un médicament, arrondissez au dixième, soit 2,3 et prélevez 2,3 mL du médicament dans la seringue. Assurez-vous d'aspirer le médicament jusqu'à ce que le segment supérieur du piston atteigne 2,3 mL.

Compatibilité des médicaments injectables

En milieu hospitalier, les traitements médicaux nécessitent parfois l'administration de plusieurs médicaments par voie parentérale. Lorsque la personne hospitalisée ne présente qu'un seul accès intraveineux, il faut utiliser cette voie pour injecter plusieurs médicaments. L'infirmière doit alors prendre en compte la compatibilité des mélanges de solutions intraveineuses afin de gérer de façon sécuritaire l'administration de l'ensemble des médicaments.

OBJECTIF 4.9 Prévenir les incompatibilités lors de l'administration des médicaments injectables

Avant de mélanger des préparations injectables, l'infirmière doit s'assurer que la combinaison des médicaments n'occasionne pas d'effets néfastes pour la personne. En d'autres mots, le mélange des solutions doit conserver son effet thérapeutique tout en étant sans danger pour la personne. Par exemple, lorsqu'on administre de la phénytoïne, un anticonvulsivant, par voie intraveineuse, il faut absolument utiliser une perfusion de NaCl 0,9 % en soluté principal, à une vitesse de 100 mL/h pendant la perfusion et terminer la perfusion au plus tard une heure après la préparation de la solution. De plus, il faut utiliser une tubulure IV munie d'un filtre 0,22 ou 0,25 micromètre à cause du risque de formation d'un précipité. La phénytoïne précipitera fort probablement dans un soluté contenant du D 5 %, car son pH acide réagit avec le pH fortement alcalin de la solution de phénytoïne. Il est nécessaire d'appliquer ces mesures de façon rigoureuse afin d'assurer la sécurité et la conformité de l'administration des médicaments intraveineux.

Réactions d'incompatibilité

L'incompatibilité médicamenteuse résulte d'une réaction **physicochimique** produite entre deux ou plusieurs composants de médicaments qui entrent en contact quand ils sont administrés dans la même voie parentérale.

Ce contact de solutions est fréquent dans l'administration des médicaments injectables, notamment dans les situations suivantes :

- dissolution d'un médicament en poudre dans un **solvant** ;
- ajout d'un médicament dans un **soluté** intraveineux ;
- administration d'une perfusion secondaire en dérivation d'une perfusion primaire ;
- administration simultanée de deux médicaments, dans la même seringue par voie sous-cutanée ou intramusculaire ;
- perfusion sous-cutanée continue.

Cette réaction peut aussi se produire entre le médicament et le matériel utilisé pour l'administrer. Par exemple, la nitroglycérine, un médicament antiangineux couramment employé pour soulager les douleurs d'origine cardiaque, pénètre dans plusieurs plastiques. C'est le cas, entre autres, du chlorure de polyvinyle (**PVC**), une matière couramment employée dans les dispositifs d'administration intraveineuse. L'utilisation d'une tubulure en PVC peut donc entraîner la perte d'ingrédients actifs en raison de son absorption par le PVC, et ainsi modifier la dose administrée. Pour cette raison, la perfusion de nitroglycérine requiert l'utilisation d'un matériel spécialement conçu pour éviter ce problème.

Les réactions d'incompatibilité se traduisent par des changements plus ou moins visibles à l'œil nu au niveau de la solution. Un changement de coloration de la solution, l'apparition d'une **turbidité**, d'un **précipité** ou d'un dégagement gazeux sont des signes d'une incompatibilité des solutions. Un changement du pH de la solution peut aussi se produire et passer inaperçu. Une réaction d'incompatibilité physicochimique peut avoir des conséquences graves et être à l'origine de nombreuses complications dans la thérapie intraveineuse comme :

- l'obstruction du cathéter intraveineux par la formation d'un précipité ;
- la diminution ou la perte d'efficacité thérapeutique des médicaments injectés ;
- la formation d'un produit dérivé potentiellement toxique ;
- un risque d'embolie pulmonaire.

Par exemple, lorsqu'on administre par voie intraveineuse (IV) et de façon concomitante de la ceftriaxone, un antibiotique de la gamme des céphalosporines et des solutions contenant du calcium, ces deux produits risquent de précipiter. On a observé de telles réactions inopportunes dans les poumons ou dans les reins chez des nouveau-nés et des nourrissons, avec des conséquences graves, voire mortelles. Il faut donc faire preuve de vigilance et ne pas administrer cet antibiotique avec une perfusion contenant du calcium comme la solution de lactate Ringer[2].

ALERTE INFIRMIÈRE

Avant toute administration d'un médicament, vous devez contrôler visuellement la solution à injecter, pour y rechercher des changements visibles à l'œil nu : les solutions qui présentent un aspect trouble, des particules visibles, un changement de couleur, des signes de précipitation ou dont l'emballage fuit ne doivent pas être utilisées ; il faut les jeter.

2. *Pharmactuel*, vol. 44, nº 3, juillet-août-septembre, 2011. https://pharmactuel.com/index.php/pharmactuel/article/viewFile/822/483

Outils de travail

Plusieurs outils et différentes stratégies permettent de vérifier la compatibilité des médicaments avant la préparation. On peut notamment :

- consulter un tableau à double entrée offrant une liste des médicaments couramment utilisés sur l'unité de soins et leur compatibilité avec les perfusions intraveineuses ;
- se reporter à un tableau à double entrée offrant une liste de médicaments injectables dans la même seringue (**tableau 4.1**, p. 118) ;
- se référer à un guide de préparation et d'administration de médicaments injectables préparé par la pharmacie de l'établissement ;
- consulter la section *Associations compatibles dans la même seringue* d'un guide des médicaments ;
- contacter le pharmacien de l'établissement pour plus d'informations ;
- effectuer une recherche sur le site intranet de l'établissement pour déterminer la compatibilité d'un mélange de solutions.

Il arrive toutefois que les données sur la compatibilité médicamenteuse ne soient pas disponibles malgré toutes les recherches. Lorsque vous n'obtenez pas de réponse claire au sujet de la compatibilité ou que vous constatez une incompatibilité médicamenteuse, la prudence est de mise : il est préférable d'injecter les médicaments séparément et de rincer la tubulure de la perfusion intraveineuse ou encore d'installer un deuxième accès intraveineux, selon la situation.

Une attention particulière est requise lorsqu'on doit préparer deux médicaments soit dans la même seringue, soit en vue de les perfuser par la même voie parentérale. Voici quelques exemples de telles situations :

- combinaison de deux types d'insulines en vue d'une injection sous-cutanée ;
- association de deux médicaments différents dans la même seringue en vue d'une seule administration par voie intramusculaire ;
- combinaison d'une perfusion intraveineuse et administration d'un autre médicament par voie intraveineuse directe (IVD) en passant par un site d'injection en Y ;
- installation d'une perfusion intermittente (PI) ;
- préparation d'une perfusion sous-cutanée continue.

Dans chacune de ces situations, il est impératif de vérifier si les médicaments combinés sont compatibles pour éviter des conséquences néfastes à la personne.

OBJECTIF 4.10 Lire un tableau de compatibilité dans une situation clinique

Pour vous exercer à consulter un tableau de compatibilité, nous utiliserons l'exemple suivant. Une ordonnance a été rédigée pour Jordan Lemieux, hospitalisé pour une psychose aiguë. La concentration de la fiole d'halopéridol disponible est de 5 mg/mL et celle de la fiole de lorazépam disponible est de 4 mg/mL.

MÉDICAMENTS	LEMIEUX, Jordan DDN : 1998-04-05
POIDS : 63,6 kg ________ lb	TAILLE : 190 cm ________ po
ALLERGIE SUSPECTÉE :	**ALLERGIE CONFIRMÉE :** Œufs

GROSSESSE : ________ / **Semaines grossesse**	☐ **Biberon**	☐ **Allaitement maternel**

NOM	DOSE	VOIE	FRÉQUENCE	DURÉE	S. INF.
Halopéridol	*2 mg*	*IM*	*STAT*		
Lorazépam	*2 mg*	*IM*	*STAT*		

2019-10-31	*19 h 15*	*Dr Émilien Rubinstein*	*206489*
Date	Heure	Signature du médecin	No de permis

Vous appliquez la démarche en 5 étapes.

Étape 1 Collecter les données

Vérifiez la présence de toutes les informations permettant d'établir que l'ordonnance est conforme :

- Date et heure de la rédaction de l'ordonnance : ***31 octobre 2019 à 19 h 15***
- Nom, prénom de la personne et date de naissance : ***Lemieux, Jordan, né le 5 avril 1998***
- Nom générique des médicaments : ***halopéridol et lorazépam***
- Dose en milligrammes des médicaments : ***2 mg d'halopéridol et 2 mg de lorazépam***
- Voie d'administration de chacun des médicaments : ***intramusculaire***
- Moment ou fréquence de l'administration des médicaments : ***immédiatement***
- Personne autorisée à prescrire le médicament : ***Dr Émilien Rubinstein***

- Déterminez le nom des médicaments à administrer et recherchez les informations sur le médicament concernant la situation clinique. Vous consultez une source de références fiable et récente et vous vous assurez que la dose pour chacun de ces deux médicaments, 2 mg d'halopéridol et 2 mg de lorazépam, est conforme et sécuritaire pour une personne adulte. L'halopéridol est un antipsychotique administré pour traiter la psychose aiguë chez l'adulte, au moyen de 2 mg à 5 mg toutes les 4 à 6 h pour une dose maximale quotidienne de 20 mg. Le lorazépam, un anxiolytique hyposédatif est administré pour induire une sédation et la dose maximale est de 4 mg.

La personne doit recevoir deux médicaments par voie intramusculaire. L'infirmier doit vérifier s'il est possible de combiner ces médicaments dans la même seringue pour administrer le tout en une seule injection intramusculaire. Si cette combinaison de médicaments est adéquate, elle constitue un meilleur choix, puisqu'il n'a pas à donner deux injections, ce qui améliorera le confort de la personne. Par contre, si les deux médicaments ne sont pas compatibles, il faudra préparer et administrer deux injections pour procéder de façon sécuritaire.

Pour vérifier la compatibilité de ces deux médicaments combinés dans la même seringue, consultez un guide de médicaments à la section *Associations compatibles dans la même seringue* ou un tableau de compatibilité des médicaments injectables dans la même seringue (**tableau 4.1**).

Pour utiliser le tableau et établir la compatibilité, vous devez :

- repérer le médicament *halopéridol* (ou Haldol) sur l'axe vertical ;
- repérer le *lorazépam* (ou Ativan) sur l'axe horizontal ;
- croiser les lignes ;
- vérifier que les produits sont compatibles ou incompatibles dans la même seringue.

Selon la légende, le « C » indique la compatibilité à la condition d'administrer l'injection dans les 15 min qui suivent le mélange des solutions.

- Vérifiez, selon la situation clinique, toutes les autres données pertinentes, telles que le poids de la personne et le résultat de certaines analyses sanguines, pour effectuer le calcul de la dose à préparer. Il faut s'assurer également que la personne ne présente aucune allergie connue reliée à la prise du médicament. Dans le cas présent, *il n'est pas nécessaire de tenir compte du poids de la personne pour calculer la dose requise, et l'allergie aux œufs n'a pas d'impact sur l'administration de ces médicaments.*

Maintenant que vous avez l'information concernant le mélange des médicaments, vous poursuivez votre démarche.

ALERTE INFIRMIÈRE

Avant de combiner des médicaments dans une seringue pour les administrer par voie parentérale, vous devez impérativement consulter une source fiable pour vérifier leur compatibilité. Si la source consultée ne vous renseigne pas de manière satisfaisante, adressez-vous au pharmacien de l'établissement.

Étape 2 Analyser les données

- Repérez les données pertinentes qui serviront au calcul de la dose à administrer : *dose prescrite en milligrammes (mg), teneur en milligrammes (mg) et volume en millilitres (mL) du médicament disponible.*

Tableau 4.1 Compatibilité des médicaments injectables dans une même seringue

Rédigé par : Karolann Arvisais et Marie Auclair, pharmaciennes (juillet 2019)
Révisé par : Regroupement des pharmaciens experts en psychiatrie de l'A.P.E.S. (juillet 2019)

	Benztropine	Diazépam	Dimenhydrinate	Diphenhydramine	Glycopyrrolate	Halopéridol	Hydroxyzine	Lorazépam	Loxapine	Méthotriméprazine	Midazolam	Olanzapine	Prométhazine	Zuclopenthixol acétate
Benztropine (Cogentin[MD])		I*	–	–	–	I	–	I	I	–	–	–	–	–
Diazépam (Valium[MD])	I*		I	I*	I	I*	I*	–	–	–	I*	I	I*	–
Dimenhydrinate (Gravol[MD])	–	I		C	I	I	I	–	–	–	I	–	I	–
Diphenhydramine (Benadryl[MD])	–	I*	C		C	I	C	–	–	–	C	–	C	–
Glycopyrrolate (Robinul[MD])	–	I	I	C		–	C	–	–	–	C	–	C	–
Halopéridol (Haldol[MD])	I	I*	I	I	–		I	C	–	–	V	I	–	–
Hydroxyzine (Atarax[MD])	–	I*	I	C	C	I		–	–	C	C	–	C	–
Lorazépam (Ativan[MD])	I	–	–	–	–	C	–		I	–	–	I	–	–
Loxapine (Loxapac[MD])	I	–	–	–	–	–	–	I		–	–	–	–	–
Méthotriméprazine (Nozinan[MD])	–	–	–	–	–	–	C	–	–		–	–	–	–
Midazolam (Versed[MD])	–	I*	I	C	C	V	C	–	–	–		–	C	–
Olanzapine (Zyprexa[MD])	–	I	–	–	–	I	–	I	–	–	–		–	–
Prométhazine (Phenergan[MD])	–	I*	I	C	C	–	C	–	–	–	C	–		–
Zuclopenthixol acétate (Clopixol Acuphase[MD])	–	–	–	–	–	–	–	–	–	–	–	–	–	

Références consultées :

- King Guide to Parenteral Admixtures Online, Micromedex IV compatibility Online, Trissel's Clinical Pharmaceutics Database, Monographies des médicaments (consultation juillet 2019).
- Elbe D, Condé C. Visual Compatibility of Various Injectable Neuroleptic Agents with Benztropine and Lorazepam in Polypropylene Syringes. Can J Hosp Pharm. 2001;54 :104-107.
- Murney P. To mix or not to mix – Compatibilities of parenteral drug solutions. Australian Prescriber. 2008;31(4) :98-101.

Légende	
I	Incompatible
I*	Pas de données en seringue ; incompatible en Y
C	Compatible ; N.B. administrer < 15 min
V	Variable
–	Pas de données

Antipsychotiques injectables à longue durée d'action

- Zuclopenthixol décanoate (Clopixol Dépôt[MD]) peut être mélangé avec le zuclopenthixol acétate (Clopixol Acuphase[MD])
- Tous les autres ne doivent pas être mélangés avec d'autres médicaments

- Comparez la dose prescrite avec la teneur du médicament disponible afin de vous assurer que les unités et le système sont bien les mêmes. *L'ordonnance indique que vous devez administrer 2 mg d'halopéridol et 2 mg de lorazépam. Vous disposez d'une fiole d'halopéridol contenant 5 mg/mL et d'une fiole de lorazépam contenant 4 mg/mL. Il n'y a pas de conversion à effectuer puisque les doses prescrites et les concentrations disponibles de ces deux médicaments se présentent dans les mêmes unités.*

Étape 3 Planifier la préparation

- Choisissez une méthode de calcul de dose appropriée au contexte selon les données analysées, soit la méthode de la formule, soit la méthode du rapport-proportion.

- Sélectionnez les données nécessaires au calcul de la dose d'halopéridol :
  Dose prescrite : ***2 mg***
  Teneur du médicament disponible en milligrammes : ***5 mg***
  Volume du médicament disponible en millilitres : ***1 mL***
- Sélectionnez les données nécessaires au calcul de la dose de lorazépam :
  Dose prescrite : ***2 mg***
  Teneur du médicament disponible en milligrammes : ***4 mg***
  Volume du médicament disponible en millilitres : ***1 mL***

Étape 4 Calculer la dose

Cette étape consiste à effectuer le calcul de la dose avec la méthode de la formule ou du rapport-proportion pour chacun des deux médicaments.

Méthode de la formule

- Transcrivez la formule et remplacez les inconnues par les données pertinentes sans oublier d'y inscrire les unités de mesure :

$$\text{Volume à administrer (mL)} = \frac{\text{Dose prescrite (mg)}}{\text{Teneur du médicament (mg)}} \times \text{Volume du médicament disponible (mL)}$$

- Effectuez le calcul :

Halopéridol :

$$\text{Volume à administrer (mL)} = \frac{2\ \text{mg}}{5\ \text{mg}} \times 1\ \text{mL}$$

$$\text{Volume à administrer (mL)} = \frac{2\ \text{mg}}{5\ \text{mg}} \times 1\ \text{mL}$$

$$\frac{2}{5} \times 1\ \text{mL} = 0{,}4\ \text{mL}$$

Lorazépam :

$$\text{Volume à administrer (mL)} = \frac{2\ \text{mg}}{4\ \text{mg}} \times 1\ \text{mL}$$

$$\text{Volume à administrer (mL)} = \frac{2\ \text{mg}}{4\ \text{mg}} \times 1\ \text{mL}$$

$$\frac{2}{4} \times 1\ \text{mL} = 0{,}5\ \text{mL}$$

- Obtenez un résultat comprenant une valeur numérique et une unité de mesure. Pour obtenir le volume total à prélever, additionnez le volume des deux médicaments :

0,4 mL d'halopéridol + 0,5 mL de lorazépam = 0,9 mL

Méthode du rapport-proportion

- Transcrivez le rapport-proportion et remplacez les inconnues par les données pertinentes sans oublier d'y inscrire les unités de mesure :

$$\frac{\text{Teneur du médicament disponible (mg)}}{\text{Volume du médicament disponible (mL)}} = \frac{\text{Dose prescrite (mg)}}{x\ \text{(mL)}}$$

Halopéridol : $\frac{5 \text{ mg}}{1 \text{ mL}} = \frac{2 \text{ mg}}{x \text{ mL}}$

- Effectuez le calcul : $x \text{ mL} \times 5 \text{ mg} = 2 \text{ mg} \times 1 \text{ mL}$

$$x \text{ mL} = \frac{2 \cancel{\text{mg}} \times 1 \text{ mL}}{5 \cancel{\text{mg}}}$$

- Obtenez un résultat comprenant une valeur numérique et une unité de mesure :

$$x = 0{,}4 \text{ mL}$$

- Transcrivez le rapport-proportion et remplacez les inconnues par les données pertinentes sans oublier d'y inscrire les unités de mesure :

$$\frac{\text{Teneur du médicament disponible (mg)}}{\text{Volume du médicament disponible (mL)}} = \frac{\text{Dose prescrite (mg)}}{x \text{ (mL)}}$$

Lorazépam : $\frac{4 \text{ mg}}{1 \text{ mL}} = \frac{2 \text{ mg}}{x \text{ mL}}$

- Effectuez le calcul : $x \text{ mL} \times 4 \text{ mg} = 2 \text{ mg} \times 1 \text{ mL}$

$$x = \frac{2 \text{ mg}}{4 \text{ mg}} \times 1 \text{ mL}$$

- Obtenez un résultat comprenant une valeur numérique et une unité de mesure :

$$x = 0{,}5 \text{ mL}$$

Pour obtenir le volume total à prélever, additionnez le volume des deux médicaments :

0,4 mL d'halopéridol + 0,5 mL de lorazépam = 0,9 mL

Étape 5 Vérifier le résultat obtenu

- Validez le résultat obtenu : le calcul est-il exact ? Vérifiez-le en effectuant 2 fois votre calcul.
- Si vous avez utilisé la méthode rapport-proportion, vérifiez votre calcul en remplaçant la valeur de x dans l'équation par la réponse obtenue :

$$\frac{5 \text{ mg}}{1 \text{ mL}} = \frac{2 \text{ mg}}{0{,}4 \text{ mL}} \quad \text{et} \quad \frac{4 \text{ mg}}{1 \text{ mL}} = \frac{2 \text{ mg}}{0{,}5 \text{ mL}}$$

$$5 \times 0{,}4 = 1 \times 2 \qquad 4 \times 0{,}5 = 1 \times 2$$

$$2 = 2 \qquad 2 = 2$$

- Utilisez votre jugement : le résultat obtenu est-il vraisemblable ? *Oui, ce résultat est plausible et conforme, car il respecte la posologie recommandée pour une dose d'halopéridol, jumelée à du lorazépam chez une personne adulte présentant des symptômes de psychose aiguë. Le tableau de compatibilité confirme la stabilité d'un mélange d'halopéridol et de lorazépam dans la même seringue pourvu que la dose soit administrée dans les 15 minutes suivant la préparation.*

- Revoyez les étapes de préparation/administration pour assurer la qualité des soins. Puisqu'il s'agit d'une injection parentérale par voie intramusculaire, vous devez réunir le matériel nécessaire suivant :
  - une seringue de 3 mL[3], puisque le volume total équivaut à 0,9 mL ;
  - une aiguille de longueur et de calibre appropriés pour une injection IM ;
  - un tampon d'alcool ;
  - une étiquette pour identifier le médicament préparé (nom, dose, voie, heure) et portant le nom et le prénom du destinataire, ainsi que sa date de naissance.
- Notez que vous devez prélever le volume nécessaire dans la fiole de lorazépam et dans l'ampoule d'halopéridol, en vous assurant de ne pas contaminer le produit restant lorsque vous prélevez le deuxième médicament.

ALERTE INFIRMIÈRE

Suivez toujours les politiques de votre établissement lorsque vous devez jeter un médicament injectable qui fait partie des substances contrôlées, comme les narcotiques ou les benzodiazépines (par exemple la morphine, l'hydromorphone, le fentanyl, etc.). Lorsque vous préparez une dose de narcotique injectable, avant de jeter la quantité inutilisée, assurez-vous que vous avez prélevé la bonne quantité dans votre seringue !

Exercez-vous : p. 89 du cahier d'exercices.

Reconstitution et dilution des préparations injectables

Les médicaments injectables se présentent dans des ampoules sous forme de solution prête à l'emploi ou encore sous forme de poudre sèche dans une fiole de verre. La reconstitution des médicaments en poudre et leur dilution est un geste fréquent dans la pratique des soins infirmiers. De nombreux médicaments (anti-infectieux, antiviraux, antifongiques, vaccins, et autres préparations injectables) peuvent se présenter sous forme de poudre à reconstituer et il est possible de les administrer sans autre dilution par injection intramusculaire ou par injection intraveineuse directe (IVD). Mais d'autres doivent être reconstitués et dilués avant d'être administrés à l'aide d'une perfusion intermittente (PI) ou d'une perfusion continue (PC).

3. Lorsque la quantité à prélever est très proche de la quantité totale de la seringue, il est préférable d'utiliser une seringue d'un format un peu plus grand.

OBJECTIF 4.11 Distinguer les solvants utilisés dans la reconstitution des préparations injectables

La reconstitution d'une poudre **lyophilisée** consiste à ajouter un solvant dans la fiole afin d'obtenir une solution injectable. La dilution d'une solution consiste à ajouter un volume de liquide injectable à la solution reconstituée avant de l'administrer, afin de la rendre moins concentrée, de façon à éviter des réactions physiologiques néfastes. Par exemple, quand on administre un médicament par intraveineuse directe, il atteint le cerveau en 15 secondes. Si la dose est suffisante pour causer une toxicité, des signes apparaîtront en 15 secondes. Une plus faible concentration du médicament ou une vitesse d'administration adéquate est nécessaire pour assurer une administration sécuritaire[4] et prévenir une éventuelle réaction toxique.

Types de solvants

Pour reconstituer une poudre, il faut d'abord la dissoudre dans un solvant afin d'obtenir une solution injectable qui soit absorbable par voie parentérale. Il existe différentes catégories de solvants et leur utilisation varie selon les médicaments à injecter.

Eau

L'eau stérile pour préparation injectable (PPI) (**figure 4.28 A**) est le solvant le plus utilisé pour reconstituer la poudre lyophilisée. En effet, il est stérile, ne contient pas d'agent de conservation et est exempt de particules. Ce solvant se présente dans une fiole de plastique ponctionnable unidose de 10 mL munie d'un bouchon bleu ou présentant une étiquette bleue, selon le fabricant.

Autres solvants

Il existe d'autres solvants pour reconstituer les poudres : le chlorure de sodium pour injection (**figure 4.28 B**) et l'eau avec **bactériostatique** pour préparation injectable (**figure 4.28 C**). L'eau avec bactériostatique permet de prolonger la durée de conservation de la solution avant son utilisation, mais elle n'est pas recommandée pour reconstituer toutes les poudres lyophilisées. Pour certains médicaments, le solvant est fourni avec le produit ; il peut être inclus dans le contenant ou être fourni séparément dans l'emballage du produit (**figure 4.29**).

4. OIIQ, *Pratique professionnelle*, « À propos de la vitesse d'administration des médicaments intraveineux », septembre 2018. https://www.oiiq.org/a-propos-de-la-vitesse-d-administration-des-medicaments-intraveineux

Figure 4.28 **Différents types de solvants pour la reconstitution des préparations injectables. A. Fiole d'eau stérile pour préparation injectable (PPI). B. Fiole de chlorure de sodium 0,9 %. C. Fiole d'eau avec bactériostatique pour préparation injectable.**

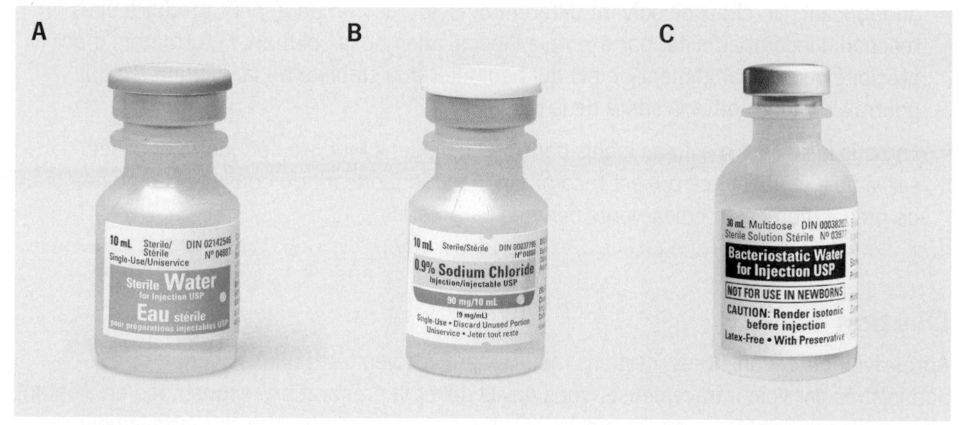

Figure 4.29 **Solvant inclus dans le contenant.**

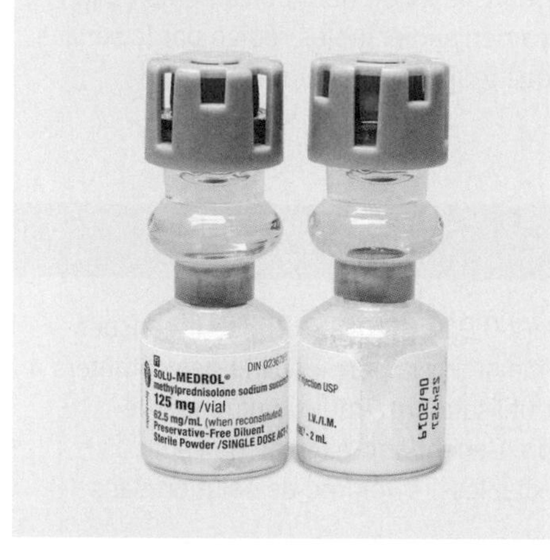

Lidocaïne

Certains antibiotiques administrables par voie intramusculaire peuvent être fournis avec une fiole de lidocaïne qui joue le rôle de solvant. La lidocaïne 1 %, en solution injectable sans épinéphrine, est un anesthésique local qui permet de réduire la douleur et l'inconfort causés par l'injection intramusculaire. Cette solution peut être utilisée pour reconstituer et administrer certains antibiotiques comme la ceftriaxone (**figure 4.30**) ou la céfoxitine administrées à la personne adulte, par voie intramusculaire pour traiter les ITSS (infections transmissibles sexuellement et par le sang) et pour en réduire la propagation.

Figure 4.30 **Étiquette de ceftriaxone 1 g.**

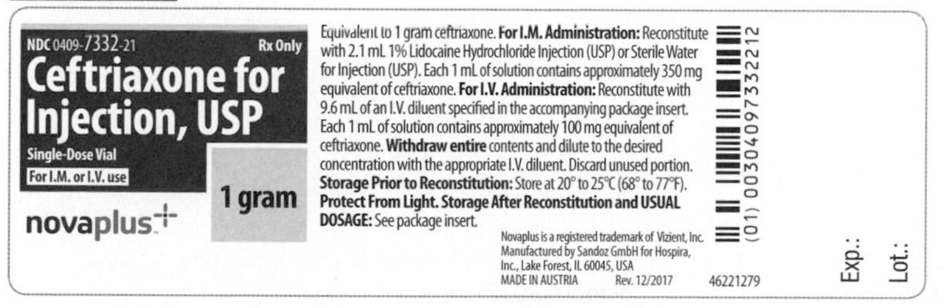

ALERTE INFIRMIÈRE

La reconstitution d'un médicament en poudre doit se faire selon les recommandations du fabricant. Un choix de solvant différent de celui recommandé peut produire une réaction d'incompatibilité, par exemple l'inactivation de la solution, la formation d'un précipité ou un changement de pH qui peut altérer la stabilité de la solution, ce qui pourrait compromettre la santé de la personne.

Lorsque le solvant n'est pas inclus dans l'emballage, il faut lire l'étiquette apposée sur la fiole et utiliser ce qui est recommandé par le fabricant ou consulter un guide de préparation des médicaments par voie parentérale.

Dilution

Après avoir été reconstitués, certains médicaments doivent être dilués avant d'être administrés par voie intraveineuse. Vous devez diluer la préparation reconstituée en ajoutant une solution injectable compatible dans la seringue pour l'administrer par intraveineuse directe (IVD), ou en l'injectant dans un minisac de 25 mL, 50 mL, 100 mL ou 250 mL de chlorure de sodium 0,9 % (NaCl 0,9 %) en perfusion intermittente (PI) ou sur une période prolongée en perfusion continue (PC), selon les recommandations du fabricant. Le volume et le type de solution pour la dilution sont indiqués dans le guide de médicaments ou le guide de préparation et d'administration des médicaments injectables rédigé par le service de pharmacie de l'établissement. La dilution implique toujours une diminution de la concentration de la solution.

ALERTE INFIRMIÈRE

Les seringues préremplies de solution saline (NaCl 0,9 %) (**figure 4.25**) sont conçues pour rincer les dispositifs d'accès vasculaire et maintenir la perméabilité des cathéters intraveineux. Elles sont prêtes à l'emploi et leur utilisation permet de diminuer le risque de contamination pendant la manipulation. Cependant, elles ne doivent pas être utilisées pour reconstituer des poudres injectables : le volume de solution dans la seringue peut être approximatif[5].

5. *Bulletin de l'ISMP Canada*, vol. 12, nº 10, octobre 2012. https://www.ismp-canada.org/fr/dossiers/bulletins/BISMPC2012-10.pdf

OBJECTIF 4.12

Reconstituer des préparations injectables selon les directives

Directives de reconstitution

Les directives de reconstitution sont des informations essentielles. Dans les unités de soins, elles sont indiquées sur la FADM par le service de pharmacie. Dans le cas contraire, il est nécessaire de consulter un guide d'administration des médicaments injectables afin de connaître la procédure à suivre et d'administrer le médicament en toute conformité.

Le **tableau 4.2** est un exemple de directives à suivre pour effectuer la reconstitution, la dilution et l'administration de façon sécuritaire d'un médicament injectable. On y trouve le nom générique du médicament ainsi que le nom commercial (si applicable), la teneur, le type et la quantité de solvant à utiliser pour la reconstitution ainsi que le volume total après reconstitution, la concentration obtenue selon le volume de solvant, les types de solutés compatibles pour la dilution, la voie d'administration et le choix de la méthode d'administration. Des particularités relatives à une administration sécuritaire peuvent être indiquées afin d'éviter des erreurs graves.

Volume total (VT)

Lorsqu'on reconstitue une poudre lyophilisée, on ajoute un solvant à la poudre afin de la dissoudre. Il se peut que le volume total obtenu soit plus grand que le volume d'eau stérile PPI ajouté, puisque la poudre reconstituée occupe un certain volume : c'est un volume de déplacement. On appelle « volume total » (VT) la somme du volume de déplacement et du volume ajouté pour reconstituer le médicament lorsque la poudre est reconstituée en solution injectable.

Tableau 4.2 Directives pour la reconstitution des préparations injectables par voie IV

Nom du médicament	Teneur	Reconstitution* avec eau PPI/ Volume total (VT)	Concentration (mg/mL)	Dilution**	Administration par voie intraveineuse
CEFOXITINE (Mefoxin)	1 g 2 g 2 g	9,5 mL/VT : 10 mL 10 mL/VT : 11,1 mL 19,5 mL/VT : 20 mL	100 mg/mL 180 mg/mL 100 mg/mL	NaCl 0,9 %, D 5 %, D 10 %, D 5 % NaCl 0,9 %, D 5 % NaCl 0,2 %, D 5 % NaCl 0,45 %, Lactate Ringer	IVD : lente, 3 à 5 min PI : en 15 à 30 min avec un dispositif approprié

*Bien agiter jusqu'à dissolution complète et laisser reposer jusqu'à transparence.

**La solution à diluer doit être fraîchement reconstituée, c'est-à-dire diluée rapidement après reconstitution.

Source : Pfizer Canada. *Monographie de produit*. « Cefoxitine pour injection USP », mai 2018. https://pdf.hres.ca/dpd_pm/00045361.PDF

Teneur et concentration d'une solution reconstituée

Pour connaître la concentration d'une poudre reconstituée, on divise la teneur du médicament indiquée sur la fiole par le volume total obtenu après reconstitution. La teneur du médicament correspond à la quantité de grammes, de milligrammes ou d'unités contenus dans la fiole. La concentration du médicament correspond à la quantité de milligrammes, de grammes ou d'unités dissous dans **un** millilitre.

Par exemple, la concentration de cefoxitine 1 g est de 100 mg/mL puisque vous ajoutez 9,5 mL à la fiole de 1 g pour obtenir un volume total de 10 mL (**tableau 4.2**). Pour calculer la concentration après reconstitution, on utilise la méthode du rapport-proportion :

$$1 \text{ g} = 1000 \text{ mg}$$

$$\frac{1000 \text{ mg}}{10 \text{ mL}} = \frac{x \text{ mg}}{1 \text{ mL}}$$

$$x \text{ mg} \times 10 \text{ mL} = 1000 \text{ mg} \times 1 \text{ mL}$$

$$x \text{ mg} = \frac{100\cancel{0} \text{ mg} \times 1 \cancel{\text{mL}}}{1\cancel{0} \cancel{\text{mL}}}$$

$$x = \frac{100 \text{ mg}}{1}$$

x = 100 mg, donc la concentration est de 100 mg/mL.

En comparant les valeurs du tableau pour reconstituer la fiole d'une teneur de 2 g, on constate que les concentrations finales varient selon le volume de solvant ajouté. Cette information est importante lorsqu'il convient de faire un choix de reconstitution en fonction du volume à administrer dans la voie d'administration utilisée ou lorsqu'il faut tenir compte de la concentration finale pour éviter les conséquences physiologiques d'une administration trop rapide ou trop concentrée. L'infirmière doit suivre rigoureusement le mode d'emploi et les quantités indiquées pour la reconstitution afin d'obtenir la concentration voulue. Par exemple, un antibiotique comme la clindamycine ne doit pas être administré par intraveineuse directe et doit être dilué pour obtenir une concentration maximale de 18 mg/mL une fois la préparation reconstituée et diluée. Chaque dose de 300 mg administrée en perfusion intermittente doit être administrée en au moins 10 minutes, car la vitesse d'administration ne doit pas dépasser pas 30 mg/min. La vitesse d'une perfusion intraveineuse est expliquée au chapitre suivant.

Certaines préparations injectables se présentent en concentration unique, ce qui signifie que le volume du solvant ajouté équivaut au volume total déterminé par le fabricant. Pour d'autres préparations lyophilisées, surtout des antibiotiques, l'étiquette indique divers volumes de solvant, ce qui permet d'obtenir un volume compatible avec la voie d'administration choisie. Par exemple, pour préparer une dose d'antibiotique à administrer par voie intramusculaire tel que la céfazoline 1 g (1000 mg) (**figure 4.31**), l'infirmière doit lire l'étiquette et choisir de reconstituer la fiole de 1000 mg avec 2,5 mL d'eau stérile PPI. Ce choix est important puisqu'on ne peut pas injecter plus de 3 mL dans un muscle bien développé, alors que cette concentration est trop élevée pour être administrée par voie intraveineuse directe.

Figure 4.31 **Étiquette de céfazoline 1 g (1000 mg). Directives d'utilisation.**

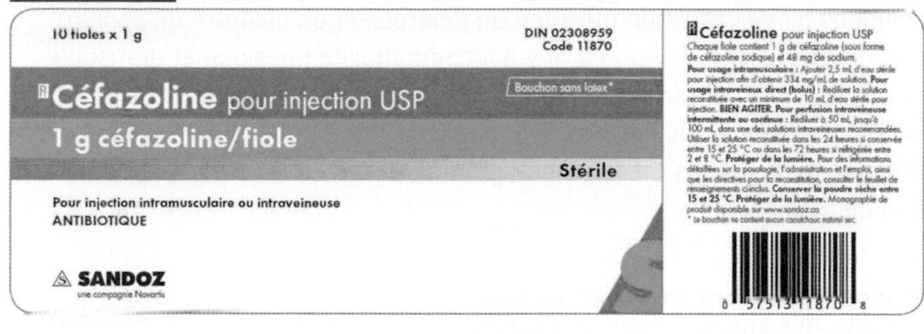

Calcul de la concentration

Lorsque la poudre est reconstituée avec 2,5 mL d'eau stérile, on obtient un volume total de 3 mL de solution. Pour obtenir la concentration (mg/mL), appliquez la méthode du rapport-proportion :

$$\frac{1000 \text{ mg}}{3 \text{ mL}} = \frac{x \text{ mg}}{1 \text{ mL}}$$

$$x \text{ mg} \times 3 \text{ mL} = 1000 \text{ g} \times 1 \text{ mL}$$

$$x = \frac{1000 \text{ mg} \times 1 \text{ mL}}{3 \text{ mL}}$$

x = 333,3 mg, donc la concentration de la solution est de 333 mg/mL.

Stabilité et entreposage

Lorsque les poudres sont reconstituées, il est important de respecter les recommandations relatives à la stabilité et à l'entreposage afin d'assurer la qualité du produit. Il faut donc suivre les recommandations du service de pharmacie de l'établissement ou celles du fabricant indiquées sur l'étiquette précisant comment conserver chaque médicament et le moment où celui-ci doit être jeté.

Pour des raisons d'ordre microbiologique (développement de microorganismes), il est généralement recommandé d'utiliser les solutions dans un délai maximal de 24 heures, si elles sont conservées à la température ambiante, et de 48 à 72 heures, si elles sont réfrigérées. Pour une administration IM, les solutions doivent être reconstituées juste avant leur utilisation ; si un entreposage s'impose, elles doivent être réfrigérées et utilisées dans un délai maximal de 48 heures.

Pour une administration intraveineuse directe (IVD), les solutions reconstituées doivent être administrées dans un délai maximal de 24 heures, si elles sont conservées à la température ambiante, et de 72 heures, si elles sont réfrigérées entre 2 °C et 8 °C.

Lorsque la solution a été diluée en vue d'une administration par perfusion IV, celle-ci doit être administrée dans un délai de 24 heures, si elle a été conservée à la température ambiante (**tableau 4.3**). Les solutions diluées dans le chlorure de sodium à 0,9 %, ou dans du dextrose 5 % doivent être administrées dans un délai maximal de 72 heures, si elles sont réfrigérées. Les solutions diluées dans un mélange de dextrose et de chlorure de sodium ne doivent pas être mises au réfrigérateur, car il y a incompatibilité physique et un risque de formation d'un précipité, ce qui rend la solution inutilisable. Dans le doute, il ne faut pas utiliser la solution ; elle doit être jetée. Il est recommandé d'effectuer la dilution juste avant d'administrer la solution, car certains médicaments perdent leur efficacité entre 4 heures et 8 heures après la dilution.

Tableau 4.3 Stabilité des solutions reconstituées

Solution reconstituée pour administration par...	Solution conservée à la température ambiante	Solution réfrigérée entre 2 °C et 8 °C
voie intraveineuse directe (IVD)	délai maximal de 24 h	délai maximal de 72 h
perfusion intermittente (PI)	délai maximal de 24 h	délai maximal de 72 h
voie intramusculaire (IM)	immédiatement	si un entreposage s'impose, délai maximal de 48 h

ALERTE INFIRMIÈRE

Lorsque vous prélevez un médicament parentéral à partir d'une fiole multidose, assurez-vous d'écrire sur l'étiquette la date et l'heure de la première utilisation ou reconstitution (pour une poudre). Il est crucial de suivre les directives du fabricant concernant la reconstitution, la conservation et la date de péremption afin de vous assurer que le produit n'est pas périmé et de l'administrer sans danger.

Exercez-vous : p. 96 du cahier d'exercices.

OBJECTIF 4.13

Calculer la dose à administrer après la reconstitution de la préparation injectable

Situation clinique

Vous recevez une ordonnance pour administrer un antibiotique, la ceftriaxone 750 mg IM. Vous recevez de la pharmacie une fiole de poudre lyophilisée de ceftriaxone 1 g. En consultant un guide de reconstitution des médicaments injectables, vous trouvez le tableau de reconstitution suivant (**tableau 4.4**). Vous avez le choix entre 2 volumes pour reconstituer la poudre lyophilisée.

Tableau 4.4 Directives pour la reconstitution des préparations injectables par voies IM et IV (clientèle adulte)

Pour une administration **IM** : Reconstituer la poudre avec : eau stérile PPI, NaCl 0,9 % pour injection, eau bactériostatique ou solution de lidocaïne 1 %.

Nom du médicament (DCI)	Teneur	Reconstitution/ Volume total (VT)	Concentration (mg/mL)	Dilution	Administration par voie intramusculaire*
CEFTRIAXONE	250 mg 1,0 g 2,0 g	0,9 mL/VT : 1 mL 3,3 mL/VT : 4 mL 6,6 mL/VT : 8 mL	250 mg/mL 250 mg/mL 250 mg/mL	non	administrer profondément dans une masse musculaire importante

Pour une administration **IM à volume réduit** : bien agiter jusqu'à dissolution complète.

Nom du médicament (DCI)	Teneur	Reconstitution/ Volume total (VT)	Concentration (mg/mL)	Dilution	Administration par voie intramusculaire*
CEFTRIAXONE	1,0 g	2,2 mL/VT : 2,8 mL	357 mg/mL	non	administrer profondément dans une masse musculaire importante
	2,0 g	4,4 mL/VT : 5,6 mL	357 mg/mL	non	

* Ne pas administrer plus de 1 g au même endroit.

MISE EN GARDE : Ne jamais administrer par voie intraveineuse les solutions préparées pour usage intramusculaire ni les solutions contenant de la lidocaïne ou de l'eau bactériostatique pour injection.

Pour une administration **IV** : reconstituer uniquement avec de l'eau stérile PPI et bien agiter jusqu'à dissolution complète.

Nom du médicament (DCI)	Teneur	Reconstitution/ Volume total (VT)	Concentration (mg/mL)	Dilution	Administration par voie intraveineuse
CEFTRIAXONE	250 mg 1,0 g 2,0 g	2,4 mL/2,5 mL 9,6 mL/10,1 mL 19,2 mL/20,5 mL	100 mg/mL 99 mg/mL 98 mg/mL	NaCl 0,9 %, D 5 %, D 5 % NaCl 0,9 %, D 5 % NaCl 0,2 %, D 5 % NaCl 0,45 %	IVD : lente, 5 min PI : 20 à 30 min

Mise en garde : Ne pas ajouter CEFTRIAXONE aux solutions contenant du calcium, comme la solution de Ringer et l'alimentation parentérale, car un précipité pourrait se former.

Source : Pfizer Canada. Ceftriaxone sodique pour injection. Monographie de produit. 2018. p. 14-15. https://pdf.hres.ca/dpd_pm/00045359.PDF

Un choix judicieux tient compte non seulement de la quantité pouvant être administrée par voie IM, mais aussi du bien-être de la personne. Étant donné que la solution doit être administrée par voie IM, on peut reconstituer la fiole de 1 g avec 3,3 mL d'eau PPI et obtenir un volume total de 4 mL ou reconstituer avec un volume réduit de 2,2 mL et obtenir un volume total de 2,8 mL. Pour faire le bon choix, il faut savoir qu'on ne peut pas administrer plus de 3 mL de médicament par voie intramusculaire. Pour une quantité de 4 mL, il faudra donc procéder en deux injections de 2 mL chacune, ce qui n'est ni agréable ni préférable. La reconstitution pour une administration IM à volume réduit est le meilleur choix.

Calcul de la dose

Étant donné que la dose prescrite ne correspond pas exactement au dosage de la fiole fournie par la pharmacie, il faut calculer la dose requise à partir du volume de reconstitution utilisé. Pour obtenir la dose prescrite de 750 mg, il faut injecter 2,2 mL de solvant (volume réduit) dans la fiole de 1 g, puis agiter doucement la fiole pour obtenir un volume total de 2,8 mL de solution reconstituée claire et limpide. On obtient une solution dont la concentration est de 357 mg/mL.

Pour calculer la quantité à administrer, on utilise la concentration obtenue après la reconstitution et on applique la méthode du rapport-proportion comme suit :

Calcul de la dose en utilisant la teneur de 1 g = 1000 mg

$$\frac{1000 \text{ mg}}{2{,}8 \text{ mL}} = \frac{750 \text{ mg}}{x \text{ mL}}$$

$$x \text{ mL} \times 1000 \text{ mg} = 2{,}8 \text{ mL} \times 750 \text{ mg}$$

$$x = \frac{2{,}8 \text{ mL} \times 750 \text{ mg}}{1000 \text{ mg}}$$

$$x = 2{,}1 \text{ mL}$$

Calcul de la dose en utilisant la concentration 357 mg/mL

$$\frac{357 \text{ mg}}{1 \text{ mL}} = \frac{750 \text{ mg}}{x \text{ mL}}$$

$$x \text{ mL} \times 357 \text{ mg} = 1 \text{ mL} \times 750 \text{ mg}$$

$$x = \frac{750 \text{ mg} \times 1 \text{ mL}}{357 \text{ mg}}$$

$$x = 2{,}1 \text{ mL}$$

Exercez-vous : p. 99 du cahier d'exercices.

Pour administrer la dose prescrite de 750 mg par voie intramusculaire, il faut prélever 2,1 mL d'une fiole reconstituée dont la concentration est de 357 mg/mL.

Administration de l'insuline par voie sous-cutanée

OBJECTIF 4.14 Acquérir des notions sur le diabète

Le diabète est une maladie chronique qui survient lorsque le pancréas ne produit pas assez d'insuline ou lorsque l'organisme est incapable de l'utiliser efficacement. Il s'ensuit une augmentation du taux de glucose dans le sang appelée hyperglycémie.

Le diabète de type 2 touche 90 % des personnes diabétiques dans le monde. La plupart du temps, il résulte d'une surcharge pondérale et de la sédentarité. Récemment encore, ce diabète était plutôt observé chez l'adulte, mais il se manifeste de plus en plus chez les enfants[6]. Selon l'OMS (Organisation mondiale de la Santé), le nombre de personnes diabétiques dans le monde est passé de 108 millions en 1980 à 422 millions en 2014; ce qui signifie qu'une personne sur 11 est atteinte de cette maladie chronique, une proportion considérable! Dans sa pratique, l'infirmière a souvent à soigner des personnes diabétiques hospitalisées en raison d'un déséquilibre de la **glycémie** (diabète débalancé) ou pour d'autres problèmes de santé engendrés par le diabète.

Types de diabète

Les formes les plus importantes de diabète sont le diabète de type 1, le diabète de type 2 et le diabète gestationnel:

- Le diabète de type 1 (précédemment appelé « diabète juvénile » ou « insulinodépendant ») est caractérisé par un déficit complet de sécrétion d'insuline et exige une administration quotidienne d'insuline.
- Le diabète de type 2 (anciennement appelé « diabète non insulinodépendant » ou « diabète de l'adulte ») résulte d'une mauvaise utilisation de l'insuline par l'organisme. Il se caractérise par une insuffisance, et non une absence, de l'insuline ou par une insensibilité des récepteurs de l'insuline à cette hormone, un phénomène appelé « insulinorésistance ».
- Le diabète gestationnel est une intolérance au glucose qui se manifeste, ou que l'on dépiste pour la première fois pendant la grossesse.

Valeurs de référence

Pour poser un diagnostic de diabète, il est nécessaire d'effectuer un test par ponction veineuse visant à mesurer la glycémie sanguine ou à mesurer l'hémoglobine glyquée (HbA_{1c}). L'hémoglobine glyquée est appelée ainsi parce qu'elle absorbe du glucose lorsque la personne est dans un état d'hyperglycémie sur une longue période. Cette mesure renseigne, sur une valeur moyenne, des glycémies des deux à trois derniers mois, tandis que la mesure de la glycémie sanguine indique le résultat dans l'immédiat, au moment de la ponction veineuse. Le résultat de l'hémoglobine glyquée, exprimé en pourcentage, est important, car il permet d'avoir une vision de l'équilibre du diabète. Généralement, un diabète est considéré comme équilibré si le taux d'HbA_{1c} est inférieur ou égal à 6,5 %[7]. Au-delà de cette cible, le risque de présenter des complications à long terme augmente sérieusement.

---

6. OMS, *Diabète. Principaux faits*, 2018.. https://www.who.int/fr/news-room/fact-sheets/detail/diabetes
7. *Diabetes Canada Clinical Practice Guidelines Expert Committee*, « Diabetes Canada 2018 Clinical Practice Guidelines for the Prevention and Management of Diabetes in Canada », Can J Diabetes, 42 (Suppl. 1), S1-S325, 2018.

Les lignes directrices de pratique clinique pour la prévention et le traitement du diabète au Canada (2018) émises par Diabète Canada indiquent les valeurs de référence (**tableau 4.5**) permettant au médecin traitant de poser un diagnostic de diabète.

Tableau 4.5 Valeurs de référence pour le diagnostic du diabète

	Prédiabète	Diabète de type 2
Glycémie, à jeun	Entre 6,1 mmol/L et 6,9 mmol/L (anomalie de la glycémie à jeun)	7,0 mmol/L et plus
HbA_{1C} (hémoglobine glyquée)	Entre 6,0 % et 6,4 %	6,5 % et plus
Glycémie, 2 heures après avoir bu un liquide contenant 75 g de glucose (sous forme de boisson très sucrée) (hyperglycémie provoquée par voie orale)	Entre 7,8 mmol/L et 11,0 mmol/L (intolérance au glucose)	11,1 mmol/L et plus
Glycémie, à tout moment de la journée	–	11,1 mmol/L et plus, avec les symptômes classiques

Source : Diabète Québec.
https://www.diabete.qc.ca/fr/comprendre-le-diabete/tout-sur-le-diabete/types-de-diabete/le-diabete-de-type-2

Signes d'hyperglycémie ou d'hypoglycémie

Parmi les signes et les symptômes révélateurs d'un diabète, on trouve :

- une polyurie (excrétion excessive d'urine),
- une polydipsie (soif excessive),
- une sensation de faim constante, un amaigrissement,
- une altération de la vision,
- un état prononcé de fatigue.

De plus, lorsque la sécrétion d'insuline est insuffisante, le métabolisme des glucides et des graisses est modifié. On observe alors, en plus des signes d'hyperglycémie (taux élevé de sucre dans le sang), une glycosurie qui correspond à la présence de glucose dans l'urine.

Chez la personne diabétique, l'hypoglycémie se définit comme une baisse du taux de glucose sanguin en dessous du seuil de 4 mmol/L. C'est une situation fréquente qui peut nuire à la qualité de vie de la personne et de sa famille. Les personnes diabétiques traitées avec certains médicaments sont plus sujettes à présenter des épisodes d'hypoglycémie. C'est souvent le cas des personnes traitées à l'insuline et celles traitées avec des médicaments de la famille des sécrétagogues de l'insuline, des médicaments qui augmentent la production d'insuline par le pancréas, tels que les sulfonylurées et les méglitinides.

Les premiers signaux d'alarme de l'hypoglycémie sont l'apparition de tremblements, de picotements, de transpiration, de palpitations, d'anxiété, de faim, de nausée. C'est l'insuffisance de l'apport de glucose à l'encéphale qui provoque une difficulté à se concentrer, un changement d'humeur, la confusion, la faiblesse, la somnolence, les étourdissements et les céphalées. L'infirmière doit être en mesure de reconnaître les symptômes d'hypoglycémie et de réagir rapidement en présence d'une personne présentant ces symptômes. Généralement, dans les Centres intégrés de santé et de services sociaux (CISSS) du Québec, une ordonnance collective permet d'amorcer le traitement de l'hypoglycémie. Cette ordonnance indique les directives pour intervenir afin de rétablir la glycémie à une valeur supérieure ou égale à 4 mmol/L.

ALERTE INFIRMIÈRE

L'hypoglycémie est l'effet indésirable le plus fréquent à la suite des injections d'insuline. Une réaction hypoglycémique qui n'est pas prise en charge peut entraîner une perte de conscience, un coma et même la mort.

OBJECTIF 4.15 Distinguer les catégories d'insulines

Rôle de l'insuline

L'insuline est une hormone protéique sécrétée par le pancréas. Elle est essentielle au métabolisme du glucose sanguin et à la régulation de la glycémie. Cette hormone est libérée par les cellules bêta des îlots pancréatiques et module la quantité de glucose dans le sang. Elle accélère notamment l'absorption du glucose et son métabolisme par la plupart des cellules corporelles afin qu'elles puissent l'utiliser comme source d'énergie. On ne peut administrer l'insuline sous forme de comprimés, car les sucs gastriques en détruiraient l'efficacité. Actuellement, la seule façon efficace de prendre de l'insuline est de la recevoir par injection sous-cutanée ou intraveineuse dans certaines conditions.

Différents types d'insulines

Les personnes diabétiques peuvent recourir à l'insulinothérapie, à un moment donné pour équilibrer leur glycémie. Des préparations d'insulines variées, synthétisées en laboratoire, fournissent un traitement efficace et occupent une place importante dans la prise en charge du diabète. L'infirmière doit être en mesure de distinguer les types d'insulines, de connaître le début d'action, le pic d'action et la durée de façon à administrer ce médicament en toute sécurité.

Insuline humaine

Depuis les années 1980, l'insuline humaine est fabriquée en laboratoire, en utilisant la technologie de l'ADN recombiné, par des procédés faisant appel au génie génétique. Cette insuline qualifiée de biosynthétique est identique à l'insuline humaine et peut être fabriquée en quantité illimitée. Bien que la structure moléculaire de l'insuline humaine produite en laboratoire soit identique à l'insuline sécrétée par le pancréas humain, cette forme d'insuline ne reproduit pas forcément la sécrétion d'insuline normale et ne constitue pas toujours le meilleur moyen de rétablir l'équilibre de la glycémie.

Insuline analogue

Les **analogues de l'insuline** ont été mis au point depuis les années 1990 pour contourner les limitations associées aux caractéristiques de l'insuline humaine (début d'action, durée d'action, etc.). Les insulines analogues rapides, disponibles sur le marché canadien depuis 1997, et les analogues lents introduits vers 2003, sont des insulines humaines modifiées à l'aide de l'ingénierie génétique afin de procurer un meilleur contrôle de la glycémie. Elles ont été créées par le remplacement d'un ou plusieurs acides aminés de la protéine humaine synthétique. Ces substitutions modifient la vitesse d'action ou la vitesse d'absorption (solubilité). On dispose maintenant d'analogues à action prolongée avec un profil d'action de plus longue durée et un affaissement du pic d'action, permettant de diminuer le risque d'hypoglycémie globale et nocturne. Il existe aussi des analogues avec un début d'action plus rapide et une durée d'action prolongée par rapport à l'insuline humaine.

Plus récemment, on a créé des analogues de 2e génération présentant des propriétés améliorées par rapport au début et au pic d'action de l'insuline ou encore à sa durée d'action. Les insulines glargine et détémir sont des analogues à action prolongée, dont le principal avantage est leur faible pic d'action par rapport à l'insuline humaine à action intermédiaire (NPH). Ces insulines sont disponibles à la concentration de 100 unités/mL et de 300 unités/mL pour la glargine (Toujeo^MD^).

L'analogue dégludec est une nouvelle insuline analogue à action très prolongée puisque son action s'étend sur 42 heures environ. Elle se présente sous forme de cartouches pour stylo injecteur jetable à une concentration de 100 et de 200 unités/mL (Tresiba^MD^). On ne doit pas mélanger les insulines à *action prolongée* (analogues) avec les autres insulines, car ces dernières perdent une partie de leur efficacité.

Il existe également des analogues de l'insuline qui agissent plus rapidement que l'insuline humaine régulière, mais leur durée d'action est plus courte : ce sont les analogues glulisine, asparte et lispro, qui sont disponibles en concentration de 100 unités/mL et de 200 unités/mL pour la lispro (Humalog^MD^ 200 unités/mL).

Insuline prandiale et basale

L'**insuline prandiale** est l'insuline à action rapide qui contribue à aider l'organisme à assimiler les glucoses du repas pour limiter la hausse ponctuelle de la glycémie. Cette insuline fait baisser la glycémie en cas d'hyperglycémie. C'est une solution limpide et transparente dont le début d'action est rapide ou très rapide (15 à 30 minutes) mais dont la durée d'action est brève (3 à 5 heures). Elle est administrée par voie SC, mais peut être utilisée par voie IV en période périopératoire ou avant un examen diagnostique.

L'**insuline basale** est l'insuline à action prolongée qui constitue un plateau d'insuline à faible concentration pouvant agir pendant 24 heures. Elle équilibre la glycémie tout au long de la journée, et correspond à l'insuline dont le corps a besoin pour bien fonctionner ou assurer le métabolisme basal. L'insuline basale est prise le matin ou le soir, ou les deux. Les insulines à *action intermédiaire* (NPH) et à *action prolongée* ont une apparence trouble parce qu'elles contiennent une protéine destinée à ralentir leur absorption, la protamine. Les lettres NPH signifient *Neutral Protamine Hagedorn*, en hommage à Hans Christian Hagedorn, chercheur danois, qui l'a mise au point en 1936. Ce type d'insuline ne s'administre que par voie SC.

Insuline humaine prémélangée

Dans le but d'assurer un meilleur équilibre de la glycémie, la personne diabétique peut recourir à l'insuline *prémélangée*. Ce mélange combine deux types d'insulines : une insuline d'action rapide et une insuline à action intermédiaire de type NPH. Par exemple, l'insuline Novolin ge 30/70 est un mélange de 30 % d'insuline à action rapide combinée à 70 % d'insuline à action intermédiaire (NPH). Le premier chiffre correspond toujours au pourcentage d'insuline à action rapide et le deuxième correspond au pourcentage d'insuline à action intermédiaire. La plupart des préparations prémélangées se caractérisent par leur début d'action rapide (environ 30 minutes) et leur effet maximal (pic), qui se situe entre 2 et 4 heures et entre 6 et 12 heures respectivement, et par leur durée d'action comprise entre 18 et 24 heures.

Insulines analogues prémélangées

Les insulines Humalog Mix 25, Humalog Mix 50 et NovoMix 30 sont des insulines combinant un mélange d'insuline lispro (25 %, 50 % ou 30 % d'insuline à action très rapide) et d'insuline lispro protamine (75 %, 50 % ou 70 % d'insuline à action intermédiaire) (**tableau 4.7**). Les insulines prémélangées ne doivent pas être utilisées si elles ne sont pas uniformément d'aspect blanchâtre trouble après la remise en suspension. On ne peut les utiliser avec les pompes à insuline ni les administrer par voie intraveineuse.

Insulines concentrées

Depuis quelques années, les insulines concentrées ont été approuvées par Santé Canada et sont maintenant disponibles au Canada. Elles se présentent dans des stylos injecteurs jetables (à doses multiples) préremplis. Ces nouvelles insulines analogues de l'insuline humaine sont d'action très rapide comme Lispro 200 U/mL (Humalog^MD) ou d'action très prolongée : glargine (Toujeo^MD) 300 U/mL et degludec (Tresiba^MD) disponibles en format de 100 unités/mL et de 200 unités/mL.

Entuzity^MD est une insuline analogue à action très rapide, qui sert à maîtriser l'hyperglycémie chez les patients diabétiques qui ont besoin de plus de 200 unités d'insuline par jour. C'est une insuline d'apparence limpide et incolore, en version cinq fois plus concentrée (500 unités/mL) que l'insuline humaine Humulin R (100 unités/mL). Ces deux insulines Entuzity et Humulin R n'ont pas le même profil d'action en fonction du temps et ne sont donc pas interchangeables.

> **ALERTE INFIRMIÈRE**
>
> Les insulines concentrées : même si ce sont des analogues de l'insuline humaine, elles ne sont pas bioéquivalentes aux insulines de concentration de 100 unités/mL et par conséquent, ne peuvent être interchangées sans un ajustement de la dose par le personnel médical.

Classes d'insulines

La classification des insulines renseigne sur les caractéristiques distinctives de chacune. Le **tableau 4.6** décrit les caractéristiques distinctives des différents types d'insulines courantes et le **tableau 4.7** présente les caractéristiques des insulines prémélangées.

Tableau 4.6 Caractéristiques distinctives des différents types d'insulines

Types d'insulines et aspect	Nom commercial/ Nom générique	Moment de l'injection SC	Début d'action	Pic d'action	Durée de l'action
Insulines analogues à action très rapide (aspect limpide)	Novorapid^{MD}/Insuline asparte	0 à 10 min avant le repas	10 à 20 min	1 à 3 h	3 à 5 h
	Humalog^{MD}/Insuline lispro Humalog^{MD} (200)/Insuline lispro 200 unités/mL	0 à 15 min avant le repas	10 à 15 min	1 à 2 h	3,5 à 4,75 h
	Apidra^{MD}/Insuline glulisine		10 à 15 min	1 à 1,5 h	3 à 5 h
	Fiasp® Insuline asparte rapide	0 à 2 min avant le repas et jusqu'à 20 min après le début du repas lorsque nécessaire	4 min	1 à 2 h	3 à 4 h
Insuline à action rapide (aspect limpide)	Humulin^{MD} R/ Insuline régulière	environ 30 min avant le repas	30 min	2 à 4 h	6 à 8 h
	Novolin^{MD} ge Toronto/ Insuline régulière			2 à 4 h	
	Entuzity^{MD} (500 unités/mL) Insuline		15 min	4 à 8 h	17 à 24 h
Insuline à action intermédiaire (aspect trouble)	Humulin N^{MD}/Insuline NPH Novolin^{MD} ge NPH/ Insuline NPH	le matin et/ou le soir, selon l'avis du médecin	1 à 2 h	6 à 12 h	18 à 24 h

Tableau 4.6 Caractéristiques distinctives des différents types d'insulines (*suite*)

Types d'insulines et aspect	Nom commercial/ Nom générique	Moment de l'injection SC	Début d'action	Pic d'action	Durée de l'action
Insuline à action prolongée (analogues) (aspect limpide)	Basaglar^MC/glargine	le matin et/ou le soir, selon l'avis du médecin	1 à 1,5 h	aucun pic d'action	24 h
	Lantus^MD/Insuline glargine-100 unités/mL		1 à 1,5 h		24 h
	Levemir^MD/Insuline détémir		1 à 2 h		≤ 24 h
	Toujeo^MD/Insuline glargine 300 unités/mL		jusqu'à 6 h		30 h
	Tresiba^MD/Insuline degludec 100 unités/mL ou 200 unités/mL	Pas moins de 8 h entre 2 doses. Une fois par jour à n'importe quel moment	1 h		42 h

Source : DIABÈTE QUÉBEC, *Les insulines*, 2019.
https://www.diabete.qc.ca/fr/comprendre-le-diabete/tout-sur-le-diabete/getdocument/tableau-des-insulines

Tableau 4.7 Caractéristiques des insulines prémélangées (combinaison de 2 types d'insulines)

Types d'insulines	Nom commercial	Moment de l'injection SC	Début d'action	Pic d'action	Durée de l'action
Insulines à action rapide et action intermédiaire					
Insulines humaines (aspect trouble)	Novolin^MD ge 30/70 Novolin^MD ge, 40/60 Novolin^MD ge 50/50 Humulin^MD 30/70	environ 30 min avant les repas	30 minutes	2 à 4 h et 6 à 12 h	18 à 24 h
Insulines analogues à action très rapide et action intermédiaire					
Insulines analogues	Humalog^MD Mix 25 Humalog^MD Mix 50 NovoMix^MD 30	0 à 15 min avant le repas	10 à 15 min	1 à 2 h et 6 à 12 h	18 à 24 h
		0 à 10 min avant le repas	10 à 20 min	1 à 4 h	≤ 24 h

Source : DIABÈTE QUÉBEC, *Les insulines*, 2019.
https://www.diabete.qc.ca/fr/comprendre-le-diabete/tout-sur-le-diabete/getdocument/tableau-des-insulines

Conversion

Exercez-vous: p. 104 du cahier d'exercices.

Les insulines prémélangées utilisées par les personnes diabétiques ne sont pas toujours administrées sur les unités de soins. À ce moment, les doses d'insulines prémélangées utilisées par la personne diabétique doivent être converties en insulines séparées. Pour convertir la dose d'insuline nécessaire, on multiplie le pourcentage par le nombre d'unités d'insuline prémélangée prescrite. Par exemple, si la personne utilise 40 unités d'insuline Novolin ge 30/70 au déjeuner: elle prendra 40 unités × 30 % = 12 unités d'insuline à action rapide et 40 unités × 70 % = 28 unités d'insuline à action intermédiaire.

OBJECTIF 4.16 Administrer l'insuline par voie sous-cutanée

Surveillance de la glycémie

La surveillance de la glycémie est nécessaire pour assurer un contrôle sécuritaire de l'insulinothérapie. La façon classique de mesurer la glycémie se fait grâce à la lecture de la glycémie capillaire. On prélève une goutte de sang sur le bout du doigt à l'aide d'une lancette, puis on la dépose sur une bandelette que l'on insère dans un lecteur de glycémie. Il suffit de quelques secondes pour que s'affiche le taux de glucose.

Dans les unités de soins, on utilise le lecteur de glycémie ou glucomètre, pour assurer une gestion efficace de l'insulinothérapie chez la personne diabétique. Les établissements de soins utilisent des glucomètres qui téléchargent automatiquement les résultats de glycémie de la personne hospitalisée. L'exactitude de l'appareil doit être vérifiée régulièrement par le personnel infirmier. La surveillance de la glycémie est la seule méthode qui permet de confirmer et de traiter adéquatement une hypoglycémie. La fréquence de la surveillance de la glycémie est habituellement de deux à quatre fois par jour selon l'état de santé, avant chaque repas et au coucher, lorsque la personne est hospitalisée.

Suivi de la glycémie

Afin de bien suivre l'état d'une personne diabétique hospitalisée, tous les résultats de la glycémie sont consignés sur la feuille des variables diabétiques déposée au dossier clinique. À partir du résultat de la glycémie, l'infirmière prépare la quantité d'insuline requise. Elle consulte la plus récente ordonnance d'insuline émise par le médecin traitant et prépare la dose en conséquence.

Matériel d'injection de l'insuline

Dans les établissements de soins, lorsque les stylos à insuline ne sont pas utilisés, l'insuline est prélevée à l'aide de la seringue spécialement conçue pour cet usage et administrée en injection sous-cutanée. À domicile, les personnes diabétiques utilisent de préférence un stylo à insuline ou une pompe à insuline, pour les personnes diabétiques de type 1.

Stylo à insuline

Le stylo à insuline ressemble à un stylo-feutre. C'est un appareil personnel. Il est composé d'un porte-aiguille, d'une cartouche d'insuline, d'un bouton doseur permettant de sélectionner la quantité d'insuline nécessaire et d'un bouton poussoir pour s'auto-injecter.

Une aiguille courte et fine doit être fixée au bout du stylo et n'est utilisable qu'une seule fois. Le Forum sur la technique d'injection (FIT) du Canada est d'avis que les aiguilles 4, 5 et 6 mm conviennent à toutes les personnes diabétiques, peu importe leur IMC (indice de masse corporelle). Aucune indication clinique ne justifie la recommandation d'utiliser des aiguilles dont la longueur est supérieure à 8 mm. L'insulinothérapie doit être effectuée avec l'aiguille la plus courte possible[8]. Un revêtement spécial sur l'aiguille fait en sorte que l'injection est moins douloureuse.

Le stylo à insuline est un dispositif qui se transporte bien et est facile à utiliser pour la personne diabétique. Son principal avantage est d'éviter l'étape du remplissage de la seringue, ce qui facilite l'injection pour la personne diabétique. Pour utiliser deux types d'insulines en même temps, il faut prévoir deux stylos distincts et faire deux injections.

Il existe deux types de stylos : les stylos réutilisables, dans lesquels on doit insérer une cartouche d'insuline que l'on remplace une fois vide et les stylos prérempli jetables, dans lesquels la cartouche d'insuline est déjà insérée (**figure 4.32**). Dans les deux cas, il faut fixer une nouvelle aiguille au stylo chaque fois que l'on administre une dose d'insuline. Les avantages du stylo à insuline sont notamment sa commodité et l'exactitude des doses administrées. Avec les précautions nécessaires, il est possible d'utiliser un stylo injecteur durant plusieurs années.

Pratiques sécuritaires recommandées pour les établissements de soins

L'ISMP[9] (Institut pour l'utilisation sécuritaire des médicaments du Canada) a émis une alerte concernant l'utilisation d'un même stylo à insuline chez divers patients et considère cette

Figure 4.32 **Stylos à insuline. A. Stylo réutilisable, aiguilles et cartouche. B. Stylo prérempli jetable.**

A B

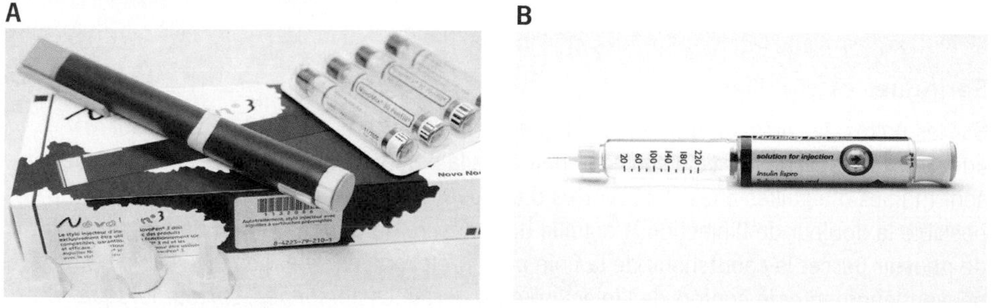

8. L. BERARD et coll. *Forum sur la technique d'injection (FIT) du Canada, Recommandations sur les meilleures pratiques relatives à la technique d'injection*, 3e édition, 2017.
9. *Bulletin de l'ISMP Canada*, vol. 3, nº 4, mai 2013. https://www.ismp-canada.org/fr/dossiers/bulletins/2013/BISMPC2013-04_ALERTE_UtilisationStyloInsuline.pdf

pratique à risque élevé d'incidents aux conséquences néfastes pour la personne. L'Institut recommande la prudence en matière d'utilisation des stylos à insuline sur les unités de soins et suggère que :

- les stylos fournis par le service de pharmacie de l'établissement portent une étiquette identifiant précisément la personne hospitalisée ;
- chaque stylo et chaque cartouche servent pour une seule personne hospitalisée et que l'utilisation partagée soit proscrite ;
- les cartouches d'insuline soient employées avec les stylos à insuline et ne soient pas utilisées comme des fioles ;
- l'utilisation d'un stylo à insuline pour plus d'une personne, même en changeant l'aiguille, soit proscrite, car elle peut entraîner la contamination par des agents pathogènes transmissibles par le sang.

Pompe à insuline

La pompe à insuline est un dispositif portable destiné à administrer l'insuline en continu (**figure 4.33**). Cet appareil se compose d'un boîtier contenant un réservoir rempli d'insuline ultrarapide, d'une pompe de la taille d'un téléavertisseur placée à l'extérieur du corps et d'une fine tubulure se terminant par un cathéter souple inséré sous la peau et maintenu en place par un adhésif résistant à l'eau. La pompe permet d'injecter une dose appropriée d'insuline selon les besoins de la personne. C'est une solution de remplacement aux injections multiples, et qui permet de mieux contrôler la glycémie chez la personne diabétique de type 1.

Figure 4.33 Pompe à insuline et ses composantes.

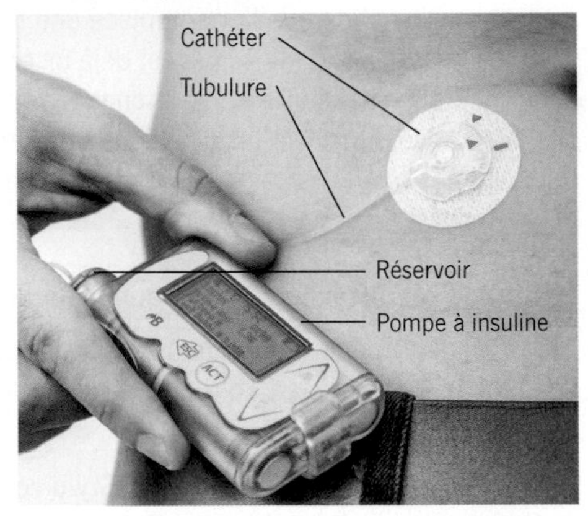

Seringues et aiguilles

Sur les unités de soins, on utilise la seringue à insuline (30, 50 ou 100 unités) pour administrer l'insuline par voie sous-cutanée chez la personne hospitalisée. Les seringues sont munies d'aiguilles fines, recouvertes d'un revêtement visant à minimiser le plus possible la douleur de l'injection. L'aiguille doit mesure de 6 mm à 8 mm de longueur afin de pouvoir percer le caoutchouc de la fiole pour prélever l'insuline. Les aiguilles de 8 mm peuvent augmenter le confort de l'injection chez certaines personnes, surtout lorsque les doses sont élevées.

Mélange des insulines

Il est possible de mélanger, dans la même seringue, une insuline à action rapide avec une insuline intermédiaire de type NPH ou une insuline à action très rapide avec une insuline à action intermédiaire. Lorsque l'infirmière prélève deux insulines dans la même seringue, elle doit s'assurer que les deux produits proviennent du même fabricant : on peut mélanger l'insuline Humulin R (action rapide) ou Humalog (action très rapide) avec l'insuline Humulin N (action intermédiaire), mais pas avec la Novolin NPH (action intermédiaire) produite par un autre fabricant. On ne doit jamais mélanger les insulines glargine (Lantus) et détémir (Levemir) avec une autre insuline pour ne pas altérer le début et la durée d'action de l'autre insuline.

ALERTE INFIRMIÈRE

Il est essentiel de toujours prélever l'insuline à action rapide en premier pour éviter la contamination de la fiole par l'insuline à action intermédiaire. Bien qu'on ne puisse pas s'apercevoir qu'une fiole d'insuline à action rapide a été contaminée, si c'est le cas, l'effet peut être néfaste. Pour plus d'informations à ce sujet, consultez un cahier de méthodes de soins et suivez attentivement le mode de préparation.

Vitesse d'absorption

La quantité d'insuline absorbée et la vitesse d'absorption varient d'une région à l'autre du corps, ce qui peut affecter la glycémie. La vitesse d'absorption de l'insuline peut varier en fonction de la région utilisée pour l'injection (**figure 4.34**). En effet, c'est dans la région de l'abdomen que l'absorption est la plus rapide. Viennent ensuite les bras, puis les cuisses, où l'absorption est lente, et la partie supérieure des fesses, où elle très lente. Il est préférable de privilégier les sites plus rapides pour les insulines rapides et très rapides, et les sites plus lents pour les insulines intermédiaires et basales.

Figure 4.34 Sites d'injection de l'insuline sous-cutanée.

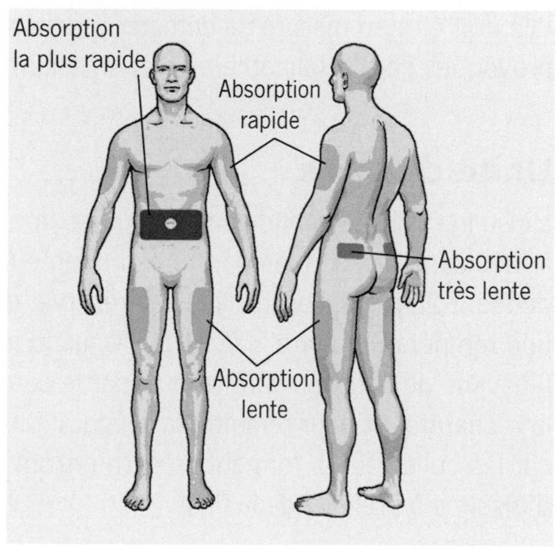

Double vérification indépendante (DVI)

L'insuline fait partie de la liste des médicaments à haut risque (HR)[10]. Tous les médicaments répertoriés sur cette liste comportent un risque élevé de préjudices pour les personnes qui les reçoivent ; les conséquences d'une erreur dans leur utilisation peuvent être très néfastes.

10. INSTITUT POUR L'UTILISATION SÉCURITAIRE DES MÉDICAMENTS (ISMP), *Liste de médicaments de niveau d'alerte élevé de l'ISMP*. https://www.ismp-canada.org/fr/dossiers/HighAlertMedications2012_FR_3.pdf

Les médicaments de cette catégorie sont identifiés par deux lettres **HR** bien visibles placées à côté du nom du médicament sur la FADM.

Pour cette raison, lorsque l'infirmière prépare une dose d'insuline, elle doit appliquer la double vérification indépendante (DVI), une procédure qui lui permet de s'assurer qu'elle ne commettra pas une erreur aux conséquences néfastes. La DVI est un processus au cours duquel deux infirmières vérifient indépendamment l'une de l'autre chacun des éléments de la préparation et de l'administration d'un médicament : vérification de l'ordonnance, du choix du produit, de la dose, du moment, de la voie. Ensuite, l'infirmière vérificatrice appose sa signature sur le formulaire destiné au suivi de la glycémie placé au dossier clinique de la personne hospitalisée.

La notion d'indépendance réfère au fait que le professionnel préparateur s'abstient de diriger ou d'influencer le professionnel vérificateur dans les étapes de vérification. La vérification peut être effectuée en présence du professionnel préparateur ou non. Le point le plus important est de maximiser l'indépendance en s'assurant que le professionnel préparateur ne propose pas les résultats de sa préparation au second professionnel.

Toutes les modifications des doses d'insuline doivent être effectuées avec rigueur et prudence. Il incombe à l'infirmière d'exercer une surveillance clinique de la condition des personnes dont l'état de santé présente des risques, comme le stipulent les activités réservées à l'infirmière dans le cadre de la Loi sur les infirmières et infirmiers (art. 36). Elle doit être en mesure de détecter rapidement les réactions découlant des changements provoqués par l'insulinothérapie et en assurer le suivi de façon rigoureuse.

Unité de soins

L'insuline utilisée quotidiennement dans une unité de soins est gardée sur le chariot à médicaments, à la température ambiante (entre 18 °C et 25 °C) et peut être conservée pendant 28 jours. Les insulines en réserve, doivent être conservées au réfrigérateur, à une température entre 2 °C et 10 °C jusqu'au moment de leur utilisation. Avant de prélever l'insuline de la fiole, il faut faire rouler le contenant entre les paumes des mains pour la réchauffer et pour remettre la préparation en suspension. Il ne faut pas agiter la fiole, car les bulles qui se forment ne permettront pas de mesurer avec précision la quantité d'insuline à prélever de la fiole.

OBJECTIF 4.17 Préparer une dose d'insuline sous-cutanée

Ordonnance d'insuline

La personne diabétique hospitalisée reçoit souvent une dose d'insuline différente de celle qu'elle s'injecte habituellement à la maison puisque lorsqu'elle est hospitalisée, la glycémie est souvent déséquilibrée.

Dans plusieurs établissements, l'ordonnance d'insuline SC fait l'objet d'un formulaire particulier distinct des autres formulaires d'ordonnance de médicaments. Pour assurer la sécurité des soins, il est essentiel de lire attentivement et de comprendre tous les éléments indiqués sur l'ordonnance.

Dans le modèle représenté à la **figure 4.35**, la partie supérieure de l'ordonnance « DOSES D'INSULINE SC RÉGULIÈRES » indique la quantité d'insuline basale et prandiale à recevoir, pour chacun des repas de la journée et au coucher, s'il y a lieu. Les types d'insulines à administrer sont indiqués par un crochet : il s'agit soit d'une insuline humaine biosynthétique à action intermédiaire, par exemple la Novolin ge NPH, soit d'une insuline analogue à action prolongée : glargine (Lantus) ou détémir (Levemir). On ne doit pas mélanger ces insulines analogues dans une seringue avec d'autres insulines. La quantité d'insuline à action rapide, est également indiquée par un crochet ; il peut s'agir d'une insuline biosynthétique, comme la Novolin ge Toronto, ou une insuline analogue à action très rapide, telle que l'asparte, NovoRapid.

La section « DOSES D'INSULINE SC SELON ALGORITHME » indique la dose d'insuline à recevoir selon le résultat de la glycémie capillaire mesurée avant chaque repas, ainsi qu'au coucher. L'ajout d'une quantité d'insuline selon un algorithme permet de mieux contrôler la glycémie au moment des repas et avant le coucher. Lorsqu'on administre une dose d'insuline au moment du coucher, on la réduit de moitié pour éviter les hypoglycémies nocturnes. Le type d'insuline à utiliser est indiqué par un crochet : il s'agit d'une insuline humaine biosynthétique (Novolin ge Toronto) à action rapide ou une insuline analogue (asparte) à action très rapide (NovoRapid).

Pour préparer une dose d'insuline de façon adéquate, nous utiliserons la démarche en 5 étapes à partir de la situation clinique présentée ci-dessous.

Situation clinique

*Estefan Rodriguez a reçu un diagnostic de diabète de type 2, il y a quelques mois. Il présente des signes et des symptômes d'hyperglycémie et il est hospitalisé depuis hier. Il avoue avoir de la difficulté à contrôler sa glycémie et à faire des choix alimentaires conséquents avec sa nouvelle situation de personne diabétique. Il est 7 h 35 et la valeur de sa glycémie capillaire se situe à 19 mmol/L. L'ordonnance (**figure 4.35**) déposée au dossier clinique est la plus récente et vous devez préparer la dose d'insuline requise.*

Application de la démarche en 5 étapes :

Étape 1 Collecter les données

- Vérifiez la présence de toutes les informations qui permettent d'établir que l'ordonnance est conforme :
  - Date et heure de la rédaction de l'ordonnance : ***21 septembre 2019, à 15 h 35***

Figure 4.35 **Ordonnance d'insuline d'Estefan Rogriguez.**

ORDONNANCES D'INSULINE SC	**NOM, prénom :** RODRIGUEZ, Estefan **DATE DE NAISSANCE :** 1957-08-23 **DOSSIER :** 389201 **CHAMBRE :** 512

N.B. CES ORDONNANCES ANNULENT TOUTES LES AUTRES ORDONNANCES ANTÉRIEURES D'INSULINE (SAUF SI DOSE STAT SEULEMENT)

FRÉQUENCE DES GLYCÉMIES CAPILLAIRES : QID OU ________

DOSES D'INSULINE SC RÉGULIÈRES (Notes aux médecins : si insulines prémélangées à domicile, il faut les convertir en insulines séparées) :

	Déjeuner	Dîner	Souper	Coucher	Commentaires ou doses STAT
☑ **Novolin^MD ge NPH** ☐ **Lantus^MD** (insuline glargine) (ne pas mélanger avec autres insulines) ☐ **Levemir^MD** (insuline détémir) (ne pas mélanger avec autres insulines)	*22*		*16*		
☐ **NovoRapid^MD** (insuline aspart) ☐ immédiatement avant le repas ☐ à la fin du repas ☐ ½ dose si l'usager mange de 25 % à 50 % du plateau-repas d'une diète solide et omettre la dose s'il mange < 25 % ☑ **Novolin^MD ge Toronto** (15-30 minutes avant le repas)	*8*	*4*			
☐ **Autre :**					

DOSES D'INSULINE SC SELON ALGORITHME (donner la dose selon l'algorithme avant le repas même si usager à jeun) :

Type d'insuline	**Fréquence des administrations d'insuline selon l'algorithme**
Suggérons d'utiliser le même type d'insuline que pour les doses régulières préprandiales ☐ **NovoRapid^MD** ☑ **Novolin^MD ge Toronto** ☐ **Autre :** ________	☑ **QID (TID ac + HS ½ dose)** ☐ **TID ac** ☐ **Autre :** ________ ☐ Cesser/aucune insuline selon algorithme

Valeurs glycémiques (mmol/L)	Algorithme des doses d'insuline en unités (voir verso pour suggestions s'adressant aux médecins)			
	☐ **1 (faible dose)** Suggéré si usager < 50 kg ou insulines régulières < 30 unités/jour	✓ ☐ **2 (dose modérée)** Suggéré pour la majorité des usagers	☐ **3 (haute dose)** Suggéré si usager > 100 kg ou insulines régulières > 80 unités/jour ou prise de stéroïdes à hautes doses	☐ **Individualisé**
< 6,0	0	**0**	0	
6,1 - 8,0	0	**0**	0	
8,1 - 10,0	0	**0**	+ 4	
10,1 - 13,0	+ 2	**+ 4**	+ 8	
13,1 - 16,0	+ 3 (½ dose HS = + 1)	**+ 6**	+ 10	
16,1 - 19,0	+ 4	**+ 8**	+ 12	
> 19,0	+ 5 (½ dose HS = + 2)	**+ 10**	+ 14	

Aviser l'équipe médicale qui a prescrit l'insuline avant la prochaine dose d'insuline ou d'antidiabétiques oraux si glycémie :

< 3 mmol/L à 1 reprise **ou**

entre 3 et 4 mmol/L ou > 19 mmol/L à 2 reprises au cours des dernières 24 heures **ou**

si : ________

Si glycémie < 4 mmol/L : se référer au protocole # 6 (ou # 6A si restriction liquidienne ou dialyse)

Date : *2019/09/21* Heure : *15 h 35* Signature du médecin : *Dr Lucien Thomas* N° de permis : *987654*

- Nom, prénom de la personne et date de naissance : ***Rodriguez, Estefan, né le 23 août 1957***
- Nom générique ou commercial des médicaments : ***insuline Novolin ge NPH et insuline Novolin ge Toronto***
- Dose en unités d'insuline pour une glycémie de 19 mmol/L :
  - Insuline Novolin ge NPH : 22 unités
  - Insuline Novolin ge Toronto : 8 unités
  - Insuline Novolin ge Toronto, selon algorithme 2 (dose modérée) : 8 unités
- Voie d'administration du médicament : ***sous-cutanée***
- Moment ou fréquence de l'administration du médicament : ***15 à 30 minutes avant le repas***
- Personne autorisée à prescrire le médicament : ***Dr Lucien Thomas***

- Déterminez le nom des médicaments à administrer et recherchez les informations concernant la situation clinique. *L'insuline Novolin ge NPH est une hormone pancréatique, antidiabétique administrée pour équilibrer la glycémie chez la personne diabétique. C'est une insuline humaine biosynthétique à action intermédiaire. L'insuline Novolin ge Toronto est une hormone pancréatique, antidiabétique administrée pour équilibrer la glycémie chez la personne diabétique. C'est une insuline régulière (humaine biosynthétique) à action rapide. Ces deux insulines sont de même type (humaines biosynthétiques). Elles sont compatibles lorsqu'elles sont mélangées dans la même seringue et administrées par voie SC dans les minutes suivant la préparation.*
- Vérifiez, selon la situation clinique, toutes les autres données pertinentes pour effectuer la préparation de la dose requise : *l'infirmier tient compte du résultat de la glycémie capillaire effectuée avant le repas du déjeuner à 7 h 35 (19 mmol/L) pour effectuer un ajustement de la dose d'insuline requise selon l'algorithme.*

Étape 2 Analyser les données

- Repérez les données pertinentes qui serviront au calcul de la dose à administrer : *nombre d'unités d'insuline en doses régulières en ajoutant le nombre d'unités d'insuline selon l'algorithme.*

  L'ordonnance d'insuline indique que M. Rodriguez doit recevoir une dose régulière d'insuline (au déjeuner et au souper), et ce, 30 minutes avant le début du repas, en ajoutant la quantité d'insuline nécessaire selon un ***algorithme de doses d'insuline 2 (dose modérée)*** *d'après le résultat de la glycémie capillaire mesurée avant le repas.*

  L'insuline que l'on administre selon un algorithme est l'insuline prandiale, celle à action rapide ou très rapide que l'on doit administrer aux repas et au coucher en demi-dose. Il se peut que la personne hospitalisée ait besoin de deux types d'insulines. Vous devez alors, si possible, mélanger les deux insulines dans une même seringue et les administrer en une seule injection.

- Comparez les unités de la dose prescrite avec la teneur du médicament disponible :

  Les préparations d'insuline sont mesurées en *unités*. Rappelez-vous que l'insuline utilisée sur les unités de soins :
  - est *toujours prescrite* en unités ;
  - est *disponible* en format de 100 unités/mL, dans des fioles contenant au total 10 mL.

Étape 3 Planifier la préparation

- Choisissez une méthode de calcul appropriée : *il n'y a pas de méthode à choisir. L'important est simplement de bien comprendre quel type et quelle quantité d'insuline il faut préparer pour respecter la dose prescrite.*
- Sélectionnez les données nécessaires à la préparation de la dose d'insuline : Dose prescrite pour le déjeuner et selon l'algorithme :
  - insuline à action intermédiaire : Novolin ge NPH : 22 unités
  - insuline à action rapide : Novolin ge Toronto : 8 unités
  - insuline selon algorithme : Novolin ge Toronto : 8 unités

M. Rodriguez doit recevoir 2 types d'insulines : une insuline basale à action intermédiaire, la Novolin ge NPH 22 unités et une insuline prandiale à action rapide, soit 8 unités en dose régulière auxquelles on ajoute 8 unités en dose selon l'algorithme 2 (dose modérée), pour un total de 16 unités d'insuline Novolin ge Toronto.

Étape 4 Calculer la dose

Pour administrer l'insuline par voie sous-cutanée, vous n'avez pas de calculs à effectuer, sauf si vous administrez deux types d'insulines. Vous devez alors additionner les deux doses d'insulines, soit celle à action rapide (prandiale) et celle à action intermédiaire (basale), et ajouter le nombre d'unités de l'algorithme, le cas échéant, pour déterminer le volume total à prélever dans la seringue.

ALERTE CLINIQUE

Lorsque vous préparez une dose d'insuline, assurez-vous de choisir la seringue à insuline graduée en unités d'insuline. Vous ne devez pas choisir la seringue à tuberculine de 1 mL, elle n'est pas graduée pour les doses d'insuline.

Lorsque l'infirmière prépare la dose d'insuline, elle prélève l'insuline à action rapide Novolin ge Toronto pour un total de 16 unités (8 unités de la dose régulière + 8 unités selon l'algorithme) et ajoute l'insuline intermédiaire soit Novolin ge NPH, 22 unités. Le nombre total d'unités d'insuline dans la seringue est de : 16 unités + 22 unités = 38 unités.

Étape 5 Vérifier le résultat obtenu

- Validez le résultat obtenu : Le calcul est-il exact ? Vérifiez-le en effectuant 2 fois votre calcul.
- L'insuline fait partie des médicaments à haut risque pour lesquels il faut appliquer une double vérification indépendante (DVI). L'infirmière demande à une collègue de travail d'appliquer la DVI, pour assurer la sécurité de l'administration de ce médicament, et d'apposer sa signature au dossier clinique à l'endroit approprié.

Il y a un total de 38 unités d'insuline à prélever : l'infirmière choisit le format de seringue de 50 unités pour préparer la dose de façon adéquate et prépare une étiquette pour identifier le médicament préparé (nom, dose, voie, heure), le nom, le prénom du destinataire, ainsi que sa date de naissance. L'injection d'insuline doit être administrée dans les minutes suivant sa préparation, pour des raisons de stabilité du mélange d'insulines.

Exercez-vous : p. 107 du cahier d'exercices.

La préparation des perfusions : notions préalables et calculs

5

Certains objectifs sans portée pratique n'ont pas d'exercices correspondants ; ils ne figurent donc pas dans le cahier d'exercices.

La loi sur les infirmières permet à celles-ci de pratiquer certaines techniques invasives. Par exemple, l'infirmière peut décider sans ordonnance d'installer un ou plusieurs accès veineux supplémentaires lorsqu'il est nécessaire d'administrer plusieurs médicaments intraveineux incompatibles[1]. Ce chapitre traite de tous les aspects importants de la perfusion, notamment de la maîtrise des calculs qui s'y rapportent.

Matériel utilisé pour les perfusions intraveineuses

Le type de solution prescrit dépend des besoins de la personne hospitalisée. L'infirmière doit s'assurer que la personne reçoit la bonne solution selon le bon débit, et surveille sa tolérance et sa réaction à la thérapie intraveineuse. L'infirmière doit comprendre la raison pour laquelle elle administre la perfusion ainsi que l'effet thérapeutique recherché. Pour administrer des perfusions de façon sécuritaire, elle doit connaître le produit, les types d'accès veineux ainsi que la nécessité ou non d'utiliser un appareil électronique pour mesurer le débit de la perfusion.

OBJECTIF 5.1 Se familiariser avec les propriétés des solutions intraveineuses

Il existe deux catégories de solutions intraveineuses : les colloïdes et les cristalloïdes. Les solutions colloïdes contiennent des molécules de protéine ou d'amidon, qui permettent de prolonger la présence du liquide perfusé dans le compartiment intravasculaire. Parmi ce type de solutions intraveineuses, citons à titre d'exemple les produits dérivés du sang, l'albumine et les produits destinés à l'alimentation parentérale, qui aident à fournir à l'organisme les nutriments nécessaires au recouvrement de sa santé. Nous étudierons cette catégorie plus en détail au chapitre 7.

Les **solutions cristalloïdes** sont des solutions électrolytiques claires qui quittent facilement l'espace vasculaire et pénètrent rapidement dans le compartiment extracellulaire. Elles servent à compenser les pertes hydriques et électrolytiques par les voies digestive, urinaire ou tégumentaire. Le lactate Ringer ainsi que les solutions aqueuses de dextrose ou les solutions salines sont des exemples de solutions cristalloïdes (**figure 5.1**).

1. « Le champ d'exercice et les activités réservées des infirmières et infirmiers », 3e édition. https://www.oiiq.org/documents/20147/237836/1466_doc.pdf, page 53 (consulté le 2019-04-01).

Figure 5.1 **Exemples de solutions intraveineuses.**

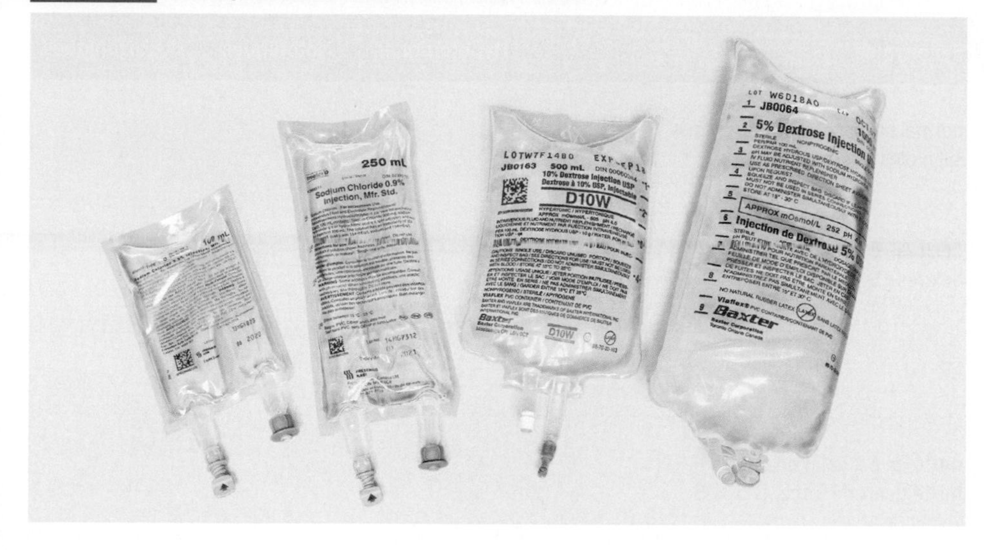

Les solutions colloïdes et cristalloïdes servent au remplacement liquidien chez les personnes présentant une **hypovolémie**. Il est facile de se procurer des cristalloïdes et ceux-ci sont simples à administrer. Par contre, pour combler le déficit liquidien, les cristalloïdes présentent le désavantage d'exiger un volume 3 à 4 fois supérieur à celui que requiert l'administration des colloïdes. Le médecin doit donc tenir compte des problèmes cliniques sous-jacents de la personne hospitalisée avant de prescrire une solution intraveineuse. Par exemple, une personne présentant une insuffisance cardiaque risquerait de ne pas tolérer l'injection rapide d'un grand volume de solution, puisqu'il y aurait un risque de surcharge pulmonaire.

Force d'une solution

La force d'une solution intraveineuse s'exprime en pourcentage (%). Ce pourcentage indique le nombre précis de grammes de la substance dissoute dans 100 mL de solution. Par exemple, le dextrose 5 % dans l'eau est composé de 5 g de dextrose par 100 mL d'eau. Le calcul de la force des solutions sera présenté au chapitre 7.

Concentration des solutions

Les solutions intraveineuses sont classées en fonction de leur **osmolarité** en **solutions isotoniques**, **hypotoniques** ou **hypertoniques** (**tableau 5.1**).

L'osmolarité indique le nombre de particules par litre de solution, c'est-à-dire la quantité de substance dissoute dans un litre de solution. On exprime l'osmolarité en **milliosmoles** par litre (mOsm/L).

On utilise les solutions isotoniques pour remplacer la perte de liquide extracellulaire d'une personne en hypovolémie. L'osmolarité de ces solutions est égale à la pression osmotique qui existe à l'intérieur des cellules, soit une pression de 250 mOsm/L à 375 mOsm/L. Le **tableau 5.1** donne plusieurs exemples de solutions isotoniques.

Tableau 5.1 **Diverses solutions cristalloïdes utilisées pour une perfusion intraveineuse**

Solutions intraveineuses	Synonymes	Hypotoniques	Isotoniques	Hypertoniques
NaCl 0,9 %	normal salin, salin physiologique, salin pleine force, NS		√	
D 5 %	dextrose 5 %, glucosé 5 %, dextrose 5 % dans l'eau, D 5 %W*		√	
Lactate Ringer	LR		√	
D 5 % NaCl 0,2 %	dextrose 5 % salin un quart, mixte quart de force, D 5 ¼ S		√	
NaCl 0,22 %	salin quart de force, ¼ S	√		
NaCl 0,45 %	salin demi-force, demi-salin, ½ S	√		
D 5 % NaCl 0,9 %	dextrose 5 % salin pleine force, dextrose 5 % normal salin, D5NS, mixte pleine force			√
D 5 % NaCl 0,45 %	dextrose 5 % demi-salin, D 5 ½ S, mixte demi-salin			√
D 10 %	dextrose 10 % dans l'eau, dextrose 10 %, glucosé 10 %, D 10 %W**			√
D 5 % lactate Ringer	dextrose 5 % lactate Ringer, D 5 LR			√

* Appellation anglaise (*dextrose 5 % in water*) souvent utilisée dans les milieux francophones.

** Appellation anglaise (*dextrose 10 % in water*) souvent utilisée dans les milieux francophones.

On administre des solutions hypotoniques lorsqu'une personne a besoin d'une hydratation cellulaire, par exemple une personne qui présente une hyperglycémie. L'osmolarité sérique plus élevée fait en sorte que la pression osmotique du milieu extracellulaire est supérieure à la pression osmotique intracellulaire. Il s'ensuit un déplacement de liquide du compartiment le moins concentré (la cellule) vers le compartiment le plus concentré (le sang). En administrant une solution hypotonique, les liquides vont pouvoir retourner dans la cellule puisque le compartiment le plus concentré sera la cellule étant donné que la solution aura dilué le sang pour le rendre moins concentré. Donc, l'osmolarité des solutions hypotoniques est inférieure à 250 mOsm/L. Reportez-vous au **tableau 5.1** pour des exemples de solutions hypotoniques.

Enfin, les solutions hypertoniques permettent d'augmenter l'osmolarité sérique ou de faire passer du liquide des tissus cellulaires et interstitiels à l'espace vasculaire. Elles ont une pression osmotique supérieure à celle des cellules. L'osmolarité des solutions hypertoniques est de 375 mOsm/L ou plus. Prenons l'exemple d'une personne souffrant d'hyponatrémie. Le liquide qui était dans le compartiment vasculaire se déplace dans les cellules, ce qui cause un œdème cellulaire et un risque d'hypotension, voire de choc si la situation est grave. En administrant un soluté hypertonique, le liquide présent dans les cellules reviendra dans le compartiment vasculaire ce qui rétablira l'homéostasie. Le **tableau 5.1** donne des exemples de solutions hypertoniques.

Autres substances

Il arrive qu'on ajoute des électrolytes aux solutions intraveineuses, en particulier le chlorure de potassium (KCl), que l'on prescrit pour prévenir ou traiter une carence en potassium. On calcule la quantité de chlorure de potassium ajoutée aux solutions intraveineuses en millimoles par litre (mmol/L). Elle varie habituellement de 20 mmol/L à 40 mmol/L.

ALERTE INFIRMIÈRE

Soyez particulièrement vigilante lorsque vous administrez des solutions intraveineuses afin de ne pas confondre les unités de mesure comme : mEq, mg, mmol. Cela pourrait causer des préjudices graves à la personne qui reçoit le médicament. Le potassium agit sur la contractilité des muscles. Le cœur est un muscle et un déséquilibre du taux de potassium peut entraîner des arythmies, voire la mort.

Emballage

Les solutions sont généralement emballées dans des sacs ou des contenants de plastique, souples ou rigides, qui s'affaissent sous la pression atmosphérique lors de la perfusion de la solution. Le plus souvent, les sacs de perfusion contiennent de 500 mL à 1000 mL de solution. Il existe également des sacs de 25, 50, 100 ou 250 mL. En général, on utilise ces derniers pour diluer des médicaments. Comme certains médicaments adhèrent au plastique, les contenants de solutions intraveineuses sont parfois en verre ou en sacs exempts de **polychlorure de vinyle (PVC)**. On les reconnaît par la texture plus rigide du matériel.

OBJECTIF 5.2 Différencier les tubulures de perfusion

Les solutés s'administrent à l'aide d'une tubulure de perfusion intraveineuse (**figure 5.2**). On insère cette tubulure dans le sac de soluté par un petit tube appelé « perforateur ». Près du perforateur se trouve une chambre compte-gouttes. Le débit de perfusion équivaut au nombre de gouttes qui s'écoulent pendant une minute dans la chambre compte-gouttes. L'infirmière règle le débit d'écoulement à l'aide d'un presse-tube à roulette qui permet de faire varier la vitesse à laquelle les gouttes tombent dans la chambre compte-gouttes.

Figure 5.2 **Tubulure de perfusion intraveineuse.**

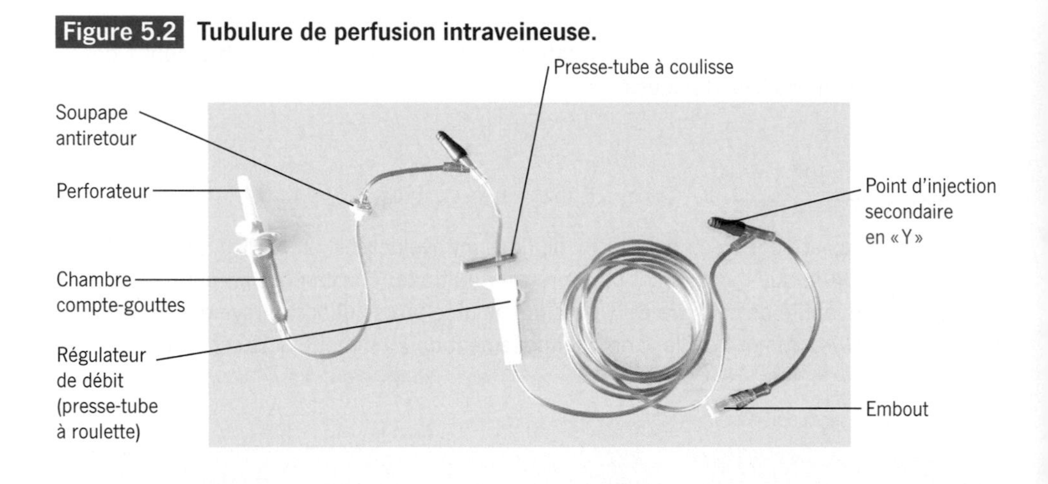

Facteur d'écoulement

Le nombre de gouttes par millilitre que la tubulure intraveineuse laisse passer est le **facteur d'écoulement** ; il est indiqué sur l'emballage de la tubulure (voir la **figure 5.8**). La chambre compte-gouttes est calibrée de façon à produire des microgouttes ou des macrogouttes. La tubulure est munie d'un ou plusieurs points d'injection secondaires en « Y » au niveau desquels il est possible d'insérer une **perfusion secondaire** ou d'introduire directement des médicaments intraveineux par injection intraveineuse directe (IVD).

Les tubulures intraveineuses sont classées en fonction de leur facteur d'écoulement, selon qu'elles sont munies d'un distributeur de macrogouttes ou de microgouttes (**figure 5.3**). Dans la chambre compte-gouttes, plus le diamètre du distributeur est grand, plus la goutte qui s'écoule est grosse. À l'inverse, plus le diamètre est petit, plus la goutte qui s'écoule est petite. On choisit la tubulure appropriée en fonction du débit de la perfusion. Si celui-ci doit être supérieur à 60 mL/h, on optera pour une **tubulure macrogouttes**. On utilise les **tubulures microgouttes** chez les enfants, les personnes âgées et lorsqu'il est important d'administrer de petites quantités de solution ou de mesurer très précisément la solution intraveineuse administrée (**tableau 5.2**).

Figure 5.3 **Tubulures intraveineuses. A. Macrogouttes. B. Microgouttes.**

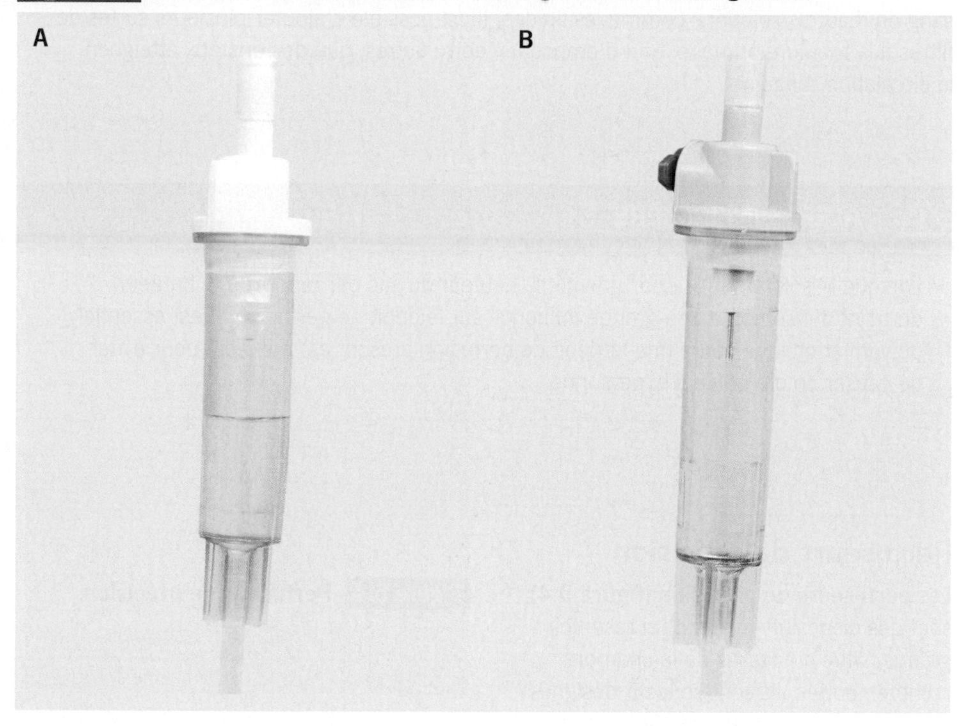

Tableau 5.2 **Facteur d'écoulement de la tubulure**

10 gtt = 1 mL 15 gtt = 1 mL 20 gtt = 1 mL	Tubulure macrogouttes utilisée pour une vitesse de perfusion de plus de 60 mL/h.
60 gtt = 1 mL	Tubulure microgouttes utilisée surtout chez les enfants et les personnes âgées et pour administrer des solutions à une vitesse de perfusion de moins de 60 mL/h, ce qui permet de réduire le risque de surcharge liquidienne.

Tubulures primaires et tubulures secondaires

On classe aussi les tubulures selon leur utilisation. La **tubulure primaire** sert à administrer de façon continue une solution stérile par voie intraveineuse. Le sac de soluté est suspendu au-dessus du point d'insertion du cathéter IV, à une hauteur d'au moins 75 cm, pour faciliter l'écoulement par gravité. La **tubulure secondaire** sert plutôt à administrer des médicaments par voie IV en perfusion intermittente (PI). La tubulure secondaire est fixée à l'un des points d'injection en « Y » de la tubulure primaire. Quand on administre deux perfusions en même temps, on suspend la perfusion secondaire 15 cm à 20 cm au-dessus de la **perfusion primaire** afin de s'assurer que le médicament de la perfusion secondaire s'écoule en premier par gravité.

Certaines tubulures munies d'un filtre sont spécialement conçues pour administrer du sang ou d'autres solutions comme les lipides. Il est possible d'ajouter plusieurs sortes de filtres à la tubulure primaire, afin d'empêcher, entre autres, que des cristaux atteignent la circulation sanguine.

ALERTE INFIRMIÈRE

Lorsque le soluté perfuse par gravité, la hauteur du sac par rapport à la hauteur du point d'insertion a une grande influence sur le débit de perfusion. Il est essentiel de vérifier chaque heure que le débit de perfusion prescrit est respecté pour éviter de causer un préjudice à la personne.

Perfuseurs de précision

Les **perfuseurs de précision** (**figure 5.4**) sont des dispositifs munis d'un réservoir gradué, situé au-dessus de la chambre compte-gouttes. Ils sont souvent désignés par le nom du commerçant : Soluset ou Buretrol. Ils permettent de contrôler très précisément les doses de médicaments administrés par voie intraveineuse. Le réservoir a une capacité maximale de 150 mL. Il est muni d'une prise d'air et d'un point d'injection. Une valve flottante, placée à l'intérieur du réservoir, arrête la perfusion quand le volume prévu s'est écoulé. L'étalonnage du réservoir à des intervalles de 1 mL permet une mesure de grande précision. Il remplace avantageusement l'appareil électronique. Le facteur d'écoulement est toujours de 60 gouttes/mL.

Figure 5.4 **Perfuseur de précision.**

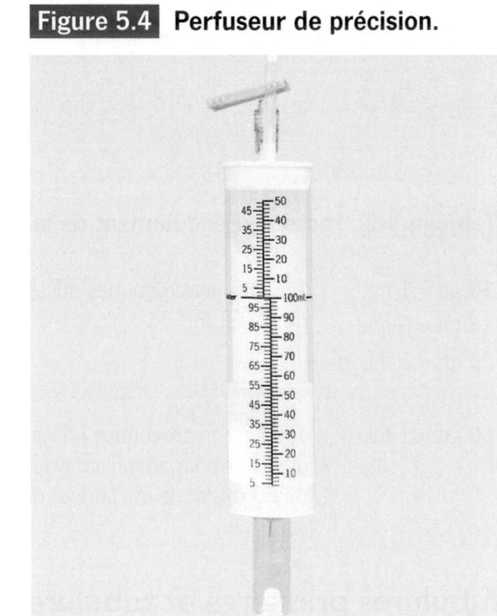

Ce type de dispositif est particulièrement utile lorsqu'il faut prévenir la surcharge liquidienne, comme chez le nourrisson, le jeune enfant ou l'adulte dont il faut restreindre l'apport liquidien. Chez l'adulte, on utilise ce dispositif afin de diluer des médicaments particulièrement irritants, comme ceux employés en hémato-oncologie. Lorsqu'on utilise un tel perfuseur de façon intermittente, il faut effectuer une opération de rinçage pour s'assurer qu'il ne reste aucune trace de médicament dans la tubulure et que toute la dose a été administrée. La solution de rinçage (de 5 mL à 20 mL) provient du sac de solution intraveineuse.

OBJECTIF 5.3 Se familiariser avec les dispositifs électroniques de perfusion

Il existe plusieurs types de dispositifs de perfusion électronique. Nous allons maintenant les décrire et préciser ce qui les distingue des dispositifs mécaniques, et montrer leurs avantages généraux : précision, perfusions simultanées, contrôle par le patient, etc.

Pompe volumétrique

La pompe volumétrique permet d'administrer des perfusions primaires ou secondaires avec précision (**figure 5.5**). Elle contrôle le débit de la solution intraveineuse en exerçant une pression dans la tubulure. Cette pression permet de perfuser un débit déterminé en millilitres par heure (mL/h). La pompe pousse le liquide dans la veine. Dans ce cas, la hauteur du sac n'a pas d'importance puisque le liquide ne s'écoule pas par gravité. La pompe émet un signal sonore à la fin de la perfusion, quand elle perçoit la présence de bulles d'air ou quand elle capte une résistance dans la tubulure. L'infirmière programme la pompe selon le débit de perfusion et le volume total à perfuser en millilitres par heure (mL/h). Les pompes sont munies de plusieurs fonctions. Elles permettent de programmer, lorsque nécessaire, le débit en fonction du poids de la personne et de la concentration du médicament à administrer. Dans certains centres hospitaliers, la pompe est programmée en fonction de la concentration des médicaments disponibles dans l'établissement.

Figure 5.5 **Appareil de perfusion électronique. A. Pompe volumétrique à 1 voie. B. Pompe volumétrique à 3 voies.**

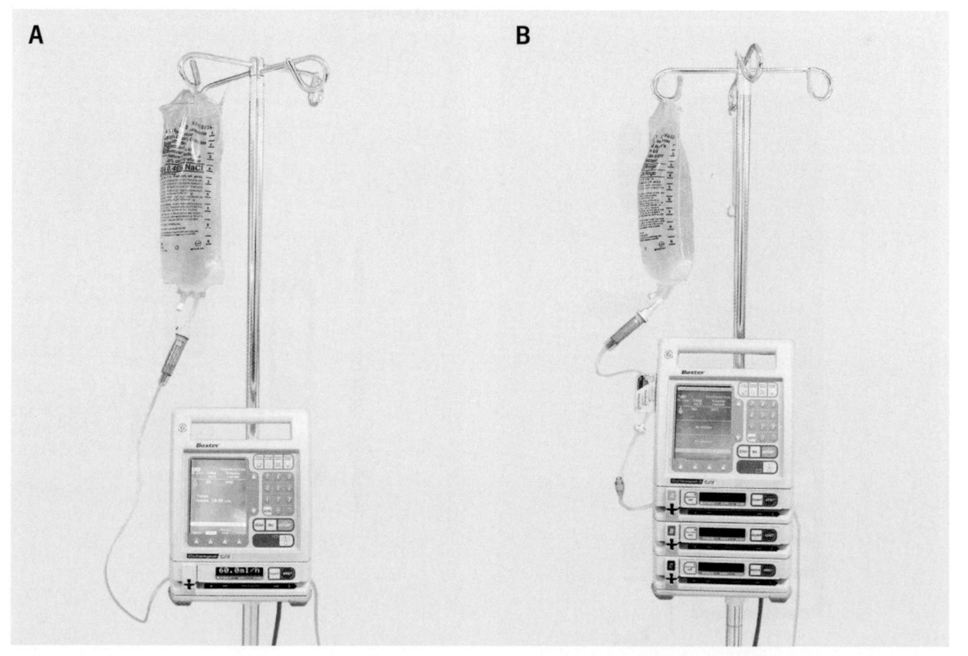

Les modèles de pompes sont variés. Certains permettent l'administration d'une seule solution à la fois, alors que d'autres modèles peuvent être programmés afin d'administrer simultanément plusieurs solutés dont la voie et le débit sont différents.

Il est essentiel de bien se familiariser avec ce type d'appareil pour éviter une utilisation inadéquate.

Pousse-seringue ou pompe à seringue à vitesse variable

Le pousse-seringue est un appareil utilisé pour administrer un petit volume de médicament (de 3 mL à 60 mL) en moins de 150 min (**figure 5.6**). Il perfuse une quantité donnée de liquide directement d'une seringue à des moments déterminés. Il s'arrête de lui-même lorsque la perfusion est terminée. Le pousse-seringue peut être mécanique ou électronique. Le modèle mécanique est un ressort qui, une fois relâché, exerce une pression constante sur le piston de la seringue, et c'est la résistance de la tubulure qui détermine le débit de perfusion. Le modèle électronique permet de choisir entre une administration lente, régulière ou rapide.

Appareil pour l'analgésie contrôlée

L'appareil pour l'analgésie contrôlée par la personne (ACP) est une pompe à perfusion qui administre une dose d'analgésiques prédéterminée lorsque la personne appuie sur un bouton, lui permettant ainsi de s'autoadministrer des doses contrôlées d'analgésiques, en vue de procurer un soulagement optimal (**figure 5.7**).

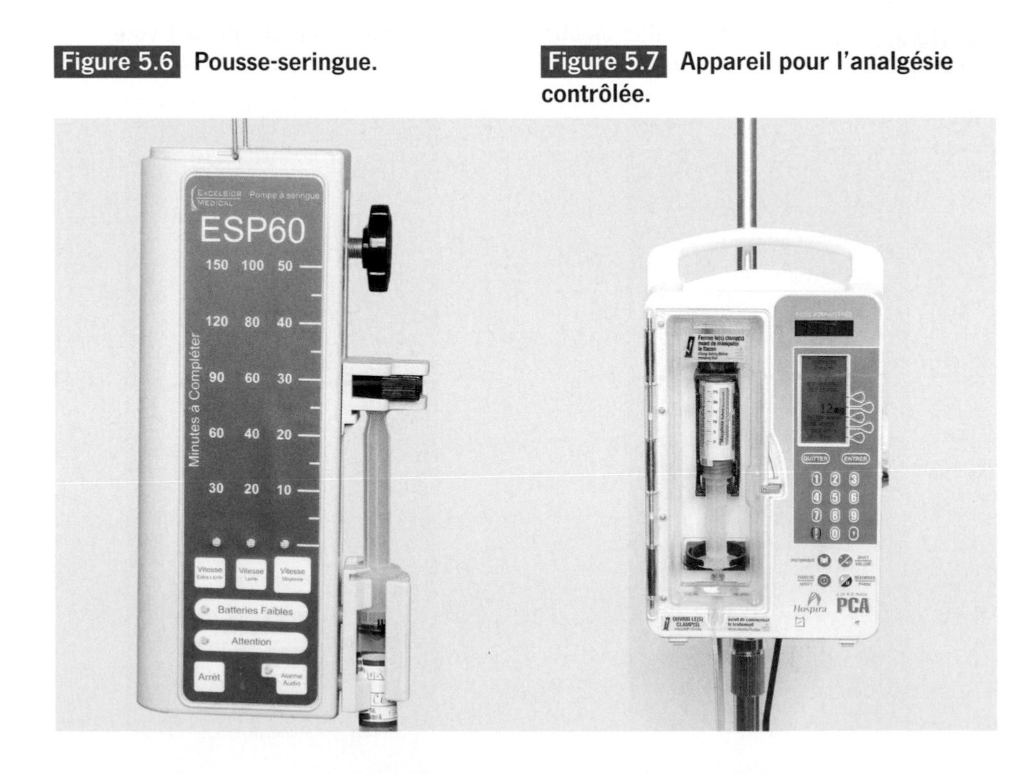

Figure 5.6 **Pousse-seringue.**

Figure 5.7 **Appareil pour l'analgésie contrôlée.**

ALERTE INFIRMIÈRE

Assurez-vous que l'appareil de perfusion fonctionne adéquatement et que la personne hospitalisée réagit bien aux liquides ou aux médicaments administrés. Pour ce faire, il faut contrôler toutes les heures la vitesse de perfusion pour s'assurer qu'elle est conforme à l'ordonnance. Vérifiez également la quantité restante dans le sac de soluté, la perméabilité de la tubulure et le point d'insertion du cathéter dans la veine pour y détecter des signes d'infiltration. L'infirmière doit se fier à son jugement et à l'évaluation clinique de la personne même lorsque la pompe n'émet pas de signal d'alerte.

Calculs relatifs au débit des perfusions

Habituellement, les ordonnances indiquent le débit et le type de solution intraveineuse à perfuser en millilitres par heure (mL/h). Il est de la responsabilité de l'infirmière d'administrer correctement la solution intraveineuse selon le débit prescrit et de surveiller les réactions de la personne.

L'ordonnance du débit peut prendre plusieurs formes. Par exemple, l'infirmière peut avoir la responsabilité de s'assurer d'administrer la dose prescrite. Pour ce faire, elle doit savoir calculer avec précision le débit des perfusions intraveineuses, quelle que soit la durée prescrite, en heures ou en minutes. Elle doit également être en mesure de convertir un débit en millilitres par heure (mL/h) en un débit en gouttes par minute (gtt/min) lorsqu'elle utilise le régulateur de débit sur la tubulure en laissant la perfusion s'écouler par gravité.

OBJECTIF 5.4 Calculer le débit de perfusion en millilitres par heure (mL/h)

Reportez-vous à l'extrait de la FADM de la page suivante afin de calculer le débit de la perfusion.

Étape 1 Collecter les données

Validez la FADM et recherchez les informations pertinentes :

- Date et heure du début de la FADM : ***2019-01-28, 00 h 00***
- Nom, prénom de la personne et numéro de dossier : ***Bergeron, Lucille, #231654***
- Nom générique ou commercial du médicament : ***chlorure de potassium dans NaCl 0,9 %***

- Dose en mmol/L : ***20 mmol/L***
- Voie d'administration du médicament : ***intraveineuse***
- Moment ou fréquence de l'administration du médicament : ***en continu pour 10 h***
- Personne autorisée à prescrire le médicament : ***Dre Alycia Prud'homme***

Déterminez le nom du médicament à administrer, le chlorure de potassium, et recherchez les informations importantes, notamment son utilisation en cas d'hypokaliémie, et la dose maximale pouvant être administrée par un cathéter périphérique (40 mmol/L). Les signes de toxicité sont les mêmes que ceux de l'hyperkaliémie. Comme le potassium intervient dans la contraction cardiaque, il est important de suivre les niveaux sériques.

FADM

NOM : BERGERON, Lucille
DOSSIER : 231654
CHAMBRE : 2-378
DATE DE NAISSANCE : 1954-01-18
DATE D'ADMISSION : 2019-01-28
MÉDECIN PRESCRIPTEUR : Dre Alycia Prud'homme
FADM valide du 2019-01-28 à 00 h 00 au 2019-01-28 à 23 h 59

Poids : 65 kg | SC : 1,68 m² | Allergies : Aucune allergie connue
Taille : 160 cm | Clcr : 12,6 mL/min | Intolérances :

Médicaments	Nuit (00 h 00-07 h 59) Heure	Initiales	Jour (8 h 00-15 h 59) Heure	Initiales	Soir (16 h 00-23 h 59) Heure	Initiales	Validité
NaCl 0,9 % 1000 mL KCl 20 mmol/L Perfusez en 10 heures							2019-01-28 00 h 00 2019-01-28 23 h 59

N		J		S	
Profil vérifié et conforme					

⬭ Non donné (justifier)	A Personne absente	V Vomissement	J À jeun Voir note d'obs.	AA Auto-administration	NS Non servi
/ Rx administré	N Nausée	R Refuse	M* Manquant et note d'obs. requise	CT Congé temporaire	∅ Aucune unité d'insuline

Étape 2 Analyser les données

- Repérez les données pertinentes pour effectuer le calcul de la dose à administrer et la concentration du médicament en millimoles par litre (mmol/L).
- Comparez la dose prescrite avec le médicament disponible afin de vous assurer que les unités de mesure sont les mêmes. *Les unités sont les mêmes.*
- Vérifiez la pertinence d'utiliser le poids (en kilogrammes) ou certains résultats d'analyses sanguines pour effectuer les calculs : *dans cet exemple, cela n'est pas nécessaire.*

Étape 3 Planifier la préparation

Réfléchissez à la meilleure façon de calculer la dose requise et sélectionnez les données utiles. Choisissez la méthode de calcul de la dose appropriée au contexte selon les données analysées : la méthode de la formule ou la méthode du rapport-proportion.

Sélectionnez les données nécessaires au calcul à partir de la FADM de Mme Bergeron :

- La durée de la perfusion : **10 h**
- Le volume : **1000 mL**

Étape 4 Calculer la dose

Cette étape consiste à effectuer le calcul exact de la dose prescrite avec la méthode de la formule ou celle du rapport-proportion.

Méthode de la formule

- Transcrivez la formule et remplacez les variables de la formule par les données pertinentes en n'oubliant pas d'inscrire les unités de mesure :

$$\text{Débit de perfusion (mL/h)} = \frac{\text{Volume prescrit (mL)}}{\text{Temps de perfusion (h)}}$$

$$x\,\frac{\text{mL}}{\text{h}} = \frac{1000\text{ mL}}{10\text{ h}}$$

- Effectuez le calcul selon la méthode de la formule afin de déterminer le débit de perfusion du soluté de chlorure de potassium dans le chlorure de sodium 0,9 %. Simplifiez l'équation au besoin :

$$x\,\frac{\text{mL}}{\text{h}} = \frac{100\cancel{0}\text{ mL}}{1\cancel{0}\text{ h}} = 100\,\frac{\text{mL}}{\text{h}}$$

Vous obtenez alors 100 mL/h.

La réponse que vous obtenez doit être arrondie au nombre entier.

Méthode du rapport-proportion

$$\frac{x\text{ mL}}{1\text{ h}} = \frac{\text{Volume prescrit (mL)}}{\text{Temps de perfusion (h)}}$$

- Remplacez les variables de l'équation par les données pertinentes en n'oubliant pas d'inscrire les unités de mesure.

$$\frac{x\text{ mL}}{1\text{ h}} = \frac{1000\text{ mL}}{10\text{ h}}$$

- Effectuez le calcul selon la méthode du rapport-proportion afin de déterminer la valeur de *x*, c'est-à-dire le débit de perfusion en millilitres par heure (mL/h) :

$$x\text{ mL} \times 10\text{ h} = 1000\text{ mL} \times 1\text{ h}$$

$$\frac{x\text{ mL} \times \cancel{10\text{ h}}}{\cancel{10\text{ h}}} = \frac{100\cancel{0}\text{ mL} \times \cancel{\text{h}}}{1\cancel{0}\ \cancel{\text{h}}}$$

$$x \text{ mL} = 100 \text{ mL}$$

Le débit sera donc de 100 mL/h.

- Obtenez un résultat contenant une valeur numérique et une unité de mesure : *le débit de perfusion pour la pompe de Mme Bergeron doit être programmé à 100 mL/h.*

Étape 5 Vérifier le résultat obtenu

Cette cinquième et dernière étape est essentielle à l'administration sécuritaire d'un médicament.

- Validez le résultat obtenu : le calcul est-il exact ? Vérifiez-le en effectuant 2 fois votre calcul.
- Si vous avez utilisé la méthode du rapport-proportion, vérifiez votre calcul en remplaçant la valeur de *x* dans l'équation par la réponse obtenue :

$$\frac{100 \text{ mL}}{1 \text{ h}} = \frac{1000 \text{ mL}}{10 \text{ h}}$$

$$100 = 100$$

- Utilisez votre jugement pour déterminer si le résultat obtenu est vraisemblable : *si 1000 mL perfusent en 10 heures, il est logique d'obtenir une perfusion de 100 mL/h.*

Voici l'extrait d'une FADM.

FADM

NOM : BERGERON, Lucille
DOSSIER : 231654
CHAMBRE : 2-378
DATE DE NAISSANCE : 1954-01-18
DATE D'ADMISSION : 2019-01-28
MÉDECIN PRESCRIPTEUR : Dr Hugo Chiasson
FADM valide du 2019-01-30 à 00 h 00 au 2019-01-30 à 23 h 59

Poids : 65 kg — SC : 1,68 m^2 — Allergies : Aucune allergie connue
Taille : 160 cm — Clcr : 12,6 mL/min — Intolérances :

Médicaments	Nuit (00 h 00-07 h 59) Heure	Initiales	Jour (8 h 00-15 h 59) Heure	Initiales	Soir (16 h 00-23 h 59) Heure	Initiales	Validité
PANTOPRAZOLE 80 mg/10 h **IV** 1 fiole = 40 mg (Pantoloc) Reconstituez chaque fiole avec 10 mL de NaCl 0,9 % Retirez 20 mL d'un sac de NaCl 0,9 % 100 mL pour une concentration finale de 80 mg/100 mL							2019-01-30 00 h 00 2019-01-30 23 h 59

N		J		S	
Profil vérifié et conforme					

⬭ Non donné (justifier)	A Personne absente	V Vomissement	J À jeun Voir note d'obs.	AA Auto-administration	NS Non servi
/ Rx administré	N Nausée	R Refuse	M* Manquant et note d'obs. requise	CT Congé temporaire	Ø Aucune unité d'insuline

Étape 1 Collecter les données

Validez cette FADM et recherchez les informations pertinentes :

- Date et heure du début de la FADM : ***2019-01-30, 00 h 00***
- Nom, prénom de la personne et numéro de dossier : ***Bergeron, Lucille, #231654***
- Nom générique ou commercial du médicament : ***pantoprazole***
- Dose en mg : ***80 mg***
- Voie d'administration du médicament : ***intraveineuse***
- Moment ou fréquence de l'administration du médicament : ***en continu pour 10 h***
- Personne autorisée à prescrire le médicament : ***Dr Hugo Chiasson***

Déterminez le nom du médicament à administrer, le pantoprazole, et recherchez les informations importantes, notamment qu'il est utilisé en cas d'ulcères gastro-intestinaux pour diminuer rapidement la production d'acide. La dose maximale par jour est de 240 mg. Les effets indésirables sont : céphalées, diarrhées et parfois élévation des enzymes hépatiques pour lesquels il faut effectuer un suivi. Puisqu'il est principalement métabolisé par le foie, le médicament est contre-indiqué en présence d'insuffisance hépatique.

Étape 2 Analyser les données

- Repérez les données pertinentes pour effectuer le calcul de la dose à administrer telles que le débit en milligrammes par heure (mg/h), la teneur du médicament et le volume de solution disponible.
- Comparez la dose prescrite avec le médicament disponible afin de vous assurer que les unités de mesure sont les mêmes. *Les unités sont les mêmes.*
- Vérifiez la pertinence d'utiliser le poids (en kilogrammes) ou certains résultats d'analyses sanguines pour effectuer les calculs : *dans cet exemple, cela n'est pas nécessaire*.

Étape 3 Planifier la préparation

Réfléchissez à la meilleure façon de calculer la dose requise et sélectionnez les données utiles. Choisissez la méthode de calcul de dose appropriée au contexte selon les données analysées : la méthode de la formule ou la méthode du rapport-proportion.

Sélectionnez les données nécessaires au calcul à partir de la FADM de Mme Bergeron :

- La dose de médicament prescrite : **80 mg/10 h**
- La teneur : **80 mg**
- Le volume : **100 mL**

Étape 4 Calculer la dose

Cette étape consiste à effectuer le calcul exact de la dose prescrite avec la méthode de la formule ou celle du rapport-proportion.

Méthode de la formule

- Transcrivez la formule et remplacez les variables de la formule par les données pertinentes en n'oubliant pas d'inscrire les unités de mesure :

$$\text{Débit de perfusion (mL/h)} = \frac{\text{Volume prescrit (mL)}}{\text{Temps (h)}}$$

- Effectuez le calcul selon la méthode de la formule afin de déterminer le débit de perfusion du pantoprazole. Simplifiez l'équation au besoin :

$$x\,\frac{\text{mL}}{\text{h}} = \frac{10\cancel{0}\ \text{mL}}{1\cancel{0}\ \text{h}}$$

$$x\,\frac{\text{mL}}{\text{h}} = 10\ \frac{\text{mL}}{\text{h}}$$

Vous obtenez alors 10 mL/h.

La réponse que vous obtenez doit être arrondie au nombre entier.

Méthode du rapport-proportion

- Transcrivez le rapport et remplacez les variables du rapport par les données pertinentes en n'oubliant pas d'inscrire les unités de mesure :

$$\frac{x\ \text{mL}}{1\ \text{h}} = \frac{\text{Volume prescrit (mL)}}{\text{Temps de perfusion (h)}}$$

$$\frac{x\ \text{mL}}{\text{h}} = \frac{100\ \text{mL}}{10\ \text{h}}$$

- Effectuez le calcul selon la méthode du rapport-proportion afin de déterminer la valeur d'inconnu x, c'est-à-dire le débit de perfusion en millilitres par heure (mL/h) :

$$x\ \text{mL} \times 10\ \text{h} = 100\ \text{mL} \times 1\ \text{h}$$

$$\frac{x\ \text{mL} \times \cancel{10\ \text{h}}}{\cancel{10\ \text{h}}} = \frac{10\cancel{0}\ \text{mL}}{1\cancel{0}\ \text{h}}$$

$$x\ \text{mL} = 10\ \text{mL}$$

- Obtenez un résultat contenant une valeur numérique et une unité de mesure : *le débit de perfusion pour Mme Bergeron est de 10 mL/h.*

Étape 5 Vérifier le résultat obtenu

Cette cinquième et dernière étape est essentielle à l'administration sécuritaire d'un médicament.

- Validez le résultat obtenu : le calcul est-il exact ? Vérifiez-le en effectuant 2 fois votre calcul.
- Si vous avez utilisé la méthode du rapport-proportion, vérifiez votre calcul en remplaçant la valeur de x dans l'équation par la réponse obtenue :

$$\frac{10\ \text{mL}}{\text{h}} = \frac{100\ \text{mL}}{10\ \text{h}}$$

$$10 = 10$$

- Utilisez votre jugement pour déterminer si le résultat obtenu est vraisemblable.
  Effectivement, ce résultat est plausible et conforme, car il respecte la dose habituelle recommandée pour une perfusion de pantoprazole.

Puisqu'il s'agit de l'administration d'un médicament intraveineux, l'infirmière doit s'assurer de connaître la méthode de dilution en consultant le guide d'administration de médicaments parentéraux. De plus, elle doit prévoir une seringue de 10 mL munie d'une aiguille 21 G, 2 fioles de pantoprazole 40 mg, 2 fioles de NaCl de 10 mL, le sac de NS 0,9 % 100 mL auquel elle aura préalablement retiré 20 mL, des tampons d'alcool, ainsi qu'une étiquette d'identification avec le nom et prénom de la personne, sa date de naissance ou son numéro de dossier, ainsi que les informations relatives au médicament. Ces informations permettent d'effectuer une double vérification de la personne, avant l'administration du médicament.

ALERTE INFIRMIÈRE

Lorsque vous reconstituez un médicament en poudre[2], vous ajoutez un certain volume dans le minisac. Si vous administrez une perfusion intermittente, par exemple un antibiotique, vous devrez tenir compte du volume final dans votre calcul.

Si la perfusion est une perfusion en continu, vous devez retirer un volume de liquide équivalent à celui que vous ajouterez dans le sac afin de maintenir la concentration finale désirée, puisque la dose horaire dépend de la concentration et du débit de perfusion.

Exercez-vous : p. 124 du cahier d'exercices.

OBJECTIF 5.5 Calculer le débit de perfusion en millilitres par heure (mL/h) lorsque la durée totale de perfusion est prescrite en minutes

Étape 1 Collecter les données

Validez la FADM et recherchez les informations pertinentes :

- Date et heure du début de la FADM : ***2019-01-31, 00 h 00***
- Nom, prénom de la personne et numéro de dossier : ***Bergeron, Lucille, #231654***
- Nom générique ou commercial du médicament : ***céfazoline***
- Dose en mg : ***1 g***
- Voie d'administration du médicament : ***intraveineuse***
- Moment ou fréquence de l'administration du médicament : ***q 8 h***
- Personne autorisée à prescrire le médicament : ***D^re^ Laurie-Kim Mathis***

2. https://www.ismp-canada.org/fr/dossiers/bulletins/2013/BISMPC2013-07_GestiondusurRemplissage.pdf (consulté le 3 avril 2019)

FADM	NOM : BERGERON, Lucille DOSSIER : 231654 CHAMBRE : 2-378 DATE DE NAISSANCE : 1954-01-18 DATE D'ADMISSION : 2019-01-28 MÉDECIN PRESCRIPTEUR : Dre Laurie-Kim Mathis **FADM valide du 2019-01-31 à 00 h 00 au 2019-01-31 à 23 h 59**

Poids : 65 kg — SC : 1,68 m^2 — Allergies : Aucune allergie connue

Taille : 160 cm — Clcr : 12,6 mL/min — Intolérances :

Médicaments	Nuit (00 h 00-07 h 59) Heure Initiales	Jour (8 h 00-15 h 59) Heure Initiales	Soir (16 h 00-23 h 59) Heure Initiales	Validité
CÉFAZOLINE 1 g IV q 8 h (Ancef) Reconstituez avec 2,5 mL d'eau stérile pour injection Ajoutez 3 mL dans 100 mL de D 5 % Perfusez en 30 minutes Antibiotique				2019-01-31 00 h 00 2019-01-31 23 h 59

N		J		S	
Profil vérifié et conforme					

⬭ Non donné (justifier)	A Personne absente	V Vomissement	J À jeun Voir note d'obs.	AA Auto-administration	NS Non servi
/ Rx administré	N Nausée	R Refuse	M* Manquant et note d'obs. requise	CT Congé temporaire	∅ Aucune unité d'insuline

Déterminez le nom du médicament à administrer, la céfazoline, et recherchez les informations importantes, notamment qu'il s'agit d'un antibiotique de la classe des céphalosporines de première génération. On administre la céfazoline pour traiter différents types d'infections et comme prophylaxie périopératoire. La dose habituelle est de 500 mg à 2g q 8 h selon la raison d'administration. Les effets indésirables communs sont gastro-intestinaux. En présence de **probénécide**, les concentrations sanguines de la céfazoline sont augmentées. L'élimination du médicament se fait principalement par les reins.

Étape 2 Analyser les données

La deuxième étape consiste à analyser toutes les données recueillies.

- Repérez les données pertinentes qui serviront au calcul de la dose administrée : *la dose prescrite, la teneur du médicament, la quantité du médicament disponible, le volume et le temps de perfusion.*
- Comparez la dose prescrite avec le médicament disponible afin de vous assurer que les unités de mesure sont les mêmes. Si les unités sont différentes ou si elles appartiennent à un système différent, effectuez la conversion requise. *Dans l'exemple de Mme Bergeron, il n'y a pas de conversion à faire.*
- Vérifiez la pertinence d'utiliser le poids (en kilogrammes) ou certains résultats d'analyses sanguines pour effectuer les calculs. *Dans cet exemple, cela n'est pas nécessaire.*

Étape 3 Planifier la préparation

Cette étape consiste à se préparer, à réfléchir à la meilleure façon de calculer la dose requise et à sélectionner les données utiles. Choisissez la méthode de calcul appropriée au contexte selon les données analysées : la méthode de la formule ou la méthode du rapport-proportion.

Méthode de la formule

$$\text{Débit de perfusion (mL/h)} = \frac{\text{Volume (mL)}}{\text{Temps de perfusion (min)}} \times \frac{60\ \text{min}}{\text{h}}$$

Méthode du rapport-proportion

$$\frac{\text{Volume (mL)}}{\text{Temps de perfusion (min)}} = \frac{x\ \text{mL}}{60\ \text{min}}$$

Sélectionnez les données nécessaires au calcul à partir de l'exemple de Mme Bergeron :

- Volume : **103 mL**
- Temps en minutes : **30 min**

Étape 4 Calculer la dose

Cette étape consiste à effectuer le calcul exact de la dose prescrite avec la méthode de la formule ou celle du rapport-proportion.

Méthode de la formule

- Transcrivez la formule et remplacez les inconnues de la formule par les données pertinentes en n'oubliant pas d'inscrire les unités de mesure :

$$\text{Débit de perfusion (mL/h)} = \frac{\text{Volume (mL)}}{\text{Temps de perfusion (min)}} \times \frac{60\ \text{min}}{\text{h}}$$

- Effectuez le calcul selon la méthode de la formule afin de déterminer le débit de perfusion. Simplifiez l'équation au besoin :

$$x\,\frac{\text{mL}}{\text{h}} = \frac{103\ \text{mL}}{{}^{1}\cancel{30}\ \cancel{\text{min}}} \times \frac{{}^{2}\cancel{60}\ \cancel{\text{min}}}{\text{h}}$$

$$x\,\frac{\text{mL}}{\text{h}} = 206\,\frac{\text{mL}}{\text{h}}$$

- Obtenez un résultat contenant une valeur numérique et une unité de mesure : *le débit de perfusion pour administrer le médicament de Mme Bergeron est de 206 mL/h.*

Méthode du rapport-proportion

- Transcrivez le rapport et remplacez les inconnues de l'équation par les données pertinentes en n'oubliant pas d'inscrire les unités de mesure :

$$\frac{x\ \text{mL}}{60\ \text{min}} = \frac{\text{Volume (mL)}}{\text{Temps de perfusion (min)}}$$

- Effectuez le calcul selon la méthode du rapport-proportion afin de déterminer la valeur de l'inconnue *x*, c'est-à-dire le débit de perfusion en millilitres par heure (mL/h). Simplifiez l'équation au besoin :

$$\frac{x \text{ mL}}{60 \text{ min}} = \frac{103 \text{ mL}}{30 \text{ min}}$$

$$x \text{ mL} \times 30 \text{ min} = 103 \text{ mL} \times 60 \text{ min}$$

$$\frac{x \text{ mL} \times \cancel{30 \text{ min}}}{\cancel{30 \text{ min}}} = \frac{103 \text{ mL} \times {}^{2}\cancel{60 \text{ min}}}{{}^{1}\cancel{30 \text{ min}}}$$

$$x \text{ mL} = 206 \text{ mL}$$

- Obtenez un résultat contenant une valeur numérique et une unité de mesure : *le débit de perfusion pour administrer le médicament de Mme Bergeron est de 206 mL/h.*

Étape 5 Vérifier le résultat obtenu

Cette cinquième et dernière étape est essentielle à l'administration sécuritaire d'un médicament.

- Validez le résultat obtenu : le calcul est-il exact ? Vérifiez-le en effectuant 2 fois votre calcul.

Si vous avez utilisé la méthode du rapport-proportion, vérifiez votre calcul en remplaçant la valeur de *x* dans l'équation par la réponse obtenue :

$$\frac{206 \text{ mL}}{60 \text{ min}} = \frac{103 \text{ mL}}{30 \text{ min}}$$

- Utilisez votre jugement pour déterminer si le résultat obtenu est vraisemblable. *Effectivement, ce résultat est plausible et conforme, puisque 103 mL représentent la moitié de 206 mL ; il est donc logique que ce volume perfuse en 30 min si le débit est de 206 mL/h.*

Puisqu'il s'agit de l'administration d'un médicament intraveineux, l'infirmière doit s'assurer de connaître la méthode de dilution en consultant le guide d'administration de médicaments parentéraux. De plus, elle doit prévoir une seringue de 10 mL munie d'une aiguille 21 G, 1 fiole de céfazoline 1 g, 1 fiole d'eau stérile pour dilution de 10 mL, le sac de D 5 % 100 mL, des tampons d'alcool et une étiquette d'identification avec le nom et prénom de la personne, sa date de naissance ou son numéro de dossier, ainsi que les informations relatives au médicament. Ces informations permettent d'effectuer une double vérification de la personne, avant l'administration du médicament.

Exercez-vous : p. 125 du cahier d'exercices.

<table><tr><td>OBJECTIF 5.6</td><td>

Calculer le débit de perfusion en gouttes par minute (gtt/min)

</td></tr></table>

Il est possible d'administrer une solution intraveineuse sans utiliser la pompe volumétrique. La perfusion s'écoule alors par gravité. Dans ce cas, on calcule le débit en gouttes par minute (gtt/min). Puisque chaque dispositif de perfusion se caractérise par un facteur d'écoulement qui lui est propre (voir le **tableau 5.2**), il est important de consulter l'emballage de la tubulure avant de procéder au calcul (**figure 5.8**).

C'est le régulateur de débit qui vous permet d'ajuster le nombre de gouttes qui s'écoulent dans la chambre compte-gouttes dans un temps donné.

Figure 5.8 Dispositif de perfusion. A. Instructions sur l'emballage de la tubulure. B. Position pour calculer le débit en gouttes par minute.

A

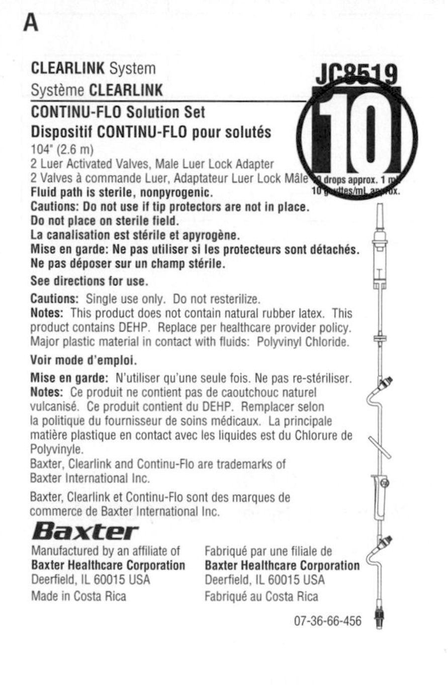

B

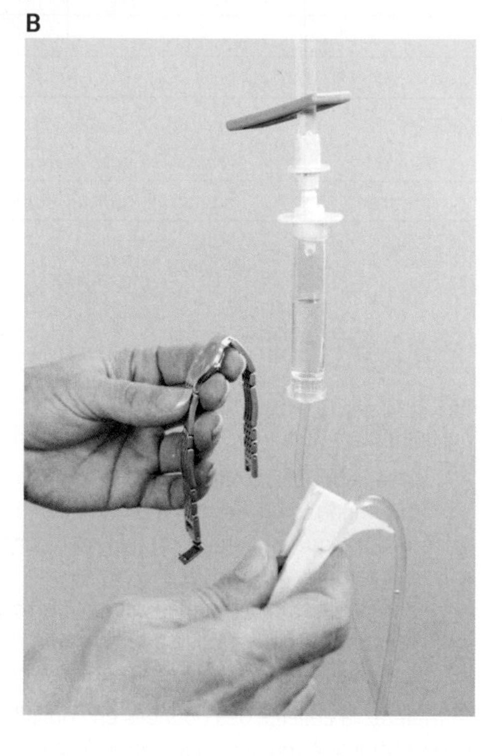

Voici un exemple. Vous devez administrer une perfusion continue de NS à 100 mL/h. Le facteur d'écoulement est de 20 gtt/min. À quel débit, en gouttes par minute (gtt/min), l'infirmier doit-il ajuster la perfusion ?

<table>
<tr><td colspan="3">MÉDICAMENTS</td><td colspan="3">Mongrain Hélène   DDN : 1944-08-19
75 ans</td></tr>
<tr><td colspan="3">POIDS : 73 kg ________ lb</td><td colspan="3">TAILLE : 166 cm ________ po</td></tr>
<tr><td colspan="3">ALLERGIE SUSPECTÉE :</td><td colspan="3">ALLERGIE CONFIRMÉE :
fruits de mer</td></tr>
<tr><td colspan="3">GROSSESSE : ________ / Semaines grossesse</td><td>☐ Biberon</td><td colspan="2">☐ Allaitement maternel</td></tr>
<tr><td>NOM</td><td>DOSE</td><td>VOIE</td><td>FRÉQUENCE</td><td>DURÉE</td><td>S. INF.</td></tr>
<tr><td>Perfusion de NaCl 0,9 %</td><td>100 mL/h</td><td>IV</td><td>STAT</td><td>En continu</td><td></td></tr>
<tr><td></td><td></td><td></td><td></td><td></td><td></td></tr>
<tr><td></td><td></td><td></td><td></td><td></td><td></td></tr>
</table>

2019-10-12	*10 h 00*	*Nancy Semianiw, médecin*	*978452*
Date	Heure	Signature du médecin	Nº de permis

Étape 1 Collecter les données

Assurez-vous que l'ordonnance ou la FADM est valide et recherchez les informations pertinentes pour administrer une dose sécuritaire :

- Date et heure de la rédaction de l'ordonnance : ***2019-10-12, 10 h 00***
- Nom, prénom de la personne et date de naissance : **Mongrain, Hélène, 1944-08-19**
- Nom générique ou commercial du médicament : ***NaCl 0,9 %***
- Dose prescrite : ***100 mL/h***
- Voie d'administration du médicament : ***intraveineuse***
- Moment ou fréquence de l'administration du médicament : ***Stat ou maintenant***
- Personne autorisée à prescrire le médicament : **Dre Nancy Semianiw**

Complétez la collecte des données en consultant la note d'évolution au dossier de la personne ainsi qu'une source de référence fiable et récente. Assurez-vous de bien connaître le NaCl en recherchant les informations importantes, par exemple que le soluté est isotonique. Il est généralement utilisé pour traiter l'hypovolémie et il faut surveiller régulièrement le site d'insertion. Vérifiez l'inscription au dossier, par le médecin, d'informations complémentaires et pertinentes. Le médecin a demandé une administration immédiate. Si l'infirmier avait plusieurs tâches à faire, il doit considérer celle-ci comme une priorité.

Repérez les données pertinentes pour effectuer le calcul de la dose à administrer, dont la dose prescrite de ***100 mL/h***.

Étape 2 Analyser les données

La deuxième étape consiste à analyser toutes les données recueillies.

- Repérez les données pertinentes qui serviront au calcul de la dose administrée : la dose prescrite, le type de soluté et le facteur d'écoulement.
- Comparez la dose prescrite avec le soluté disponible afin de vous assurer que les unités de mesure et le système sont les mêmes.

Dans l'exemple de Mme Mongrain, la dose prescrite est en millilitres, l'infirmier doit compter des gouttes et le temps est prescrit en heure. Comme l'infirmier doit faire l'ajustement du débit en une minute, il doit convertir les heures en minutes et les millilitres en gouttes.
1 h = 60 min

- Vérifiez s'il est pertinent d'utiliser le poids (en kilogrammes) ou certains résultats d'analyses sanguines pour effectuer les calculs. *Dans cet exemple, cela n'est pas nécessaire.*

Étape 3 Planifier la préparation

Cette étape consiste à se préparer, à réfléchir à la meilleure façon de calculer la dose requise et à sélectionner les données utiles. Choisissez la méthode de calcul de dose appropriée au contexte selon les données analysées : la méthode de la formule ou la méthode du rapport-proportion.

Méthode de la formule

$$\text{Débit}\left(\frac{\text{gtt}}{\text{min}}\right) = \frac{\text{Dose prescrite (mL)}}{\text{Durée totale (min)}} \times \text{Facteur d'écoulement}\left(\frac{\text{gtt}}{\text{mL}}\right)$$

Méthode du rapport-proportion

Dans ce contexte, cette méthode ajoute une complexité inutile qui augmente le risque d'erreurs. Par conséquent, elle ne sera pas présentée.

Sélectionnez les données nécessaires au calcul à partir de l'exemple de Mme Mongrain :

- Dose prescrite : **100 mL**
- Durée totale en min : **60 min**
- Facteur d'écoulement : **20 gtt/mL**

Étape 4 Calculer la dose

Cette étape consiste à résoudre le calcul exact de la dose prescrite avec la méthode de la formule.

Méthode de la formule

Transcrivez la formule et remplacez les inconnues de la formule par les données pertinentes en n'oubliant pas d'y inscrire les unités de mesure :

$$\text{Débit}\left(\frac{\text{gtt}}{\text{min}}\right) = \frac{\text{Dose prescrite (mL)}}{\text{Durée totale (min)}} \times \text{Facteur d'écoulement}\left(\frac{\text{gtt}}{\text{mL}}\right)$$

$$x\,\frac{\text{gtt}}{\text{min}} = \frac{100\ \text{mL}}{60\ \text{min}} \times \frac{20\ \text{gtt}}{\text{mL}}$$

- Effectuez le calcul selon la méthode de la formule afin de déterminer le nombre de millilitres à administrer. Simplifiez l'équation au besoin :

$$x\,\frac{\text{gtt}}{\text{min}} = \frac{100\ \cancel{\text{mL}}}{{}^{3}\cancel{60}\ \text{min}} \times \frac{{}^{1}\cancel{20}\ \text{gtt}}{\cancel{\text{mL}}}$$

$$x\,\frac{\text{gtt}}{\text{min}} = 33{,}\overline{3}\,\frac{\text{gtt}}{\text{min}}$$

- Obtenez un résultat contenant une valeur numérique et une unité de mesure : le débit de perfusion est de ***33 gtt/min.*** Puisque nous ne pouvons pas calculer des fractions de goutte, il est important d'arrondir la réponse obtenue à l'unité.

Étape 5 Vérifier le résultat obtenu

Cette cinquième et dernière étape est essentielle pour administrer un médicament de façon sécuritaire.

- Validez le résultat obtenu : le calcul est-il exact ? Vérifiez-le en effectuant 2 fois votre calcul.
- Utilisez votre jugement pour déterminer si le résultat obtenu est vraisemblable. *Effectivement, ce résultat est plausible et conforme. Puisqu'en divisant 100 mL par 60 min, on obtient 1,6 mL par minute, multiplié par 20 gtt par mL, on arrive à 33,3 gtt/min.*

Puisqu'il s'agit de l'administration d'une perfusion intraveineuse, l'infirmière doit s'assurer que le site est perméable, qu'elle a vérifié la date de péremption de la solution et de la tubulure, qu'elle possède le matériel nécessaire dont une étiquette d'identification avec le nom et prénom de la personne, sa date de naissance ou son numéro de dossier, ainsi que les informations relatives à la perfusion en fonction de la procédure du centre hospitalier. Ces informations permettent d'effectuer une double vérification de la personne, avant l'administration du médicament. Elle doit aussi s'assurer de compléter adéquatement la feuille d'ingesta et d'excréta pour effectuer le suivi de la perfusion.

ASTUCE

Afin de faire l'ajustement du débit plus rapidement, divisez le résultat obtenu en gouttes par minute (gtt/min) par 4. Le résultat que vous obtiendrez sera le nombre de gouttes par 15 secondes. Vous pourrez faire l'ajustement plus rapidement de cette façon et vous n'aurez pas à attendre toute la minute pour faire les ajustements nécessaires. Vous devez quand même vérifier le débit sur toute une minute une fois l'ajustement fait. Voici l'explication mathématique.

$$1\ \text{min} = 4 \times 15\ \text{s}$$

Exercez-vous : p. 126 du cahier d'exercices.

Calculs relatifs à la durée des perfusions

L'infirmière est responsable de la surveillance des perfusions intraveineuses. La surveillance horaire de la perfusion évite que se produisent de grands écarts entre ce qui est prescrit et ce que reçoit l'usager. Parfois, certains imprévus modifient la vitesse de perfusion, par exemple une perte du site ou un changement de position de la personne. L'infirmière doit alors ajuster le débit pour s'assurer de maintenir la vitesse prescrite. Elle doit également savoir comment déterminer avec précision le moment où se terminera une perfusion prescrite en millilitres par heure (mL/h) pour optimiser son temps et éviter qu'une perfusion se termine alors qu'elle n'est plus disponible.

OBJECTIF 5.7 Calculer la durée d'une perfusion en heures et minutes à partir d'un débit en millilitres par heure (mL/h)

Il est midi. Vous devez administrer 1 L de D 5 % NaCl 0,9 % à 150 mL/h. Par la suite, vous devrez diminuer le débit à 100 mL/h. À quelle heure la première perfusion s'achèvera-t-elle ?

FADM

NOM : PARADIS Luc
DOSSIER : 20070213
CHAMBRE : 475-1
DATE DE NAISSANCE : 1945-07-29
DATE D'ADMISSION : 2019-10-01
MÉDECIN PRESCRIPTEUR : Dre Nancy Renaud
FADM valide du 2019-10-01 à 00 h 00 au 2019-10-01 à 23 h 59

Poids : 95 kg | SC : | Allergies : pénicilline
Taille : 177 cm | Clcr : 1,67 mL/sec | Intolérances :

Médicaments	Nuit (00 h 00-07 h 59) Heure Initiales	Jour (8 h 00-15 h 59) Heure Initiales	Soir (16 h 00-23 h 59) Heure Initiales	Validité
D 5 % NaCl 0,9 % 1000 mL IV **<u>Perfusez 1 L à 150 mL/h, puis perfusez à 100 mL/h</u>**		~~12 h 00~~ VL		2019-10-01 11 h 45 2019-10-14 23 h 59

N		J		S	
	VL	Véronique Laniel			
Profil vérifié et conforme	ZM	Zoé Martin			

◯ Non donné (justifier)	A Personne absente	V Vomissement	J À jeun Voir note d'obs.	AA Auto-administration	NS Non servi
/ Rx administré	N Nausée	R Refuse	M* Manquant et note d'obs. requise	CT Congé temporaire	Ø Aucune unité d'insuline

Étape 1 Collecter les données

Assurez-vous que l'ordonnance ou la FADM est valide et recherchez les informations pertinentes pour administrer une dose sécuritaire :

- Date et heure de la rédaction de l'ordonnance : ***2019-10-01, 11 h 45***
- Nom, prénom de la personne et date de naissance : ***Paradis, Luc, 1945-07-29***
- Nom générique ou commercial du médicament : ***D 5 % NaCl 0,9 %***
- Débit de la perfusion : ***150 mL/h***
- Voie d'administration de la perfusion : ***intraveineuse***
- Moment ou fréquence de l'administration de la perfusion : ***en continu depuis 12 h 00***
- Personne autorisée à prescrire le médicament : ***Dre Nancy Renaud***

Complétez la collecte des données en consultant la note d'évolution au dossier de la personne ainsi qu'une source de référence fiable et récente. Assurez-vous de bien connaître la perfusion à administrer, le D 5 % NaCl 0,9 % en recherchant les informations importantes telles que l'indication et la raison d'administration, le mécanisme d'action, les éléments de surveillance des effets thérapeutiques et secondaires, et ce, à partir d'une source fiable, à jour et complète, avant de poursuivre. Vérifiez l'inscription au dossier, par le médecin, d'informations complémentaires et pertinentes. *Lors de la rédaction de l'ordonnance, le médecin a choisi un débit initial de 150 mL/h pour 1 L de solution, puis une perfusion de 100 mL/h.*

Repérez les données pertinentes pour effectuer le calcul de la dose à administrer : *la dose requise et le volume à perfuser.*

Étape 2 Analyser les données

La deuxième étape consiste à analyser toutes les données recueillies.

- Repérez les données pertinentes qui serviront au calcul de la dose à administrer : *la dose prescrite, la force du soluté et le volume à administrer.*
- Comparez la dose prescrite avec le médicament disponible afin de vous assurer que les unités de mesure et le système sont les mêmes.

Dans l'exemple de M. Paradis, *le volume à perfuser est présenté en litre et la dose est en millilitres. Il faudra convertir les litres en millilitres* :

1 L = 1000 mL

- Vérifiez s'il est pertinent d'utiliser le poids (en kilogrammes) ou certains résultats d'analyses sanguines pour effectuer les calculs. *Dans cet exemple, cela n'est pas nécessaire.*

Étape 3 Planifier la préparation

- Choisissez la méthode de calcul de dose appropriée au contexte selon les données analysées : la méthode de la formule ou la méthode du rapport-proportion.

Méthode de la formule

$$\text{Durée totale de la perfusion (min)} = \text{Volume prescrit (mL)} \times \frac{60\ \text{min}}{\text{Dose horaire (mL)}}$$

Méthode du rapport-proportion

$$\text{Dose}\left(\frac{\text{mL}}{60\ \text{min}}\right) = \frac{\text{Volume prescrit (mL)}}{\text{Durée totale (min)}}$$

- Sélectionnez les données nécessaires au calcul à partir de l'exemple de M. Paradis :
  - Dose horaire prescrite : ***150 mL***
  - Heure du début de la perfusion : ***12 h 00***
  - Volume prescrit : ***1000 mL***

Étape 4 Calculer la dose

Cette étape consiste à résoudre le calcul exact de la dose prescrite avec la méthode de la formule ou du rapport-proportion.

Méthode de la formule

- Transcrivez la formule et remplacez les inconnues de la formule par les données pertinentes en n'oubliant pas d'y inscrire les unités de mesure :

$$\text{Durée totale de la perfusion (min)} = \text{Volume prescrit (mL)} \times \frac{60\ \text{min}}{\text{Dose horaire (mL)}}$$

$$\text{Durée totale de la perfusion (min)} = 1000\ \text{mL} \times \frac{60\ \text{min}}{150\ \text{mL}}$$

- Effectuez le calcul selon la méthode de la formule afin de déterminer la durée de la perfusion en minutes. Simplifiez l'équation au besoin :

$$x\ \text{min} = 1000\ \text{mL} \times \frac{{}^{2}\cancel{60}\ \text{min}}{{}^{5}\cancel{150}\ \text{mL}} = 400\ \text{m}$$

- Obtenez un résultat contenant une valeur numérique et une unité de mesure : la durée de la perfusion en minutes de M. Paradis *est de* ***400 min****, ce qui représente 6 h 40. La perfusion se terminera donc à 18 h 40.*

Méthode du rapport-proportion

- Transcrivez le rapport et remplacez les inconnues de l'équation par les données pertinentes en n'oubliant pas d'y inscrire les unités de mesure :

$$\frac{\text{Dose horaire (mL)}}{60\ \text{min}} = \frac{\text{Volume prescrit (mL)}}{x\ \text{min}}$$

$$\frac{150\ \text{mL}}{60\ \text{min}} = \frac{1000\ \text{mL}}{x\ \text{min}}$$

- Effectuez le calcul selon la méthode du rapport-proportion afin de déterminer la valeur de l'inconnue x, c'est-à-dire la durée de la perfusion. Simplifiez l'équation au besoin :

$$\frac{x\ \text{min} \times \cancel{150\ \text{mL}}}{\cancel{150\ \text{mL}}} = \frac{100\cancel{0}\ \cancel{\text{mL}} \times 60\ \text{min}}{15\cancel{0}\ \cancel{\text{mL}}}$$

$$x\ \text{min} = 400\ \text{min}$$

Obtenez un résultat contenant une valeur numérique et une unité de mesure : la durée de la perfusion en minutes de M. Paradis *est de* ***400 min****, soit 6 h 40. La perfusion se terminera à 18 h 40.*

Étape 5 Vérifier le résultat obtenu

Cette cinquième et dernière étape est essentielle à l'administration sécuritaire d'un médicament.

- Validez le résultat obtenu : le calcul est-il exact ? Vérifiez-le en effectuant 2 fois votre calcul.
- Si vous avez utilisé la méthode du rapport-proportion, vérifiez votre calcul en remplaçant la valeur de x dans l'équation par la réponse obtenue :

$$\frac{150\ \text{mL}}{60\ \text{min}} = \frac{1000\ \text{mL}}{400\ \text{min}}$$

$$\frac{5}{2} = \frac{5}{2}$$

- Utilisez votre jugement pour déterminer si le résultat obtenu est vraisemblable. *Effectivement, ce résultat est plausible et conforme à la durée de perfusion de 1 L de soluté.*

  Puisqu'il s'agit de l'administration d'une perfusion intraveineuse, l'infirmière doit s'assurer que le site est perméable, qu'elle a vérifié la date de péremption de la solution et de la tubulure, qu'elle possède le matériel nécessaire, une étiquette d'identification avec le nom et prénom de la personne, sa date de naissance ou son numéro de dossier, ainsi que les informations relatives à la perfusion en fonction de la procédure du centre hospitalier. Ces informations permettent d'effectuer une double vérification de la personne, avant l'administration du médicament. L'infirmière doit aussi s'assurer de compléter adéquatement la feuille d'ingesta et d'excréta pour effectuer le suivi de la perfusion.

ASTUCE

Lorsque vous travaillez avec des unités de temps, il est préférable d'utiliser la **troncature** plutôt que d'arrondir pour assurer la surveillance de la perfusion et retourner auprès de la personne avant la fin de la perfusion.

Exercez-vous : p. 129 du cahier d'exercices.

Calculs relatifs à l'administration des médicaments intraveineux en unités par kilogramme ou en unités par heure

Dans le cas de l'administration de médicaments intraveineux en perfusion continue, le médecin prescrit parfois le débit de perfusion des médicaments en milligrammes par heure (mg/h), en microgrammes par heure (mcg/h)[3] ou en unités par heure (unités/h), plutôt qu'en millilitres par heure (mL/h).

Lorsque l'infirmière administre un médicament dont on doit ajuster les doses, elle doit assurer une surveillance clinique très étroite de la personne hospitalisée, car même une légère modification de la dose ou du débit peut causer un changement d'état considérable. Pour éviter que les personnes qui reçoivent ces médicaments courent un risque, l'infirmière utilise un appareil électronique de perfusion tel que la pompe volumétrique. Elle doit également être en mesure de calculer de façon sécuritaire les doses et les débits de perfusion de ces médicaments, compte tenu des différentes formes d'ordonnances (unités par kilogramme, unités par heure).

OBJECTIF 5.8 Calculer la dose d'un médicament intraveineux prescrit en unités par kilogramme (unités/kg)

Plusieurs médicaments intraveineux, l'héparine par exemple, sont administrés par voie intraveineuse.

En utilisant la démarche en 5 étapes et en s'inspirant d'une situation clinique, nous calculerons la dose requise.

Luis Watson, admis pour un infarctus du myocarde (sans thrombolyse), doit recevoir une dose d'héparine IV suivie d'une perfusion IV (voir l'ordonnance), en commençant par une dose d'attaque que l'on nomme **bolus**. Cette dose est souvent prescrite en fonction du poids de la personne. La fiole d'héparine disponible a une concentration de 10 000 unités/mL.

3. Voir le chapitre 7.

ORDONNANCES PROTOCOLE D'HÉPARINE IV		Luis Watson 12345 1944-10-21 22, rue de la Rivière Mont-Laurier (Québec) 819 623-1111
1.	Poids du patient	*100* kg
2.	a) Bolus **Standard** d'héparine – 80 unités/kg	_________ Unités IV (Angine ou infarctus sans thrombolyse 5000 unités maximum)
	b) Bolus d'héparine si thrombolyse – 60 unités/kg	_________ Unités IV (Maximum 4000 unités)
3.	a) Perfusion standard d'héparine 18 unités/kg/h D 5 % 500 mL + 25 000 unités d'héparine	_________ Unités/h (Angine ou infarctus sans thrombolyse : 1000 unités/h maximum)
	b) Perfusion d'héparine si thrombolyse 12 unités/kg/h	_________ Unités/h (maximum 1000 unités/h)
4.	Laboratoires	• PTT-FSC-PT avant bolus et/ou perfusion initiale • FSC die jusqu'à 2 jours après la cessation de l'héparine • PTT die (le matin) jusqu'à la cessation de l'héparine • PTT 6 heures post 1er bolus ou début de perfusion et selon tableau au bas de la page
5.	Ordonnance valide pour	• _________ Jours, ou 60 jours par défaut
N.B. : Si indiquée, la thérapie orale (warfarine) devrait débuter dans les 48 heures du début de l'héparine.		• PT+INR die le matin dès que la thérapie orale (warfarine) est débutée.

AJUSTEMENT DE LA THÉRAPIE

PTT de base* : _________ secondes Date et heure du prélèvement : _________

Si PTT de base ≥ 40, aviser le médecin : date et heure : _________

Patient demeure sur le protocole : _________ Patient hors protocole : _________ Initiales de l'infirmière : _________

- Aviser le médecin lorsque le PTT de contrôle demeure < 36 ou > 86 s, malgré un ajustement du débit de perfusion.
- Si thrombolyse, faire un PTT 3 heures post-thrombolyse et toutes les 6 heures par la suite jusqu'à atteinte des valeurs cibles.

*L'infirmière doit remplir la section PTT de base. Remplie par : _________________ inf.

Valeur du PTT (s)	Bolus d'héparine (unités) IV	Modification du débit de perfusion	Répéter PTT
< 36	Répéter la dose du bolus initial	↑ de 200 unités/h	6 h
36,0-45,9	0	↑ de 100 unités/h	6 h
46,0-65,9	0	0	Lendemain AM
66,0-75,9	0	↑ de 50 unités/h	6 h
76,0-85,9	0	↑ de 100 unités/h	6 h
≥ 86	0	Arrêt de 1 heure et reprendre ↓ de 200 unités/h	6 h après la reprise de la perfusion

2019-01-02	*10 h 12*	*Sylvie Marsan, médecin*	*972211*
Date	Heure	Signature du médecin	N° de permis

Étape 1 Collecter les données

Assurez-vous que l'ordonnance ou la FADM est valide et recherchez les informations pertinentes pour administrer une dose sécuritaire.

- Date et heure de la rédaction de l'ordonnance : ***2019-01-02, 10 h 12***

- Nom, prénom de la personne et date de naissance : ***Watson, Luis, 1944-10-21***
- Nom générique ou commercial du médicament : ***héparine***
- Dose en unités du médicament : ***80 unités/kg***
- Voie d'administration du médicament : ***intraveineuse***
- Moment ou fréquence de l'administration du médicament : ***Stat***
- Personne autorisée à prescrire le médicament : ***Dre Sylvie Marsan***

Complétez la collecte des données en consultant la note d'évolution au dossier de la personne ainsi qu'une source de référence fiable et récente. Assurez-vous de bien connaître le médicament à administrer, l'héparine, en recherchant les informations importantes, par exemple que le médicament est utilisé en présence d'infarctus sans élévation du segment ST sur un électrocardiogramme (ECG) comme anticoagulant et que la dose est ajustée en fonction du temps de céphaline activé (TCA). Les éléments de surveillance sont le TCA et les signes de saignement. Il faut aussi être vigilant quant à l'utilisation d'autres anticoagulants et de certains aliments comme l'ail, le gingembre et la camomille, qui peuvent accroître le temps de saignement. Vérifiez l'inscription au dossier par le médecin d'informations complémentaires et pertinentes. Lors de la rédaction de l'ordonnance, le médecin a privilégié l'administration d'une dose d'attaque suivie d'une perfusion continue. Les doses d'attaque et de perfusion sont calculées en fonction du poids et la dose d'attaque ne peut pas dépasser 5000 unités.

Repérez les données pertinentes pour effectuer le calcul de la dose à administrer, notamment la dose requise et les unités de mesure utilisées, soit ***80 unités/kg.***

Étape 2 Analyser les données

La deuxième étape consiste à analyser toutes les données recueillies.

- Repérez les données pertinentes qui serviront au calcul de la dose à administrer : la dose prescrite, la concentration du médicament et la quantité du médicament disponible.
- Comparez la dose prescrite avec le médicament disponible afin de vous assurer que les unités de mesure et le système sont les mêmes.

Dans l'exemple de M. Watson, *la dose prescrite (80 unités/kg) et la concentration (10 000 unités/mL) sont les mêmes*. Par conséquent, vous n'avez pas besoin d'effectuer de conversion avant de calculer la dose à administrer.

- Vérifiez s'il est pertinent d'utiliser le poids (en kilogrammes) ou certains résultats d'analyses sanguines pour effectuer les calculs. Dans cet exemple, il faut s'assurer d'avoir un bilan de coagulation avant de commencer la perfusion et il faut tenir compte du poids dans le calcul de la dose d'attaque et de la dose initiale de perfusion.

Étape 3 Planifier la préparation

Cette étape consiste à se préparer, à réfléchir à la meilleure façon de calculer la dose requise et à sélectionner les données utiles. Choisissez la méthode de calcul de dose appropriée au contexte selon les données analysées : la méthode de la formule ou la méthode du rapport-proportion.

Méthode de la formule

$$x \text{ unités à administrer} = \text{Dose prescrite} \left(\frac{\text{unités}}{\text{kg}}\right) \times \text{Poids (kg)}$$

Méthode du rapport-proportion

$$\frac{x \text{ unités à administrer}}{\text{Poids (kg)}} = \text{Dose prescrite} \left(\frac{\text{unités}}{\text{kg}}\right)$$

Sélectionnez les données nécessaires au calcul à partir de l'exemple de M. Watson :

- Dose prescrite : ***80 unités/kg***
- Concentration du médicament disponible : ***10 000 unités/mL***
- Volume du médicament disponible : ***1 mL***
- Poids de la personne : ***100 kg***

Étape 4 Calculer la dose

Cette étape consiste à résoudre le calcul exact de la dose prescrite avec la méthode de la formule ou du rapport-proportion.

Méthode de la formule

- Transcrivez la formule et remplacez les inconnues de la formule par les données pertinentes en n'oubliant pas d'y inscrire les unités de mesure :

$$x \text{ unités à administrer} = \frac{80 \text{ unités}}{1 \text{ kg}} \times 100 \text{ kg}$$

- Effectuez le calcul selon la méthode de la formule afin de déterminer le nombre d'unités à administrer. Simplifiez l'équation au besoin :

$$x \text{ unités à administrer} = \frac{80 \text{ unités}}{1 \cancel{\text{kg}}} \times 100 \cancel{\text{kg}}$$

$$x \text{ unités} = 8000 \text{ unités}$$

- Obtenez un résultat contenant une valeur numérique et une unité de mesure : *la quantité de médicament à administrer en unités à M. Watson est de* ***5000 unités d'héparine****, puisque la dose calculée, 8000 unités, est plus élevée que la dose maximale prescrite pour la dose d'attaque.*

Méthode du rapport-proportion

- Transcrivez le rapport et remplacez les inconnues de l'équation par les données pertinentes en n'oubliant pas d'y inscrire les unités de mesure :

$$\frac{x \text{ unités à administrer}}{\text{Poids (kg)}} = \text{Dose prescrite} \left(\frac{\text{unités}}{\text{kg}}\right)$$

$$\frac{x \text{ unités à administrer}}{100 \text{ kg}} = \frac{80 \text{ unités}}{1 \text{ kg}}$$

- Effectuez le calcul selon la méthode du rapport-proportion afin de déterminer la valeur de l'inconnue *x*, c'est-à-dire la quantité à administrer en unités. Simplifiez l'équation au besoin :

$$\frac{x \text{ unités à administrer} \times \cancel{1 \text{ kg}}}{\cancel{1 \text{ kg}}} = \frac{80 \text{ unités} \times 100 \cancel{\text{ kg}}}{1 \cancel{\text{ kg}}}$$

- Obtenez un résultat contenant une valeur numérique et une unité de mesure : *la quantité de médicament à administrer en unités à M. Watson est de **5000 unités d'héparine**, puisque la dose calculée, 8000 unités, est plus élevée que la dose maximale prescrite pour la dose d'attaque*.

Étape 5 Vérifier le résultat obtenu

Cette cinquième et dernière étape est essentielle à une administration sécuritaire d'un médicament.

- Validez le résultat obtenu : le calcul est-il exact ? Vérifiez-le en effectuant 2 fois votre calcul.
- Si vous avez utilisé la méthode du rapport-proportion, vérifiez votre calcul en remplaçant la valeur de *x* dans l'équation par la réponse obtenue :

$$\frac{80 \text{ unités}}{1 \text{ kg}} = \frac{8000 \text{ unités}}{100 \text{ kg}}$$

$$\frac{80}{1} = \frac{80}{1}$$

- Utilisez votre jugement pour déterminer si le résultat obtenu est vraisemblable : si vous devez administrer 80 unités pour chaque kilogramme, est-il logique d'administrer 8000 unités à une personne de 100 kg ? *Oui.*
- Avez-vous une dose maximale à respecter ? Ici l'ordonnance mentionnait d'administrer un maximum de 5000 unités. Puisque la dose calculée, 8000 unités, est plus grande que la dose prescrite, 5000 unités, vous administrerez seulement 5000 unités à M. Watson.

Dans la pratique des soins, l'infirmière doit installer la perfusion d'héparine au bon débit. Relevez le défi et calculez le débit de perfusion en unités par heure. Vous devriez obtenir un débit de 1800 unités/h, mais si vous lisez bien l'ordonnance, vous constatez que la dose de départ maximale est de 1000 unités/h puisque l'héparine est un anticoagulant et que le risque d'hémorragie est élevé.

ALERTE INFIRMIÈRE

Lorsque vous administrez de l'héparine, un médicament à haut risque, par voie parentérale, assurez-vous de suivre rigoureusement les mesures de sécurité essentielles, soit les **8 bons gestes** et la **double vérification indépendante.**

Tout au long de l'héparinisation, vous devez rester à l'affût des signes de saignements spontanés : **ecchymoses**, **épistaxis**, **hématurie**, **méléna**, **pétéchies** ou saignements gingivaux ainsi que des douleurs articulaires et lombaires qui seraient des signes de saignement **rétropéritoine**.

Exercez-vous : p. 132 du cahier d'exercices.

OBJECTIF 5.9 Calculer le débit de perfusion de l'héparine en unités par heure (unités/h)

Lorsqu'une ordonnance d'héparine est émise en unités par heure (unités/h), il est nécessaire de les convertir en millilitres par heure (mL/h) afin d'enregistrer les données requises et ainsi s'assurer que la programmation de la pompe volumétrique est adéquate. Reprenons l'exemple précédent, où la perfusion d'héparine doit débuter à 1000 unités/h. La concentration du sac d'héparine disponible (**figure 5.9**) est de 25 000 unités d'héparine dans un sac de D 5 % de 500 mL, soit 50 unités/mL. Utilisons la démarche en 5 étapes pour calculer le débit de perfusion.

Figure 5.9 Concentration de l'héparine disponible.

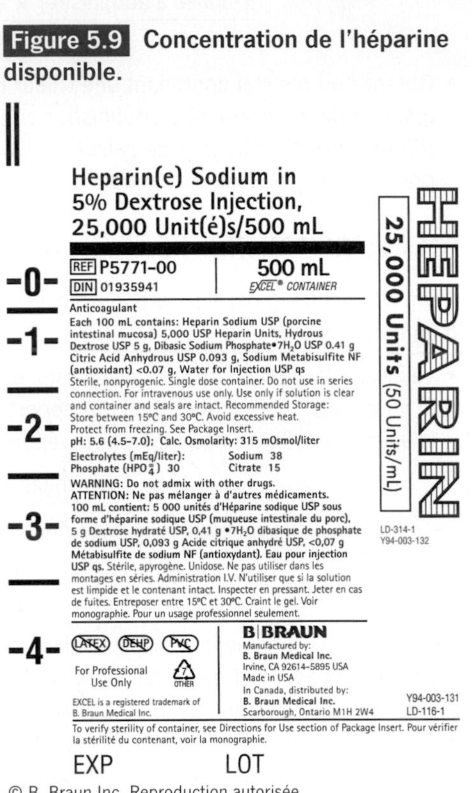

Étape 1 Collecter les données

Assurez-vous que l'ordonnance ou la FADM est valide et recherchez les informations pertinentes pour administrer une dose sécuritaire.

- Date et heure de la rédaction de l'ordonnance : ***2019-01-02, 10 h 12***
- Nom, prénom de la personne et date de naissance : ***Watson, Luis, 1944-10-21***
- Nom générique ou commercial du médicament : ***héparine***
- Dose en unités du médicament : ***1000 unités/h***
- Voie d'administration du médicament : ***intraveineuse***
- Moment ou fréquence de l'administration du médicament : ***en continu***
- Personne autorisée à prescrire le médicament : ***Dre Sylvie Marsan***

Lors du calcul de la dose d'attaque, nous avons fait les vérifications concernant le médicament. Vous devriez maintenant connaître les éléments essentiels pour une administration sécuritaire de l'héparine.

Étape 2 Analyser les données

La deuxième étape consiste à analyser toutes les données recueillies.

- Repérez les données pertinentes qui serviront au calcul de la dose à administrer : la dose prescrite, la concentration du médicament et la quantité du médicament disponible.
- Comparez la dose prescrite avec le médicament disponible afin de vous assurer que les unités de mesure et le système sont les mêmes.

Dans l'exemple de M. Watson, *la dose prescrite (1000 unités/h) et la concentration (25 000 unités/500 mL) sont les mêmes*. Par conséquent, vous n'avez pas besoin d'effectuer une conversion avant de calculer la dose à administrer.

- Vérifiez s'il est pertinent d'utiliser le poids (en kilogrammes) ou certains résultats d'analyses sanguines pour effectuer les calculs. Dans cet exemple, il faut s'assurer d'avoir un bilan de coagulation avant de commencer la perfusion et il faut tenir compte du poids pour calculer la dose d'attaque et la dose initiale de perfusion, mais nous avons déterminé que M. Watson allait recevoir la dose initiale maximale.

Étape 3 Planifier la préparation

Cette étape consiste à se préparer, à réfléchir à la meilleure façon de calculer la dose requise et à sélectionner les données utiles. Choisissez la méthode de calcul de dose appropriée au contexte selon les données analysées : la méthode de la formule ou la méthode du rapport-proportion.

Méthode de la formule

$$\text{Débit}\left(\frac{\text{mL}}{\text{h}}\right) = \text{Dose}\left(\frac{\text{unités}}{\text{h}}\right) \times \frac{\text{Volume (mL)}}{\text{Teneur (unités)}}$$

Méthode du rapport-proportion

$$\frac{\text{Teneur (unités)}}{\text{Volume (mL)}} = \frac{\text{Dose prescrite}\left(\frac{\text{unités}}{\text{h}}\right)}{x\ \text{débit}\left(\frac{\text{mL}}{\text{h}}\right)}$$

Sélectionnez les données nécessaires au calcul à partir de l'exemple de M. Watson :

- Dose prescrite : ***1000 unités/h***
- Teneur du médicament disponible : ***25 000 unités***
- Volume du médicament disponible : ***500 mL***

Étape 4 Calculer la dose

Cette étape consiste à effectuer le calcul exact de la dose prescrite avec la méthode de la formule ou celle du rapport-proportion.

Méthode de la formule

- Transcrivez la formule et remplacez les inconnues de la formule par les données pertinentes en n'oubliant pas d'inscrire les unités de mesure :

$$\text{Débit}\left(\frac{\text{mL}}{\text{h}}\right) = \frac{1000\ \text{unités}}{\text{h}} \times \frac{500\ \text{mL}}{25\,000\ \text{unités}}$$

- Effectuez le calcul selon la méthode de la formule afin de déterminer le débit de perfusion. Simplifiez l'équation au besoin :

$$x\frac{\text{mL}}{\text{h}} = \frac{1\cancel{000\ \text{unités}}}{\text{h}} \times \frac{^{1}\cancel{500}\ \text{mL}}{^{5}\cancel{25\,000\ \text{unités}}}$$

- Obtenez un résultat contenant une valeur numérique et une unité de mesure : *le débit de perfusion d'héparine de M. Watson est de 20 mL/h pour administrer 1000 unités/h.*

Méthode du rapport-proportion

- Transcrivez le rapport et remplacez les inconnues de l'équation par les données pertinentes en n'oubliant pas d'inscrire les unités de mesure :

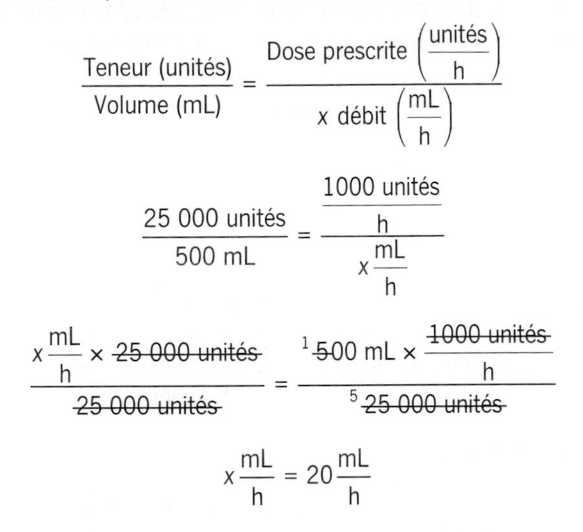

$$\frac{\text{Teneur (unités)}}{\text{Volume (mL)}} = \frac{\text{Dose prescrite}\left(\frac{\text{unités}}{\text{h}}\right)}{x \text{ débit}\left(\frac{\text{mL}}{\text{h}}\right)}$$

$$\frac{25\,000 \text{ unités}}{500 \text{ mL}} = \frac{\frac{1000 \text{ unités}}{\text{h}}}{x\frac{\text{mL}}{\text{h}}}$$

$$\frac{x\frac{\text{mL}}{\text{h}} \times \cancel{25\,000 \text{ unités}}}{\cancel{25\,000 \text{ unités}}} = \frac{{}^{1}\cancel{500} \text{ mL} \times \frac{\cancel{1000 \text{ unités}}}{\text{h}}}{{}^{5}\cancel{25\,000 \text{ unités}}}$$

$$x\frac{\text{mL}}{\text{h}} = 20\frac{\text{mL}}{\text{h}}$$

- Obtenez un résultat contenant une valeur numérique et une unité de mesure : *le débit de perfusion d'héparine de M. Watson est de 20 mL/h pour administrer 1000 unités/h.*

Étape 5 Vérifier le résultat obtenu

Cette cinquième et dernière étape est essentielle à l'administration sécuritaire d'un médicament.

- Validez le résultat obtenu : le calcul est-il exact ? Vérifiez-le en effectuant 2 fois votre calcul.
- Si vous avez utilisé la méthode du rapport-proportion, vérifiez votre calcul en remplaçant la valeur de x dans l'équation par la réponse obtenue :

$$\frac{25\,000 \text{ unités}}{500 \text{ mL}} = \frac{1000\frac{\text{unités}}{\text{h}}}{20\frac{\text{mL}}{\text{h}}}$$

$$\frac{50 \text{ unités}}{\text{mL}} = \frac{50 \text{ unités}}{\text{mL}}$$

Exercez-vous : p. 133 du cahier d'exercices.

Utilisez votre jugement pour déterminer si le résultat obtenu est vraisemblable. *Effectivement, ce résultat est plausible et conforme, car il respecte la dose maximale sécuritaire recommandée. Puisque la concentration est de 50 unités/mL multipliée par un débit de 20 mL/h, on obtient 1000 unités/h.*

OBJECTIF 5.10 Calculer le débit de perfusion de l'insuline en unités par heure (unités/h)

Pour administrer l'insuline en perfusion intraveineuse continue, on effectue le calcul des unités par heure de la même façon que pour l'héparine.

Nous appliquerons la démarche en 5 étapes à partir de la situation clinique suivante : le 24 novembre 2019 à 8 h 10, la D[re] Kim Robillard rédige l'ordonnance suivante pour Camille Doyon DDN : 1975-01-02. Il doit recevoir une perfusion d'insuline : 100 unités d'Humulin R dans 100 mL de NaCl 0,9 % à perfuser à un débit de 6 unités/heure. Déterminez le débit de perfusion en mL/h pour programmer la pompe volumétrique.

Étape 1 Collecter les données

Assurez-vous que l'ordonnance ou la FADM est valide et recherchez les informations pertinentes pour administrer une dose sécuritaire.

- Date et heure de la rédaction de l'ordonnance : ***2019-11-24, 8 h 10***
- Nom, prénom de la personne et date de naissance : ***Doyon, Camille, 1975-01-02***
- Nom générique ou commercial du médicament : ***Humulin R***
- Dose en unités du médicament : ***6 unités/h***
- Voie d'administration du médicament : ***intraveineuse***
- Moment ou fréquence de l'administration du médicament : ***en continu***
- Personne autorisée à prescrire le médicament : ***D[re] Kim Robillard***

Complétez la collecte des données en consultant la note d'évolution au dossier de la personne ainsi qu'une source de référence fiable et récente. Assurez-vous de bien connaître le médicament à administrer, l'insuline, en recherchant les informations importantes, notamment que le médicament est utilisé en présence de diabète pour abaisser la glycémie et que la dose doit être ajustée en fonction de la glycémie capillaire. Les éléments de surveillance sont la glycémie, la cétonémie et les symptômes d'hypoglycémie. Vérifiez l'inscription au dossier par le médecin d'informations complémentaires et pertinentes.

Repérez les données pertinentes pour effectuer le calcul de la dose à administrer, dont la dose requise et les unités de mesure utilisées, soit ***6 unités/h***.

Étape 2 Analyser les données

La deuxième étape consiste à analyser toutes les données recueillies.

- Repérez les données pertinentes qui serviront au calcul de la dose administrée : la dose prescrite, la concentration du médicament et la quantité du médicament disponible.
- Comparez la dose prescrite avec le médicament disponible afin de vous assurer que les unités de mesure et le système sont les mêmes.

Dans l'exemple de M. Doyon, *la dose prescrite (6 unités/h) et la concentration (100 unités/ 100 mL) sont les mêmes*. Par conséquent, il n'est pas nécessaire d'effectuer une conversion avant de calculer la dose à administrer.

- Vérifiez s'il est pertinent d'utiliser le poids (en kilogrammes) ou certains résultats d'analyses sanguines pour effectuer les calculs. Dans cet exemple, il faut s'assurer d'avoir un bilan de base avant de commencer la perfusion et de surveiller la glycémie capillaire selon la fréquence du protocole de l'établissement. Il n'est pas nécessaire de tenir compte du poids pour le calcul de la dose.

Étape 3 Planifier la préparation

Cette étape consiste à se préparer, à réfléchir à la meilleure façon de calculer la dose requise et à sélectionner les données utiles. Choisissez la méthode de calcul de dose appropriée au contexte selon les données analysées : la méthode de la formule ou la méthode du rapport-proportion.

Méthode de la formule

$$\text{Débit}\left(\frac{\text{mL}}{\text{h}}\right) = \text{Dose}\left(\frac{\text{unités}}{\text{h}}\right) \times \frac{\text{Volume (mL)}}{\text{Teneur (unités)}}$$

Méthode du rapport-proportion

$$\frac{\text{Teneur (unités)}}{\text{Volume (mL)}} = \frac{\text{Dose prescrite}\left(\frac{\text{unités}}{\text{h}}\right)}{x\ \text{débit}\left(\frac{\text{mL}}{\text{h}}\right)}$$

Sélectionnez les données nécessaires au calcul à partir de l'exemple de M. Doyon :

- Dose prescrite : ***6 unités/h***
- Teneur du médicament disponible : ***100 unités***
- Volume du médicament disponible : ***100 mL***

Étape 4 Calculer la dose

Cette étape consiste à effectuer le calcul exact de la dose prescrite avec la méthode de la formule ou celle du rapport-proportion.

Méthode de la formule

- Transcrivez la formule et remplacez les inconnues de la formule par les données pertinentes en n'oubliant pas d'inscrire les unités de mesure :

$$\text{Débit}\left(\frac{\text{mL}}{\text{h}}\right) = \frac{6\ \text{unités}}{\text{h}} \times \frac{100\ \text{mL}}{100\ \text{unités}}$$

- Effectuez le calcul selon la méthode de la formule afin de déterminer le débit de perfusion. Simplifiez l'équation au besoin :

$$x\left(\frac{\text{mL}}{\text{h}}\right) = \frac{6\ \cancel{\text{unités}}}{\text{h}} \times \frac{\cancel{100}\ \text{mL}}{\cancel{100}\ \cancel{\text{unités}}}$$

- Obtenez un résultat contenant une valeur numérique et une unité de mesure : *le débit de perfusion de l'insuline de M. Doyon est de 6 mL/h pour administrer 6 unités/h.*

Méthode du rapport-proportion

- Transcrivez le rapport et remplacez les inconnues de l'équation par les données pertinentes en n'oubliant pas d'inscrire les unités de mesure :

$$\frac{\text{Teneur (unités)}}{\text{Volume (mL)}} = \frac{\text{Dose prescrite}\left(\frac{\text{unités}}{\text{h}}\right)}{\text{x débit}\left(\frac{\text{mL}}{\text{h}}\right)}$$

$$\frac{100 \text{ unités}}{100 \text{ mL}} = \frac{\frac{6 \text{ unités}}{\text{h}}}{x\frac{\text{mL}}{\text{h}}}$$

$$\frac{x\frac{\text{mL}}{\text{h}} \times \cancel{100 \text{ unités}}}{\cancel{100 \text{ unités}}} = \frac{\cancel{100} \text{ mL} \times \frac{6 \cancel{\text{ unités}}}{\text{h}}}{\cancel{100 \text{ unités}}}$$

$$x\frac{\text{mL}}{\text{h}} = 6\frac{\text{mL}}{\text{h}}$$

- Obtenez un résultat contenant une valeur numérique et une unité de mesure : *le débit de perfusion de l'insuline de M. Doyon est de 6 mL/h pour administrer 6 unités/h.*

Étape 5 Vérifier le résultat obtenu

Cette cinquième et dernière étape est essentielle à l'administration sécuritaire d'un médicament.

- Validez le résultat obtenu : le calcul est-il exact ? Vérifiez-le en effectuant 2 fois votre calcul.
- Si vous avez utilisé la méthode du rapport-proportion, vérifiez votre calcul en remplaçant la valeur de *x* dans l'équation par la réponse obtenue :

$$\frac{100 \text{ unités}}{100 \text{ mL}} = \frac{6\frac{\text{unités}}{\text{h}}}{6\frac{\text{mL}}{\text{h}}}$$

$$\frac{1 \text{ unité}}{\text{mL}} = \frac{1 \text{ unité}}{\text{mL}}$$

- Utilisez votre jugement pour déterminer si le résultat obtenu est vraisemblable. *Effectivement, ce résultat est plausible et conforme, car il respecte la dose sécuritaire recommandée. Puisque la concentration est de 1 unité/mL multipliée par un débit de 6 mL/h, on obtient 6 unités/h.*

Exercez-vous : p. 135 du cahier d'exercices.

La préparation et l'administration des médicaments pour la clientèle pédiatrique

6

Certains objectifs sans portée pratique n'ont pas d'exercices correspondants ; ils ne figurent donc pas dans le cahier d'exercices.

La clientèle pédiatrique regroupe les enfants âgés de 0 à 17 ans inclusivement, soit les nouveau-nés, les enfants et les adolescents. On procède différemment pour calculer les doses de médicaments, car, en raison du développement physiologique de ces groupes d'âge, le taux d'absorption des médicaments, leur **distribution**, la vitesse du métabolisme et le taux d'excrétion ne sont pas les mêmes que chez les adultes. On prescrit les doses de médicaments en fonction du poids ou de la **surface corporelle** de l'enfant et celles-ci seront donc uniques à chacun.

Matériel utilisé pour l'administration des médicaments

Les médicaments pédiatriques se présentent sous diverses formes. La forme liquide est souvent utilisée, car il est plus facile pour un enfant d'avaler un liquide que des comprimés. Certains comprimés sont croquables, mais pas tous. Les doses de médicaments pour les enfants étant moindres que celles pour les adultes, le volume d'un médicament pédiatrique administré sous forme liquide sera inférieur. Le matériel utilisé pour administrer les médicaments pédiatriques doit donc être adapté à de plus petites doses. C'est pourquoi il est parfois différent de celui destiné à la clientèle adulte, notamment pour les médicaments administrés par voie orale.

OBJECTIF 6.1

Découvrir le matériel adapté à la clientèle pédiatrique pour la préparation des médicaments administrés par voie orale

Les médicaments pour les jeunes enfants se présentent sous forme liquide et il existe divers dispositifs pour les administrer. En voici quelques exemples.

Seringue graduée

Il est recommandé d'utiliser une seringue graduée (sans aiguille[1]) pour prélever les doses de médicaments liquides de 0,01 mL à 10 mL. Elle permet de mesurer une dose précise avec exactitude. Toutefois, certaines particularités s'appliquent lors d'une utilisation avec la clientèle pédiatrique. Les voici :

1. Voir le chapitre 3, figure 3.4.

- La seringue doit être manipulée avec soin de façon que l'extrémité qui va dans la bouche de l'enfant reste propre. Lors du prélèvement de liquide, l'embout de la seringue est en contact direct avec le liquide, mais cet embout ne doit pas entrer en contact avec les doigts de l'infirmière. Il faut laisser une zone de 4 cm environ, près de l'embout, qui doit être exempte de tout contact avec les doigts. Il est recommandé de garder l'emballage plastique de la seringue ; cela permet d'y déposer la seringue (**figure 6.1**) pour éviter la contamination en touchant la surface du comptoir ou du chariot à médicaments.

Figure 6.1 Dépôt d'une seringue sur son emballage plastique.

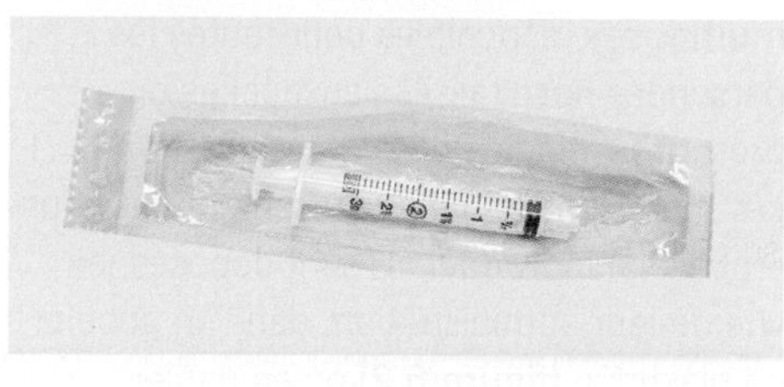

- L'étiquette d'identification du médicament, collée préalablement pour identifier le médicament sur la seringue, doit être retirée avant d'administrer le médicament dans la bouche de l'enfant. Il faut retirer l'étiquette pour éviter que l'enfant la mordille et mange le papier.
- Les enfants de 4 à 11 ans apprécient le fait de pouvoir aspirer le médicament contenu dans la seringue. Certains iront jusqu'à pousser eux-mêmes le piston de la seringue pour faire couler le médicament dans leur bouche. Ils sont alors fiers de montrer la seringue vide. L'infirmière peut offrir la seringue en cadeau après l'avoir nettoyée.

Gobelet de papier et gobelet gradué

Les médicaments pédiatriques se présentent souvent sous forme liquide. À l'adolescence, les enfants préfèrent boire leur médicament dans un gobelet gradué plutôt que de le recevoir par l'intermédiaire d'une seringue graduée. Ils vont aussi essayer d'avaler les comprimés. Il existe des gobelets d'un maximum de 15 mL[2] gradués à 2,5 mL, 5 mL, 7,5 mL, 10 mL, 12,5 mL et 15 mL pour mesurer des doses de médicament liquide à donner par la voie orale (**figure 6.2**). On utilise ce dernier pour des doses de 5 mL et plus pourvu que la quantité corresponde à un multiple de 2,5 mL.

Figure 6.2 Gobelet gradué pédiatrique.

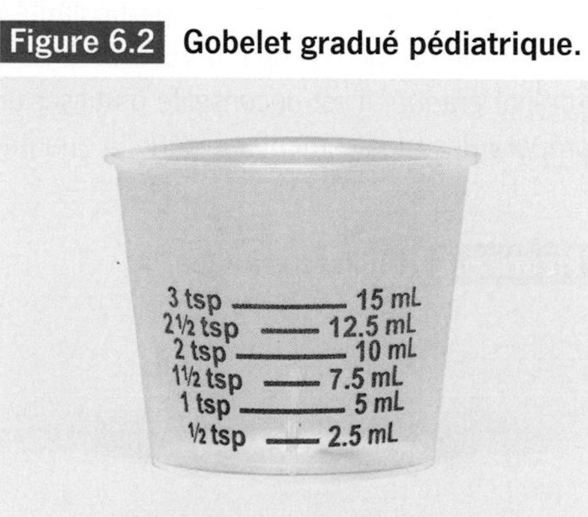

La mesure est toutefois moins précise qu'avec une seringue graduée. Le gobelet gradué est souvent utilisé en pédiatrie pour mesurer des doses d'acétaminophène (antipyrétique, analgésique non opioïde) ou de prednisolone (corticostéroïde à action intermédiaire) liquide.

2. Il existe également des gobelets de 30 mL (voir le chapitre 3).

En centre hospitalier, on conserve certains médicaments dans des **contenants multidoses** disponibles pour toutes les personnes hospitalisées auxquelles on a prescrit ce médicament. Considérant que ces médicaments ne se présentent pas sous emballage individuel, ils sont déposés, en vue de leur administration, dans un gobelet en plastique (**figure 6.2**) ou en papier (**figure 6.3**). C'est le cas, par exemple, de l'ibuprofène (antipyrétique, analgésique non opioïde et anti-inflammatoire non stéroïdien, en suspension) qu'on dépose dans un gobelet en plastique, et de l'acétaminophène en comprimés croquables, qu'on place dans un gobelet en papier. Parfois, il faut verser le médicament sous forme liquide dans un gobelet en plastique pour ensuite prélever la dose avec une seringue graduée, car l'embout de la seringue n'entre pas dans l'ouverture du contenant.

Figure 6.3 **Gobelet en papier.**

Dispositifs complémentaires

À la maison, les parents utilisent divers dispositifs fournis avec les médicaments lors de l'achat : une **cuillère graduée** (**figure 6.4**), une seringue buccale (**figure 6.5**), une seringue facilidose, dont la particularité est de se fixer facilement au capuchon de la bouteille du médicament (**figure 6.6**), un **compte-gouttes gradué** (**figure 6.7**) ou un gobelet gradué. Il est déconseillé d'utiliser une cuillère à thé ou une cuillère à table pour préparer les médicaments puisque la quantité mesurée, avec ces ustensiles, est imprécise.

Figure 6.4 **Cuillère graduée.**

Figure 6.5 **Seringue buccale.**

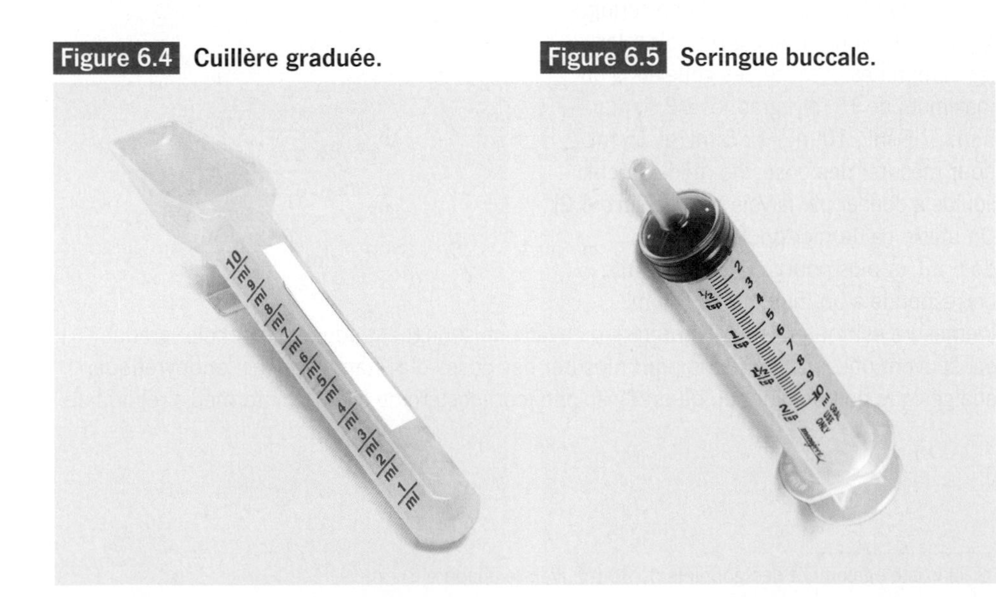

Figure 6.6 Seringue facilidose.

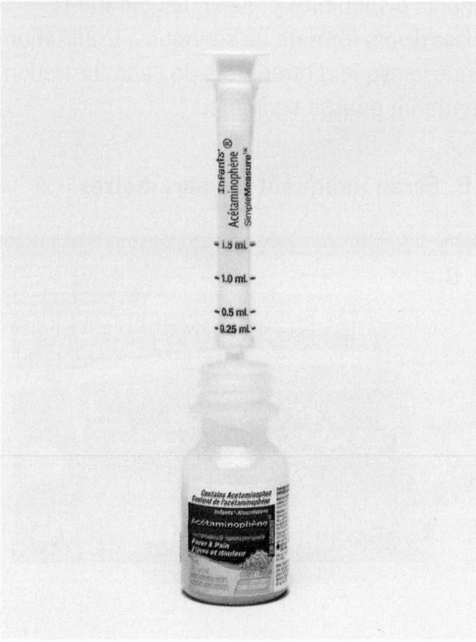

Figure 6.7 Compte-gouttes gradué.

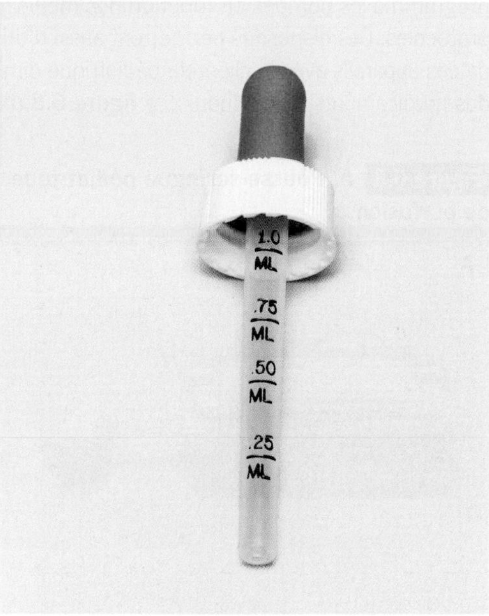

OBJECTIF 6.2 Découvrir le matériel adapté à la clientèle pédiatrique pour l'administration des médicaments par voie parentérale

Voies sous-cutanée, intradermique et intramusculaire

Le matériel utilisé pour préparer les médicaments par voie sous-cutanée, intradermique et intramusculaire est le même que pour la clientèle adulte[3].

Voie intraveineuse

Le matériel utilisé pour reconstituer les solutions de médicaments injectables est identique à celui destiné aux adultes[4]. Les solutions intraveineuses (perfusion primaire) ainsi que les médicaments dilués dans un minisac (perfusion secondaire) sont administrés à l'aide d'une pompe volumétrique.

Il existe des pousse-seringues munis d'un système de réduction des erreurs de dose. En effet, ces pompes contiennent une liste de noms de médicaments, les concentrations

3. Voir le chapitre 4, section « Matériel destiné à l'administration des médicaments par voie parentérale » (p. 91).
4. Voir le chapitre 4, section « Matériel destiné à l'administration des médicaments par voie parentérale » (p. 91).

habituelles et les doses limites. La plupart du temps, le service de la pharmacie de l'hôpital programme les pompes en fonction des médicaments disponibles et selon les différents protocoles. Ces dispositifs permettent aussi d'utiliser divers formats de seringues. L'utilisation de ces appareils avec la clientèle pédiatrique diminue le risque d'erreur lors de l'administration des médicaments intraveineux. La **figure 6.8** montre un pousse-seringue.

Figure 6.8 **A. Pousse-seringue pédiatrique. B. Écran indiquant les paramètres de perfusion.**

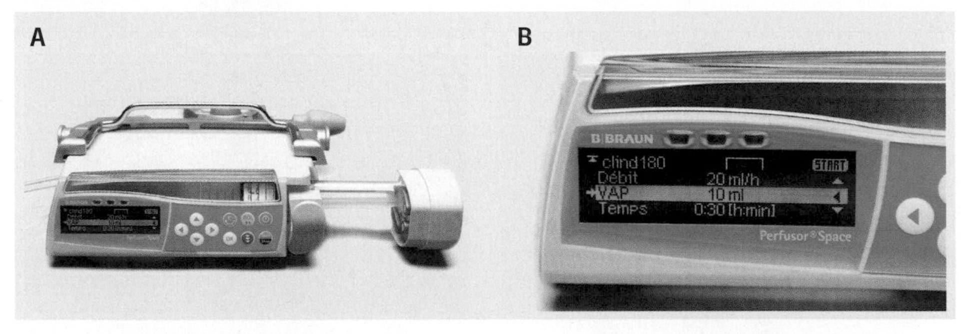

Situations nécessitant des calculs

L'infirmière n'effectue pas que des calculs pour administrer des médicaments ; elle doit en faire dans plusieurs situations particulières. Parfois, un enfant est hospitalisé pour des vomissements ou pour une fièvre d'origine inconnue. Il peut être déshydraté et recevoir un soluté qui permet de combler ses besoins hydriques. L'infirmière doit s'assurer que la quantité de soluté et/ou de liquides ingérés ne dépasse pas la quantité maximale que l'enfant peut absorber en une journée pour éviter une surcharge liquidienne. Par ailleurs, un nourrisson ou un enfant qui présente une perte de poids importante pourrait avoir un trouble alimentaire sous-jacent. L'infirmière doit peser l'enfant selon un protocole qui tient compte des raisons de l'hospitalisation. Le pourcentage de perte de poids calculé par l'infirmière guidera le médecin pour le traitement de l'enfant.

OBJECTIF 6.3

Convertir en livres et en onces le poids en grammes ou en kilogrammes du nouveau-né ou de l'enfant, et inversement

Le poids d'un nouveau-né est habituellement donné en grammes et celui d'un enfant en kilogrammes. Dans certaines situations, l'infirmière doit convertir en livres et en onces le poids donné en grammes ou en kilogrammes, ou effectuer la conversion inverse. Il existe des tables de conversion indiquant les équivalences grammes/livres et onces, mais elles ne sont pas toujours disponibles dans les unités de soins. En pédiatrie, on pèse les enfants en kilogrammes, mais ce ne sont pas toutes les balances qui font la conversion en livres et en onces. Lors de la naissance d'un nouveau-né, l'infirmière le pèse en grammes. Il n'est pas rare que les parents veuillent connaître le poids de leur enfant en livres et en onces.

Exemple :

Convertissez un poids donné en grammes en livres et en onces.

Marie-Léa pèse 4158 g à la naissance. Les parents demandent à l'infirmière : « Combien pèse-t-elle en livres et en onces ? »

D'abord, il faut connaître les équivalences des systèmes métrique (kilogrammes, grammes) et impérial (livres et onces). Le **tableau 1.3** (page 27), indique les valeurs de références suivantes : 1 kilogramme = 2,2 livres et 1 livre = 16 onces.

Étape 1

Convertissez le poids en grammes en kilogrammes.

$$4158 \text{ g} = 4{,}158 \text{ kg}$$

Convertissez le poids en kilogrammes en livres.

$$\frac{1 \text{ kg}}{2{,}2 \text{ lb}} = \frac{4{,}158 \text{ kg}}{x \text{ lb}}$$

Effectuez le produit croisé.

$$x \text{ lb} \times 1 \text{ kg} = 2{,}2 \text{ lb} \times 4{,}158 \text{ kg}$$

$$x \text{ lb} = \frac{2{,}2 \text{ lb} \times 4{,}158 \cancel{\text{kg}}}{1 \cancel{\text{kg}}}$$

$$x \text{ lb} = 9{,}1476 \text{ lb}$$

Étape 2

Convertissez les fractions de livres en onces.

$$\frac{1 \text{ lb}}{16 \text{ oz}} = \frac{0{,}1476 \text{ lb}}{x \text{ oz}}$$

$$x \text{ oz} \times 1 \text{ lb} = 16 \text{ oz} \times 0{,}1476 \text{ lb}$$

$$x \text{ oz} = \frac{16 \text{ oz} \times 0{,}1476 \cancel{\text{lb}}}{1 \cancel{\text{lb}}}$$

$$x \text{ oz} = 2{,}3616 \text{ oz}$$

Arrondissez la réponse à l'once, donc 2,3616 oz = 2 onces.

Étape 3

Combinez les livres et les onces.

Le poids de l'enfant est de 9 livres et 2 onces.

Exemple :

Convertissez un poids en livres et onces en kilogrammes.

Maxime pèse 10 lb et 2 oz. Quel est son poids en kilogrammes ?

Étape 1

Convertissez d'abord en fraction de livre la partie exprimée en onces.

$$\frac{16 \text{ oz}}{1 \text{ lb}} = \frac{2 \text{ oz}}{x \text{ lb}}$$

$$x \text{ lb} \times 16 \text{ oz} = 1 \text{ lb} \times 2 \text{ oz}$$

$$x \text{ lb} = \frac{1 \text{ lb} \times 2 \cancel{\text{oz}}}{16 \cancel{\text{oz}}}$$

$$x \text{ lb} = 0{,}125 \text{ lb}$$

Étape 2

Ajoutez le résultat obtenu à l'étape 1 au poids déjà exprimé en livres.

$$10 \text{ lb} + 0{,}125 \text{ lb} = 10{,}125 \text{ lb}$$

Étape 3

Convertissez le poids obtenu à l'étape 2 en kilogrammes.

$$\frac{1 \text{ kg}}{2{,}2 \text{ lb}} = \frac{x \text{ kg}}{10{,}125 \text{ lb}}$$

$$x \text{ kg} \times 2{,}2 \text{ lb} = 10{,}125 \text{ lb} \times 1 \text{ kg}$$

$$x \text{ kg} = \frac{10{,}125 \cancel{\text{lb}} \times 1 \text{ kg}}{2{,}2 \cancel{\text{lb}}}$$

$$x \text{ kg} = 4{,}6022727 \text{ kg}$$

Arrondissez au dixième : le poids de Maxime est donc de 4,6 kg.

Exercez-vous : p. 146 du cahier d'exercices.

OBJECTIF 6.4 Calculer en pourcentage la perte de poids du nouveau-né ou de l'enfant

Il est fréquent qu'un nouveau-né perde jusqu'à 10 % de son poids lors des 5 premiers jours suivant sa naissance. Cette baisse est due à la perte de liquides éliminés dans l'urine et les selles, au métabolisme accéléré du nouveau-né, ainsi qu'à un apport hydrique limité. Par exemple, dans ses premiers jours de vie, un nouveau-né allaité reçoit le colostrum (liquide laiteux, riche en anticorps, sécrété par la glande mammaire) puisque la montée laiteuse survient entre le deuxième et le cinquième jour après la naissance. Or, le colostrum est moins calorique que le lait maternel.

L'infirmière vérifie le poids à la naissance ainsi qu'à chaque jour suivant la naissance, aussi longtemps que dure l'hospitalisation. L'infirmière du CLSC assure un suivi du poids du nouveau-né lorsque celui-ci obtient son congé de l'hôpital. La fréquence du suivi peut varier d'un CLSC à l'autre en fonction des conditions particulières de chaque nouveau-né.

L'infirmière doit effectuer un suivi du poids, puisqu'une perte de plus de 10 % du poids de naissance pourrait indiquer un problème d'alimentation, par exemple un allaitement inefficace. Si l'apport alimentaire est insuffisant, le nouveau-né risque de souffrir de déshydratation et de présenter une **hyperbilirubinémie**. En tout temps, l'infirmière évalue l'efficacité de l'allaitement ou s'assure que le nouveau-né tolère bien le lait maternisé, en vérifiant le nombre et la couleur des mictions et le nombre, la couleur et l'apparence des selles. Elle le pèse aussi tous les matins ou selon le protocole du centre hospitalier pour noter son poids. Elle peut ainsi analyser la perte ou le gain de poids en comparant les valeurs du jour avec les précédentes. L'infirmière évalue aussi les séances d'allaitement et fournit de l'enseignement à la mère si elle juge qu'il y aurait des interventions à faire pour améliorer l'allaitement et ainsi augmenter l'apport nutritionnel du nouveau-né. Habituellement, le nouveau-né retrouve son poids initial dans les 7 à 10 jours suivant sa naissance. L'infirmière peut formuler des constats et des directives au PTI si nécessaire, à la suite des données collectées sur le poids et l'allaitement.

Exemple :

Voici une situation clinique de périnatalité. Un nouveau-né pesait 3678 g à la naissance et son poids est de 3545 g, 24 heures plus tard. L'infirmière calcule la perte de poids pour effectuer le suivi nécessaire. Quelle est la perte de poids en pourcentage[5] ?

Établissez la perte de poids.

3678 g (poids à la naissance) – 3545 g (poids actuel) = 133 g (poids perdu)

Divisez la valeur du poids perdu par le poids de naissance.

$$\frac{133\ \cancel{g}}{3678\ \cancel{g}} = 0,036\ 160\ 9$$

Déterminez le pourcentage en multipliant par 100.

$$0,036\ 160\ 9 \times 100 = 3,616\ 09\ \%$$

Arrondissez au dixième.

3,616 09 arrondi au dixième donne 3,6 %.

Ce résultat indique une perte de poids de 3,6 % en 24 heures. Pour l'instant, il n'y a rien d'inquiétant, puisque cette baisse, bien inférieure à 10 %, reste dans les valeurs acceptables.

5. Pour la notion de pourcentage, voir le chapitre 1, section « Conversions diverses » (p. 25).

D'autres situations peuvent nécessiter de faire un suivi concernant la perte de poids, par exemple en cas de gastroentérite ou lors du dépistage d'une anorexie mentale. L'anorexie mentale se définit comme la recherche de la minceur par une personne. Elle est souvent diagnostiquée chez les adolescentes qui ont peur de l'obésité et qui restreignent leur alimentation, et dont le poids se situe en dessous des normes en fonction de leur âge et de leur taille. Il est alors nécessaire de peser l'enfant ou l'adolescente et de calculer le pourcentage de perte de poids plus fréquemment, par exemple, chaque jour ou trois fois par semaine, etc.

Exercez-vous : p. 147 du cahier d'exercices.

OBJECTIF 6.5

Calculer les besoins hydriques d'entretien en fonction du poids de l'enfant

Que représentent les besoins hydriques d'entretien ? Ils sont définis comme la quantité d'eau qu'un enfant doit recevoir pour répondre à ses besoins métaboliques, dans une période donnée. Ces besoins visent à combler les liquides perdus par les **pertes insensibles et sensibles** en 24 heures. La transpiration est un exemple de perte insensible, alors que les vomissements et la diarrhée sont des pertes sensibles.

Plus les enfants sont jeunes et plus les risques de déshydratation sont grands. En effet, chez l'enfant en bas âge, la surface corporelle est plus grande par rapport à son poids que chez l'adulte. Les pertes insensibles sont donc plus importantes.

Calcul des besoins hydriques

Encore aujourd'hui, on se sert principalement de la méthode créée par Holliday et Segar en 1957 pour estimer les besoins d'entretien en eau chez les enfants dont l'âge se situe entre une semaine et 18 ans.

Le **tableau 6.1** donne une estimation des besoins d'entretien en eau en fonction du poids (après la première semaine de vie)[6]. On constate que l'apport hydrique quotidien maximal est de 2400 mL/24 h. Cet apport comprend les liquides ingérés par la bouche et ceux administrés par voie intraveineuse.

Le calcul des besoins hydriques est effectué selon le poids de l'enfant ou du nourrisson. Si le nombre de millilitres obtenus dépasse 2400 mL, peu importe l'âge, la limite est tout de même de 2400 mL/24 h. En tout temps, il faut prendre en compte l'état de santé de l'enfant ou de l'adolescent dans le calcul des besoins hydriques.

Ajustements de l'apport hydrique

L'infirmière doit évaluer la quantité de liquide qu'un enfant reçoit en 24 heures pour s'assurer que les besoins hydriques journaliers sont comblés. Elle est responsable d'ajuster le débit de la perfusion selon le cas.

6. TURGEON et autres, *Dictionnaire de pédiatrie Weber*, 2015, p. 320. Tableau partiel. La colonne *Besoins caloriques* a été supprimée, car cette notion n'est pas traitée dans ce manuel.

Tableau 6.1 Estimation des besoins d'entretien en eau en fonction du poids (après la première semaine de vie, et ce jusqu'à 18 ans)

	Besoins hydriques quotidiens	Besoins hydriques horaires
Poids de l'enfant ≤ 10 kg	100 mL/kg	4 mL/kg/h
Poids de l'enfant 10 kg – 20 kg	1000 mL + 50 mL/kg pour chaque kg > 10 kg	40 ml /h + 2 mL/kg/h pour chaque kg > 10 kg
Poids de l'enfant > 20 kg	1500 mL + 20 mL/kg pour chaque kg > 20 kg	60 mL/h + 1 mL/kg/h pour chaque kg > 20 kg

Source : Jean TURGEON, Catherine HERVOUET-ZEIBER, Philippe OVETCHK, Anne Claude BERNARD-BONNIN, Marie GAUTHIER, *Dictionnaire de pédiatrie Weber*, Montréal, Chenelière éducation, 2015, 1366 p.

Exemple 1 :

Un enfant dont le poids est de 41 kg est admis avec un diagnostic de gastroentérite. Son soluté perfuse à 80 mL/h pour assurer un apport hydrique adéquat selon son poids. Sur une période de 24 heures, l'enfant reçoit donc 80 mL × 24 h = 1920 mL.

L'ordonnance médicale précise qu'il faut diminuer le débit de la perfusion selon la quantité de liquide ingéré, lorsque l'enfant reprend l'alimentation liquide par la bouche. Par exemple, à 8 h, l'enfant a reçu 80 mL × 8 h = 640 mL de soluté. L'enfant boit 250 mL de jus au déjeuner. L'infirmière doit ajuster le débit de la perfusion pour les prochaines heures. Voici les informations utiles pour ajuster le débit de perfusion :

- En 24 heures, l'enfant doit recevoir 1920 mL.
- L'enfant a reçu 640 mL de liquide durant les 8 premières heures.
- Il reste 16 heures de perfusion dans la journée.
- L'enfant a bu 250 mL de jus.

Calcul :

$$640 \text{ mL} + 250 \text{ mL} = 890 \text{ mL reçus en 8 heures}$$

$$1920 \text{ mL} - 890 \text{ mL} = 1030 \text{ mL à perfuser en 16 heures}$$

$$\frac{1030 \text{ mL}}{16 \text{ h}} = 64,375 \text{ mL/h}$$

Il faut donc ajuster la pompe volumétrique à 64,4 mL/h. On peut régler le débit de perfusion chaque fois que l'enfant ingère des liquides. Lorsque le débit atteint 10 mL/h, on peut soit laisser la perfusion à ce débit afin de garder la veine ouverte, soit garder le cathéter en place avec un bouchon salin et arrêter la perfusion selon la prescription.

Exemple 2 :

Alexandre est admis pour des vomissements d'origine inconnue qui durent depuis 3 jours. Le médecin voudrait effectuer des tests diagnostiques du système gastro-intestinal le plus tôt possible. L'ordonnance (**figure 6.9**) indique que l'enfant ne doit rien ingérer par la bouche pour l'instant. Calculez ses besoins hydriques quotidiens.

Figure 6.9 **Ordonnance d'Alexandre Desjardins.**

MÉDICAMENTS			Desjardins Alexandre DDN : 2014-03-19 5 ans		
POIDS : 23 kg ______ lb			TAILLE : 110 cm ______ po		
ALLERGIE SUSPECTÉE :			ALLERGIE CONFIRMÉE :		
GROSSESSE : ______ / Semaines grossesse			☐ Biberon	☐ Allaitement maternel	
NOM	DOSE	VOIE	FRÉQUENCE	DURÉE	S. INF.
NaCl 0,9 % en perfusion	65 mL/h	IV		2 jours	KF
NPO					

2019-05-09	10 h 00	Dre Caroline Dubé	104678
Date	Heure	Signature du médecin	No de permis

Repérez le poids en kilogrammes d'Alexandre dans l'ordonnance : 23 kg

Consultez le **tableau 6.1** et repérez la formule à utiliser pour le poids d'un enfant de plus de 20 kg. Votre choix sera :

1500 mL + 20 mL/kg pour chaque kg > 20 kg

- 1500 mL pour les premiers 20 kg
- Ajoutez 20 mL/kg pour chaque kg au-dessus de 20 kg

$$23 \text{ kg} - 20 \text{ kg} = 3 \text{ kg}$$

$$x \text{ mL} = \frac{20 \text{ mL} \times 3 \cancel{\text{kg}}}{1 \cancel{\text{kg}}}$$

$$x \text{ mL} = 60 \text{ mL}$$

Exercez-vous : p. 148 du cahier d'exercices.

Additionnez 1500 mL aux 60 mL pour obtenir un total de 1560 mL/24 h en fonction de ses besoins hydriques quotidiens. La perfusion de NaCl 0,9 % à un débit de 65 mL/h comble donc ses besoins liquidiens quotidiens, puisque 65 mL × 24 h = 1560 mL.

Vérifications préalables à la préparation d'un médicament

La méthode la plus souvent utilisée pour déterminer la dose d'un médicament pour la clientèle pédiatrique est basée sur le poids de l'enfant. À partir du poids, il est en effet possible de calculer une dose précise et personnalisée. Il arrive cependant que certains médicaments soient prescrits en fonction de la surface corporelle de l'enfant. Il est donc impératif de suivre les protocoles et les recommandations pédiatriques et de consulter un document de référence pour vérifier les ordonnances afin de s'assurer que les doses prescrites sont conformes et que le médicament est administré de façon sécuritaire.

OBJECTIF 6.6 Vérifier la fenêtre ou la dose thérapeutique d'un médicament selon le poids de l'enfant

Avant de préparer un médicament pour un enfant, il faut toujours vérifier la dose thérapeutique de ce médicament pour s'assurer que la dose prescrite est sécuritaire.

Fenêtre thérapeutique

La **fenêtre thérapeutique** est l'intervalle qui se situe entre une dose minimale et une dose maximale recommandée d'un médicament. Le fabricant du médicament doit préciser ces limites et les inscrire sur la monographie placée dans l'emballage. On les trouve également dans les volumes de référence (guides des médicaments ou compendium des produits et spécialités pharmaceutiques).

Si la dose administrée est inférieure à la dose minimale, on ne peut obtenir le résultat attendu en termes de traitement ; si la dose est supérieure à la dose maximale, le risque de toxicité augmente. Si la dose prescrite se situe entre la dose minimale et la dose maximale recommandée, il est alors sécuritaire de préparer le médicament et de l'administrer ensuite.

Si la dose prescrite est inférieure ou supérieure à la dose située à l'intérieur de la fenêtre thérapeutique, il faut aviser la personne qui a prescrit le médicament afin qu'elle ajuste la posologie pour la rendre conforme aux recommandations de la compagnie pharmaceutique. L'infirmière consigne alors sa démarche dans ses notes d'évolution.

Calcul de la dose quotidienne

Lorsque l'infirmière prépare un médicament pour un enfant, elle doit d'abord calculer la dose quotidienne prescrite en fonction du poids de l'enfant (en kilogrammes), puis vérifier son calcul en comparant le résultat avec les valeurs de la fenêtre thérapeutique indiquées dans un volume de référence approuvé. Il importe d'effectuer cette vérification pour tous les médicaments prescrits à un enfant, afin de s'assurer que la dose est sécuritaire et adéquate pour celui-ci. La dose thérapeutique est indiquée en dose unique ou en **doses fractionnées** pour une période de 24 heures.

En général, elle est donnée en milligrammes par kilogramme (mg/kg), mais il arrive qu'elle le soit en microgrammes par kilogramme (mcg/kg) lorsque la dose de médicament à administrer est particulièrement réduite, voire dans d'autres unités de mesure, par exemple en mmol/kg/jour.

Pour certains médicaments, les valeurs de référence de la fenêtre thérapeutique diffèrent selon qu'elles sont données en fonction de l'âge ou du poids de l'enfant. Le **tableau 6.2** montre deux façons de présenter la posologie d'un médicament lorsqu'il s'agit de vérifier la fenêtre thérapeutique. Certaines spécificités pourraient aussi s'appliquer selon la classe du médicament.

Tableau 6.2 Présentation de deux formes de fenêtre thérapeutique

Voies d'administration et posologie	
Selon l'âge	Lévothyroxine (Synthroid). PO enfants de 6 à 12 ans : de 4 à 5 mcg/kg/jour en une seule dose.
Selon le poids	Morphine. PO/IR enfants et adultes de moins de 50 kg : 0,15 à 0,3 mg/kg toutes les 4 heures.

ALERTE INFIRMIÈRE

Parfois, il n'y a pas de fenêtre thérapeutique, c'est-à-dire qu'il n'y a pas de dose minimale et maximale pour un médicament. Il n'y a qu'une seule valeur qui est à la fois la dose minimale et la dose maximale. Cette valeur constitue la **dose thérapeutique**, par exemple : ibuprofène : PO pour les enfants de 6 mois à 12 ans, pour diminuer la douleur : 10 mg/kg/jour en doses fractionnées toutes les 6 à 8 heures.

Sources d'erreurs dans la posologie

Les gestes suivants peuvent contribuer aux erreurs de posologie liées au poids[7] :

- Ne pas peser l'enfant.
- Mal documenter le poids de l'enfant (unité de mesure erronée ou manquante).
- Ne pas convertir correctement les livres en kilogrammes.
- Mal estimer le poids de l'enfant.

7. https://www.ismp-canada.org/fr/dossiers/bulletins/2016/BISMPC2016-09-ErreursPosologiePoids.pdf

- Baser ses calculs sur une valeur désuète (en particulier dans le cas des enfants en pleine croissance). Par exemple : un enfant vient d'être admis à l'unité de soins, mais le poids de référence utilisé provient d'un dossier antérieur. Les enfants grandissent et leur poids augmente, donc la valeur serait erronée.

Situation clinique

Voici un extrait de la FADM de Jean-Alexandre Périn (**figure 6.10**). Calculez la fenêtre thérapeutique pour l'acétaminophène. Vérifiez si la dose prescrite est sécuritaire pour Jean-Alexandre.

Figure 6.10 **FADM de Jean-Alexandre Périn.**

FADM

NOM : PÉRIN, Jean-Alexandre
DOSSIER : 78901
CHAMBRE : 5001
DATE DE NAISSANCE : 2012-04-05
DATE D'ADMISSION : 2020-04-30
FADM valide du 2020-05-01 à 00 h 00 au 2020-05-01 à 23 h 59

Poids : 39,5 kg — SC : — Allergies : Aucune
Taille : 134,5 cm — Clcr : — Intolérances : Aucune

Médicaments	Nuit (00 h 00-07 h 59) Heure / Initiales	Jour (8 h 00-15 h 59) Heure / Initiales	Soir (16 h 00-23 h 59) Heure / Initiales	Validité
Acétaminophène 160 mg/co. PO à croquer Tylenol — analgésique non opioïde antipyrétique **480 mg** **Toutes les 4 à 6 h PRN**	~~03 h 00~~ ML	~~09 h 00~~ JD ~~15 h 00~~ JD		2020-04-30 15 h 00 2020-05-05 23 h 59

N		J		S	
Martine Leblond inf.	*ML*	*Julie Diotte inf.*	*JD*		
Profil vérifié et conforme	*ML*				

◯ Non donné (justifier)	A Personne absente	V Vomissement	J À jeun Voir note d'obs.	AA Auto-administration	NS Non servi
/ Rx administré	N Nausée	R Refuse	M* Manquant et note d'obs. requise	CT Congé temporaire	Ø Aucune unité d'insuline

Il faut d'abord chercher la dose recommandée pour l'acétaminophène dans un volume approprié, tel un guide des médicaments. L'acétaminophène est donné à Jean-Alexandre pour soulager la douleur. En consultant le guide, l'infirmière recueille l'information suivante :

Voies d'administration et posologie :

- PO/IR 10 à 15 mg/kg/dose, toutes les 4 à 6 heures.

Vérification de la fenêtre thérapeutique : utilisez la méthode du rapport-proportion.

- **Dose minimale** : 10 mg/kg/dose

$$\frac{\text{Dose minimale recommandée (mg)}}{1\ \text{kg}} = \frac{x\ \text{Dose minimale pour l'enfant (mg)}}{\text{Poids de l'enfant (kg)}}$$

$$\frac{10\ \text{mg}}{1\ \text{kg}} = \frac{x\ \text{mg}}{39{,}5\ \text{kg}}$$

$$x\ \text{mg} = \frac{39{,}5\ \cancel{\text{kg}} \times 10\ \text{mg}}{1\ \cancel{\text{kg}}}$$

$$x\ \text{mg} = 395\ \text{mg}$$

Dose minimale : 395 mg

- **Dose maximale** : 15 mg/kg/dose

$$\frac{\text{Dose maximale recommandée (mg)}}{1\ \text{kg}} = \frac{x\ \text{Dose maximale pour l'enfant (mg)}}{\text{Poids de l'enfant (kg)}}$$

$$\frac{15\ \text{mg}}{1\ \text{kg}} = \frac{x\ \text{mg}}{39{,}5\ \text{kg}}$$

$$x\ \text{mg} = \frac{39{,}5\ \cancel{\text{kg}} \times 15\ \text{mg}}{1\ \cancel{\text{kg}}}$$

$$x\ \text{mg} = 592{,}5\ \text{mg}$$

Dose maximale : 592,5 mg

Vérification de la fenêtre thérapeutique : utilisez la méthode de la formule

- **Dose minimale** : 10 mg/kg/dose

$$x\ \text{Dose minimale pour l'enfant (mg)} = \frac{\text{Dose minimale recommandée (mg)}}{1\ \text{kg}} \times \text{Poids de l'enfant (kg)}$$

$$x\ \text{mg} = \frac{10\ \text{mg}}{1\ \cancel{\text{kg}}} \times 39{,}5\ \cancel{\text{kg}}$$

$$x\ \text{mg} = 305\ \text{mg}$$

Dose minimale = 395 mg

- **Dose maximale** : 15 mg/kg/dose

$$x\ \text{Dose maximale pour l'enfant (mg)} = \frac{\text{Dose maximale recommandée (mg)}}{1\ \text{kg}} \times \text{Poids de l'enfant (kg)}$$

$$x\ \text{mg} = \frac{15\ \text{mg}}{1\ \cancel{\text{kg}}} \times 39{,}5\ \cancel{\text{kg}}$$

$$x\ \text{mg} = 592{,}5\ \text{mg}$$

Dose maximale : 592,5 mg

La dose prescrite indiquée dans la FADM est de 480 mg d'acétaminophène pour chaque dose. En vérifiant la fenêtre thérapeutique calculée précédemment, l'infirmière constate que la dose prescrite se situe dans cet intervalle de la dose minimale et de la dose maximale et qu'elle est sécuritaire pour un enfant de 39,5 kg.

ALERTE INFIRMIÈRE

Les comprimés croquables sont destinés à des enfants âgés de plus de 5 ans, car les enfants plus jeunes risquent de s'étouffer accidentellement.

Exercez-vous : p. 150 du cahier d'exercices.

OBJECTIF 6.7 Vérifier si la dose prescrite respecte la dose quotidienne maximale recommandée

Dans certains cas, la posologie d'un médicament peut indiquer une dose quotidienne maximale. Dans l'exemple de l'acétaminophène à l'objectif 6.6, nous avons calculé la fenêtre thérapeutique. Le guide des médicaments indiquait aussi la mise en garde suivante sur la posologie de l'acétaminophène :

Voies d'administration et posologie de l'acétaminophène : (complément de la posologie citée à l'objectif 6.6)

PO/IR : Dose maximale de 65 mg/kg en 24 heures. Ne pas administrer plus de 5 doses en l'espace de 24 heures à des enfants de moins de 12 ans sans en prévenir au préalable le médecin ou un autre professionnel de la santé.

Posologie sécuritaire pour 24 heures

L'infirmière doit tenir compte de cette mise en garde lorsqu'il s'agit de déterminer si le médicament peut être administré ou non. La posologie du médicament peut être adéquate pour une dose, mais si le total des doses administrées pendant la journée dépasse la posologie quotidienne sécuritaire pour 24 heures, l'infirmière doit alors se demander s'il est adéquat ou non d'administrer le médicament.

Exemple :

Il est 21 h et Jean-Alexandre se plaint d'une douleur au niveau du quadrant supérieur droit de l'abdomen. Il est aussi recroquevillé sur lui-même. Selon la mère, qui est à son chevet, il était enjoué il y a une heure. Depuis 15 minutes, il parle peu et ose à peine bouger dans son lit. Il dit que la douleur est constante. Il ne comprend pas d'où provient sa douleur. L'infirmière lui présente le carton plastifié des visages qui représente l'échelle de douleur de Wong-Baker (**figure 6.11**). Elle lit les mots en dessous de chaque visage. Ensuite, elle lui demande de pointer lequel de ces visages correspond à son niveau de douleur. La douleur a été évaluée à 6/10 en se servant de l'échelle des visages.

L'infirmière consulte la FADM de Jean-Alexandre Périn (**figure 6.10**). La fenêtre thérapeutique a déjà été calculée à l'objectif 6.6 : pour un enfant de 39,5 kg, elle sait que la dose de 480 mg d'acétaminophène est sécuritaire, mais elle doit maintenant s'assurer que l'enfant ne recevra pas une dose supérieure à la dose quotidienne maximale, soit 65 mg/kg et pas plus de 5 doses par jour. L'infirmière calcule donc la dose quotidienne maximale conforme et sécuritaire pour l'acétaminophène.

Figure 6.11 **Détermination du niveau de douleur selon l'échelle des visages (échelle de Wong-Baker).**

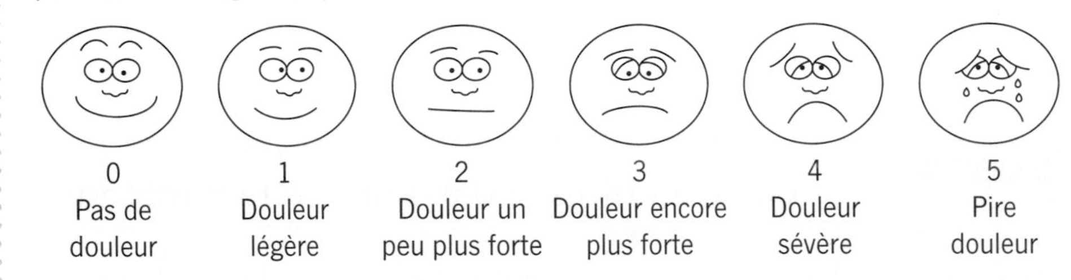

Calcul de la dose quotidienne maximale

Méthode du rapport-proportion

- **Dose quotidienne maximale** : 65 mg/kg

$$\frac{\text{Dose maximale recommandée en 24 heures (mg)}}{\text{1 kg}} = \frac{x \text{ Dose maximale en 24 h pour l'enfant (mg)}}{\text{Poids de l'enfant (kg)}}$$

$$\frac{65 \text{ mg}}{1 \text{ kg}} = \frac{x \text{ mg}}{39{,}5 \text{ kg}}$$

$$x \text{ mg} = \frac{39{,}5 \not{\text{kg}} \times 65 \text{ mg}}{1 \not{\text{kg}}}$$

$$x \text{ mg} = 2567{,}5 \text{ mg}$$

Dose quotidienne maximale : 2567,5 mg

Méthode de la formule

- **Dose quotidienne maximale** : 65 mg/kg

$$x \text{ Dose maximale en 24 h pour l'enfant (mg)} = \frac{\text{Dose maximale recommandée en 24 h (mg)} \times \text{Poids de l'enfant (kg)}}{\text{1 kg}}$$

$$x \text{ mg} = \frac{65 \text{ mg} \times 39{,}5 \not{\text{kg}}}{1 \not{\text{kg}}}$$

$$x \text{ mg} = 2567{,}5 \text{ mg}$$

Dose maximale : 2567,5 mg

La dose prescrite indiquée dans la FADM est de 480 mg d'acétaminophène pour chaque dose. En vérifiant la fenêtre thérapeutique calculée précédemment, l'infirmière constate que la dose prescrite se situe dans cet intervalle de la dose minimale et de la dose maximale et qu'elle est sécuritaire pour un enfant de 39,5 kg.

En consultant la FADM de Jean-Alexandre Périn, l'infirmière constate qu'il a déjà reçu 3 doses d'acétaminophène de 480 mg chacune. Il a donc reçu ce jour, 480 mg × 3 = 1440 mg. La dose maximale de 2567,5 mg/24 h n'est donc pas atteinte. La posologie indiquait aussi un maximum de 5 doses par jour pour les enfants de moins de 12 ans. Ce maximum n'est pas atteint non plus. L'acétaminophène peut être administré aux 4 à 6 heures. Il est donc sécuritaire de donner maintenant une dose d'acétaminophène, puisque la dernière dose remonte à 15 h et qu'il est actuellement 21 h.

Exercez-vous : p. 153 du cahier d'exercices.

OBJECTIF 6.8 Vérifier la fenêtre ou la dose thérapeutique d'un médicament selon la surface corporelle de l'enfant

On fait appel à la méthode de calcul d'une dose de médicament en fonction de la surface corporelle pour déterminer la dose de médicaments tels que les **antinéoplasiques** utilisés lors des traitements de chimiothérapie. Le traitement de certaines maladies telles que la varicelle ou l'infection au virus de l'immunodéficience humaine (VIH) pourrait nécessiter de prescrire un médicament en fonction de la surface corporelle. Les volumes de référence indiquent la posologie du médicament selon la surface corporelle en milligrammes par mètre carré (mg/m^2). Pour calculer des doses de médicaments en fonction de la surface corporelle, il existe deux méthodes : la méthode à l'aide d'une formule mathématique et l'autre en utilisant un **nomogramme**.

Calcul de la surface corporelle à l'aide d'une formule mathématique

Il existe plusieurs formules mathématiques pour estimer la surface corporelle. Nous privilégions la formule de Mosteller, qui permet d'estimer la valeur de la surface corporelle à l'aide d'une calculatrice de base. D'autres formules sont tout aussi valables, mais elles nécessitent l'utilisation d'une calculatrice scientifique.

La formule de Mosteller est la suivante :

$$\text{Surface corporelle } (m^2) = \sqrt{\frac{\text{Poids (kg)} \times \text{Taille (cm)}}{3600\ (\text{kg} \times \text{cm}/m^4)}}$$

Exemple :

Jean-Sébastien Leblanc est hospitalisé pour des traitements contre la leucémie et doit recevoir un antinéoplasique. Avant de commencer le traitement, l'infirmière doit d'abord vérifier si la dose prescrite se situe à l'intérieur de la fenêtre thérapeutique. Elle consulte un guide des médicaments et obtient l'information suivante :

Voies d'administration et posologie pour la vincristine :

- IV (enfants pesant > 10 kg) : de 1 à 2 mg/m^2, en une seule dose ; on peut répéter l'administration toutes les semaines.
- IV (enfants pesant < 10 kg) : de 0,03 à 0,05 mg/kg en une seule dose ; on peut répéter l'administration toutes les semaines.

L'infirmière consulte également la FADM de Jean-Sébastien Leblanc (**figure 6.12**).

Figure 6.12 **FADM de Jean-Sébastien Leblanc.**

FADM

NOM : LEBLANC, Jean-Sébastien
DOSSIER : 65908
CHAMBRE : 5027
DATE DE NAISSANCE : 2015-02-05
DATE D'ADMISSION : 2020-07-03
FADM valide du 2020-07-04 à 00 h 00 au 2020-07-04 à 23 h 59

Poids : 22 kg SC : Allergies : Aucune
Taille : 110 cm Clcr : 90 mL/min Intolérances : Aucune

Médicaments	Nuit (00 h 00-07 h 59) Heure Initiales	Jour (8 h 00-15 h 59) Heure Initiales	Soir (16 h 00-23 h 59) Heure Initiales	Validité
Vincristine sol. inj. 1 mg/mL IV Vincristine antinéoplasique **1,5 mg = 1,5 mL** **Une seule dose toutes les semaines**				2020-07-03-15 h 00 2020-07-07 23 h 59

N		J		S	
Julie Diotte inf.	*JD*				
Profil vérifié et conforme	*JD*				

◯ Non donné (justifier)	A Personne absente	V Vomissement	J À jeun Voir note d'obs.	AA Auto-administration	NS Non servi
╱ Rx administré	N Nausée	R Refuse	M* Manquant et note d'obs. requise	CT Congé temporaire	Ø Aucune unité d'insuline

Afin de s'assurer que la dose prescrite se situe dans la fenêtre thérapeutique, il faut déterminer la surface corporelle de Jean-Sébastien puisque la posologie est établie en fonction de sa surface corporelle en mètres carrés. Le poids est de 22 kg et la taille de 110 cm.

$$\text{Surface corporelle } (m^2) = \sqrt{\frac{22 \text{ kg} \times 110 \text{ cm}}{3600 \text{ kg} \times \text{cm/m}^4}}$$

$$\text{Surface corporelle } (m^2) = \sqrt{\frac{2420}{3600 \text{ m}^4}}$$

$$\text{Surface corporelle} = 0{,}82 \text{ m}^2$$

Calcul de la surface corporelle à l'aide d'un nomogramme

Le nomogramme est un système qui permet de trouver des résultats de calcul par la simple lecture d'un graphique (**figure 6.13**). Ce graphique permet de tracer une ligne entre deux séries de points correspondant à la taille en centimètres ou en pouces (colonne de gauche) et au poids en kilogrammes ou en livres (colonne de droite). Pour déterminer la surface corporelle de la personne en mètres carrés, il suffit de tracer, à l'aide d'une règle, une ligne reliant la taille et le poids de la personne. L'endroit où la ligne croise la colonne centrale représente la valeur de la surface corporelle. Expliquons ce concept à l'aide d'un exemple.

Exemple :

À l'aide des informations de la FADM de Jean-Sébastien Leblanc (**figure 6.12**), l'infirmière utilise le nomogramme pour identifier la valeur de la surface corporelle de l'enfant. Elle trace une ligne reliant la taille de 110 cm et le poids de 22 kg. Le point de la ligne qui touche à la colonne centrale représente la valeur de la surface corporelle. La surface corporelle de Jean-Sébastien est de 0,82 m^2 (**figure 6.13**). Il est préférable d'utiliser les colonnes de la taille et du poids situées à gauche et à droite du nomogramme. L'encadré du milieu est utilisé seulement lorsque l'enfant a une taille et un poids normaux.

Vérification de la fenêtre thérapeutique

Pour vérifier si la dose est sécuritaire, l'infirmière repère la limite inférieure et la limite supérieure de la fenêtre thérapeutique, qui correspondent respectivement à la dose minimale et à la dose maximale. Les deux valeurs indiquent la fenêtre thérapeutique. L'infirmière utilise la surface corporelle obtenue en utilisant la méthode de la formule, soit 0,82 m^2.

- **Dose minimale** : 1 mg/m^2

$$\frac{1\text{ mg}}{1\text{ m}^2} = \frac{x\text{ mg}}{0{,}82\text{ m}^2}$$

$$x\text{ mg} = \frac{0{,}82\ \cancel{\text{m}^2} \times 1\text{ mg}}{1\ \cancel{\text{m}^2}}$$

$$x\text{ mg} = 0{,}82\text{ m}^2$$

Dose minimale : 0,82 mg

- **Dose maximale :** 2 mg/m^2

$$\frac{2\text{ mg}}{1\text{ m}^2} = \frac{x\text{ mg}}{0{,}82\text{ m}^2}$$

$$x\text{ mg} = \frac{0{,}82\ \cancel{\text{m}^2} \times 2\text{ mg}}{1\ \cancel{\text{m}^2}}$$

$$x\text{ mg} = 1{,}64\text{ mg}$$

Dose maximale : 1,64 mg

Figure 6.13 Calcul de la surface corporelle de Jean-Sébastien à l'aide du nomogramme de West.

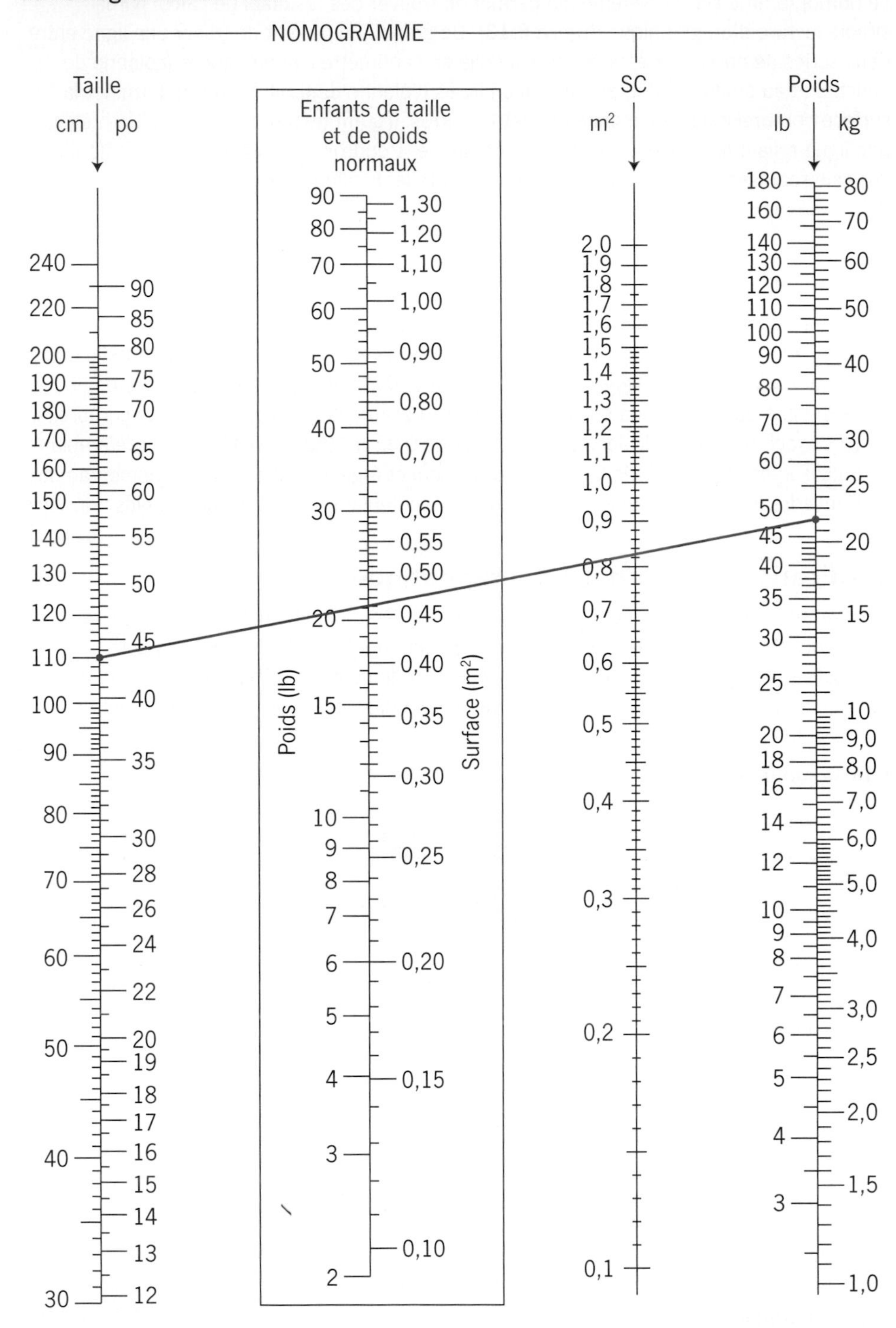

La dose prescrite et indiquée dans la FADM est de 1,5 mg de vincristine pour chaque dose. En vérifiant la fenêtre thérapeutique calculée précédemment, on constate que la dose prescrite se situe dans cet intervalle de la dose minimale et de la dose maximale et qu'elle est sécuritaire pour un enfant dont la surface corporelle est de 0,82 m^2.

Exercez-vous : p. 155 du cahier d'exercices.

Calcul des doses unitaires de médicaments destinés à la voie orale

Nous appliquerons au calcul de la quantité ou du volume de médicament à donner par voie orale les notions de fenêtre thérapeutique et de dose quotidienne maximale d'un médicament abordées à la section intitulée « Situations nécessitant des calculs » (p. 194). Pour chacun des objectifs de la présente section, nous utiliserons la démarche en 5 étapes pour calculer la quantité de médicament à donner pour une dose.

OBJECTIF 6.9 Calculer la dose de médicament sous forme solide ou liquide à préparer pour une administration par voie orale

Médicaments sous forme solide

Voici à la page suivante (**figure 6.14**) la FADM de Jean-Alexandre Périn présentée à l'objectif 6.6 (**figure 6.10**). La fenêtre thérapeutique a été calculée et la dose est sécuritaire pour l'enfant.

Il est 21 h et l'infirmière veut préparer la dose d'acétaminophène de Jean-Alexandre. À l'objectif 6.7, on a calculé la dose maximale d'acétaminophène que Jean-Alexandre pouvait recevoir en 24 heures. L'infirmière a établi que l'enfant pouvait recevoir une dose d'acétaminophène à 21 h. À l'aide de la FADM de Jean-Alexandre Périn et de la démarche en 5 étapes, calculez la quantité d'acétaminophène à préparer.

Étape 1 Collecter les données

L'infirmière valide la FADM et recherche les informations pertinentes :

- Date et heure de la validité de la FADM : **2020-05-01 00 h 00 au 2020-05-01 23 h 59**
- Nom, prénom de l'enfant et date de naissance : **Périn, Jean-Alexandre, né le 5 avril 2012**
- Nom générique du médicament : **acétaminophène**
- Dose du médicament : **480 mg**
- Voie d'administration du médicament : **voie orale**
- Fréquence de l'administration du médicament : **chaque 4 à 6 h au besoin**

Ces données permettent d'établir que la FADM est conforme.

Figure 6.14 **FADM de Jean-Alexandre Périn.**

FADM	NOM: PÉRIN, Jean-Alexandre DOSSIER: 78901 CHAMBRE: 5001 DATE DE NAISSANCE: 2012-04-05 DATE D'ADMISSION: 2020-04-30 **FADM valide du 2020-05-01 à 00 h 00 au 2020-05-01 à 23 h 59**

Poids: 39,5 kg SC: Allergies: Aucune
Taille: 134,5 cm Clcr: Intolérances: Aucune

Médicaments	**Nuit (00 h 00-07 h 59)** Heure / Initiales	**Jour (8 h 00-15 h 59)** Heure / Initiales	**Soir (16 h 00-23 h 59)** Heure / Initiales	**Validité**
Acétaminophène 160 mg/co. PO à croquer Tylenol analgésique non opioïde antipyrétique, **480 mg** **Toutes les 4 à 6 h PRN**	~~03 h 00~~ ML	~~09 h 00~~ JD ~~15 h 00~~ JD		2020-04-30 15 h 00 2020-05-05 23 h 59

N		J		S	
Martine Leblond inf.	ML	Julie Diotte inf.	JD		
Profil vérifié et conforme	ML				

⬭ Non donné (justifier)	A Personne absente	V Vomissement	J À jeun Voir note d'obs.	AA Auto-administration	NS Non servi
/ Rx administré	N Nausée	R Refuse	M* Manquant et note d'obs. requise	CT Congé temporaire	∅ Aucune unité d'insuline

L'infirmière détermine le nom du médicament à administrer pour soulager la douleur et recherche les informations importantes. L'acétaminophène est un analgésique non opioïde et un antipyrétique. Un même médicament peut être indiqué pour divers problèmes médicaux. Dans la situation clinique décrite à l'objectif 6.7, l'acétaminophène est prescrit pour soulager la douleur légère à modérée. Il est 21 h et Jean-Alexandre se plaint d'une douleur au quadrant supérieur droit de l'abdomen évaluée à 6/10 selon l'échelle des visages de Wong-Baker. Il est donc pertinent d'administrer l'acétaminophène puisqu'il est le seul analgésique prescrit inscrit dans la FADM. L'infirmière consulte un guide des médicaments pour savoir qu'elle est la dose recommandée chez les enfants pour l'acétaminophène.

Elle note l'information suivante:

Voies d'administration et posologie:

- PO/IR 10 à 15 mg/kg/dose toutes les 4 à 6 heures. Dose maximale de 65 mg/kg en 24 heures. Ne pas administrer plus de 5 doses en l'espace de 24 heures à des enfants de moins de 12 ans sans en prévenir au préalable le médecin ou un autre professionnel de la santé.

Vérifiez, selon la situation clinique, toutes les autres données pertinentes pour effectuer le calcul de la dose à préparer. Il convient d'utiliser le poids en kilogrammes de Jean-Alexandre pour calculer la fenêtre thérapeutique, la dose quotidienne maximale et la dose à préparer. Jean-Alexandre n'a pas d'allergie connue aux médicaments.

Étape 2 Analyser les données

- Repérez les données pertinentes qui serviront au calcul de la dose à administrer : *la dose prescrite, la teneur et la quantité du médicament disponible.*
- Comparez la dose prescrite avec le médicament disponible afin de vous assurer que les unités de mesure sont les mêmes : *la dose prescrite est en milligrammes et le médicament disponible est lui aussi en milligrammes. Les unités sont les mêmes, aucune conversion n'est requise.*

Étape 3 Planifier la préparation

Cette étape consiste à se préparer et à réfléchir à la meilleure façon de vérifier la fenêtre thérapeutique, la dose quotidienne maximale et la dose requise :

Vérification de la fenêtre thérapeutique : par la méthode de la formule ou du rapport-proportion

Calcul de la dose quotidienne maximale : par la méthode de la formule ou du rapport-proportion

Calcul de la dose : par la méthode de la formule ou du rapport-proportion

Déterminez les données nécessaires aux calculs :

- Dose prescrite : 480 mg d'acétaminophène
- Teneur du médicament disponible : 160 mg
- Quantité de médicament disponible : 1 comprimé à croquer
- Poids de l'enfant : 39,5 kg
- Âge de l'enfant : 8 ans
- Posologie recommandée : PO/IR 10 à 15 mg/kg/dose toutes les 4 à 6 heures. Dose maximale de 65 mg/kg en 24 heures. Ne pas administrer plus de 5 doses en l'espace de 24 heures à des enfants de moins de 12 ans sans en prévenir au préalable le médecin ou un autre professionnel de la santé.

Étape 4 Calculer la dose

Transcrivez la formule et remplacez les inconnues par les données pertinentes en n'oubliant pas d'inscrire les unités de mesure.

Les détails des calculs ont été présentés selon les deux méthodes aux objectifs 6.6 et 6.7. Dans la situation présente, l'infirmière choisit d'utiliser la méthode de la formule pour les calculs de vérification de la fenêtre thérapeutique et la dose maximale pouvant être administrée en 24 heures.

Vérification de la fenêtre thérapeutique : la méthode de la formule

- **Dose minimale** : 10 mg/kg/dose

$$x \text{ Dose minimale pour l'enfant (mg)} = \frac{\text{Dose minimale recommandée (mg)} \times \text{Poids de l'enfant (kg)}}{1 \text{ kg}}$$

$$x \text{ mg} = \frac{10 \text{ mg} \times 39{,}5 \cancel{\text{kg}}}{1 \cancel{\text{kg}}}$$

$$x \text{ mg} = 395 \text{ mg}$$

Dose minimale = 395 mg

- **Dose maximale** : 15 mg/kg/dose

$$x \text{ Dose maximale pour l'enfant (mg)} = \frac{\text{Dose maximale recommandée (mg)} \times \text{Poids de l'enfant (kg)}}{1 \text{ kg}}$$

$$x \text{ mg} = \frac{15 \text{ mg} \times 39{,}5 \cancel{\text{kg}}}{1 \cancel{\text{kg}}}$$

$$x \text{ mg} = 592{,}5 \text{ mg}$$

Dose maximale : 592,5 mg

La dose prescrite indiquée dans la FADM est de 480 mg d'acétaminophène pour chaque dose. En vérifiant la fenêtre thérapeutique calculée précédemment, l'infirmière constate que la dose prescrite se situe dans cet intervalle de la dose minimale et de la dose maximale et qu'elle est sécuritaire pour un enfant de 39,5 kg.

Calcul de la dose quotidienne maximale : la méthode de la formule

- **Dose quotidienne maximale** : 65 mg/kg

$$x \text{ Dose maximale en 24 h pour l'enfant (mg)} = \frac{\text{Dose maximale recommandée en 24 h (mg)} \times \text{Poids de l'enfant (kg)}}{1 \text{ kg}}$$

$$x \text{ mg} = \frac{65 \text{ mg} \times 39{,}5 \cancel{\text{kg}}}{1 \cancel{\text{kg}}}$$

$$x \text{ mg} = 2567{,}5 \text{ mg}$$

Dose maximale : 2567,5 mg

En consultant la FADM de Jean-Alexandre Périn, l'infirmière constate qu'il a déjà reçu 3 doses d'acétaminophène de 480 mg chacune. Il a donc reçu jusqu'à maintenant 480 mg × 3 = 1440 mg. La dose quotidienne maximale de 2567,5 mg n'est donc pas atteinte. La posologie indiquait aussi un maximum de 5 doses par jour pour les enfants de moins dé 12 ans. Ce maximum n'est pas atteint non plus.

L'acétaminophène peut être administré aux 4 à 6 heures. Il est donc sécuritaire d'administrer une dose d'acétaminophène, puisque la dernière dose remonte à 15 h et qu'il est maintenant 21 h.

Calcul de la dose à administrer

La dose se calcule à l'aide de la méthode du rapport-proportion ou de celle de la formule.

Rappelons que la teneur des comprimés disponibles est de 160 mg.

- **Méthode du rapport-proportion :**

$$\frac{\text{Teneur du médicament disponible (mg)}}{\text{Quantité du médicament disponible (co.)}} = \frac{\text{Dose prescrite (mg)}}{x \text{ Quantité à administrer (co.)}}$$

$$\frac{160 \text{ mg}}{1 \text{ co.}} = \frac{480 \text{ mg}}{x \text{ co.}}$$

$$x \text{ co.} \times 160 \text{ mg} = 1 \text{ co.} \times 480 \text{ mg}$$

$$x \text{ co.} = \frac{1 \text{ co.} \times 480 \cancel{\text{mg}}}{160 \cancel{\text{mg}}}$$

$$x \text{ co.} = 3 \text{ co.}$$

- **Méthode de la formule :**

$$x \text{ Quantité à administrer (co.)} = \frac{\text{Dose prescrite (mg)} \times \text{Quantité du médicament disponible (co.)}}{\text{Teneur du médicament disponible (mg)}}$$

$$x \text{ co.} = \frac{48\cancel{0} \cancel{\text{mg}} \times 1 \text{ co.}}{16\cancel{0} \cancel{\text{mg}}}$$

$$x \text{ co.} = 3 \text{ co.}$$

Étape 5 Vérifier le résultat obtenu

- Validez le résultat obtenu. Le calcul est-il exact ?

  Si vous utilisez la méthode du rapport-proportion, vérifiez votre calcul en remplaçant la valeur de x dans l'équation par la réponse obtenue.

$$\frac{160 \text{ mg}}{1 \text{ co.}} = \frac{480 \text{ mg}}{3 \text{ co.}}$$

$$3 \times 160 = 1 \times 480$$

$$480 = 480$$

- Utilisez votre jugement : le résultat est-il vraisemblable ? *Puisque chaque comprimé a une teneur de 160 mg, si on administre 3 comprimés, on administre 3 fois 160 mg, ce qui correspond à la dose prescrite de 480 mg. Cette dose est située dans l'intervalle de la fenêtre thérapeutique et respecte la posologie maximale pour 24 heures. Il est donc sécuritaire d'administrer une autre dose de 480 mg d'acétaminophène à Jean-Alexandre.*

Puisqu'il s'agit d'un médicament à administrer par voie orale, l'infirmière rassemblera le matériel suivant pour préparer le médicament à Jean-Alexandre :

- un gobelet en papier ;
- le flacon de comprimés d'acétaminophène de 160 mg/co. à croquer ;
- une étiquette pour identifier le médicament préparé (nom, dose, voie, heure) et portant le nom et le prénom du destinataire, ainsi que sa date de naissance ou son numéro de dossier. (L'infirmière collera l'étiquette sur le gobelet en papier.)

Médicaments sous forme liquide

Certains médicaments se trouvent sous forme de sirops ou de suspensions[8] orales. En pédiatrie par exemple, les antibiotiques se présentent sous forme de poudre sèche contenue dans un flacon de plastique et doivent être reconstitués juste avant d'être administrés en raison de leur faible stabilité et d'une brève durée de conservation. Le pharmacien du centre hospitalier ou l'infirmière de l'unité de soins peut reconstituer le médicament. Il est important de suivre les consignes de reconstitution.

Exemple :

Jean-François Latour a été admis pour une bronchiolite ce matin, à 4 h. Il présente également une otite moyenne aiguë. À 6 h, l'infirmière prépare sa dose d'antibiotique. La pharmacie étant fermée, elle prend un flacon non ouvert d'amoxicilline disponible sur l'unité. Le flacon contient des granules d'amoxicilline sous forme de poudre sèche et pouvant contenir 100 mL de suspension orale une fois reconstituée. L'infirmière doit reconstituer le médicament.

Elle commence par tapoter la bouteille pour permettre à la poudre de se décoller de la surface du flacon. Selon les recommandations du fabricant, elle ajoute 60 mL d'eau embouteillée ou stérile.

ASTUCE

Pour faciliter la préparation, il est important d'ajouter l'eau en deux parties. Il faut bien mélanger après avoir ajouté chaque portion d'eau et avant d'utiliser la solution.

Une fois reconstituée, la solution est stable durant 7 jours à l'air ambiant, et 14 jours au réfrigérateur. Notez que la stabilité d'un médicament reconstitué peut varier selon le médicament utilisé. Il faut inscrire la date et l'heure de la reconstitution ainsi que la date de péremption. L'infirmière note que chaque millilitre contient 50 mg d'amoxicilline puisque la concentration est de 250 mg/5 mL. Le volume total de la suspension correspond à 100 mL. Il est obtenu en additionnant la poudre sèche aux 60 mL d'eau ajoutée.

La **figure 6.15** présente l'ordonnance pour Jean-François. Vérifiez si la dose prescrite est sécuritaire et calculez le volume d'amoxicilline requis pour préparer une dose juste et précise en utilisant la démarche en 5 étapes.

8. Voir le chapitre 3 ou le lexique.

Figure 6.15 **Ordonnance de Jean-François Latour.**

<table>
<tr><td colspan="3">MÉDICAMENTS</td><td colspan="3">Latour Jean-François DDN : 2019-12-05
4 mois</td></tr>
<tr><td colspan="3">POIDS : 8,4 kg ______ lb</td><td colspan="3">TAILLE : 64 cm ______ po</td></tr>
<tr><td colspan="3">ALLERGIE SUSPECTÉE :
aucune</td><td colspan="3">ALLERGIE CONFIRMÉE :
aucune</td></tr>
<tr><td colspan="3">GROSSESSE : ______ / Semaines grossesse</td><td colspan="2">☐ Biberon</td><td>☐ Allaitement maternel</td></tr>
<tr><td>NOM</td><td>DOSE</td><td>VOIE</td><td>FRÉQUENCE</td><td>DURÉE</td><td>S. INF.</td></tr>
<tr><td>Amoxicilline susp.</td><td>80 mg</td><td>PO</td><td>q 8 h</td><td>7 jours</td><td>LC</td></tr>
<tr><td></td><td></td><td></td><td></td><td></td><td></td></tr>
</table>

2020-04-06	*5 h 00*	*Dre Noémie Vachon*	*345627*
Date	Heure	Signature du médecin	Nº de permis

Étape 1 Collecter les données

L'infirmière valide l'ordonnance et recherche les informations pertinentes :

- Date et heure de la rédaction de l'ordonnance : **2020-04-06 à 05 h 00**
- Nom, prénom de la personne et date de naissance : **Latour, Jean-François né le 5 décembre 2019**
- Nom générique du médicament : **amoxicilline**
- Dose prescrite du médicament : **80 mg**
- Voie d'administration du médicament : **voie orale**
- Fréquence de l'administration du médicament : **aux 8 h**
- Signature de la personne autorisée à prescrire le médicament : **Dre Noémie Vachon**

Compte tenu des informations présentes, l'ordonnance est conforme.

L'infirmière détermine le nom du médicament à administrer et recherche les informations importantes. L'amoxicilline est un antibiotique de la classe des aminopénicillines. Il ne doit pas être administré aux personnes allergiques à la pénicilline. Chez les enfants, on l'utilise pour traiter des infections. Dans la situation présente, il a été prescrit pour traiter l'otite moyenne aiguë. L'infirmière consulte un guide des médicaments pour savoir quelle est la dose d'amoxicilline recommandée chez les enfants. Elle note l'information suivante :

Voies d'administration et posologie :

- PO (enfants de moins de 3 mois) : 20 à 30 mg/kg/jour, en doses fractionnées, toutes les 12 heures.
- PO (enfants de plus de 3 mois) : 25 à 50 mg/kg/jour en doses fractionnées, toutes les 8 heures.

Vérifiez, selon la situation clinique, toutes les autres données pertinentes pour effectuer le calcul de la dose à préparer. Il convient d'utiliser le poids en kilogrammes de Jean-François pour calculer la fenêtre thérapeutique, la dose quotidienne maximale et la dose à préparer. Il faut aussi tenir compte de l'âge pour choisir la posologie recommandée. Jean-François n'a pas d'allergie connue aux médicaments.

Étape 2 Analyser les données

- Repérez les données pertinentes nécessaires au calcul de la dose à administrer : la dose prescrite, la teneur et le volume du médicament disponible.
- Comparez la dose prescrite avec le médicament disponible afin de vous assurer que les unités de mesure sont les mêmes : *la dose prescrite est en milligrammes et la concentration du médicament disponible est de 250 mg/5 mL. La teneur du médicament disponible est en milligrammes. Les unités sont les mêmes, aucune conversion n'est requise.*

Étape 3 Planifier la préparation

Cette étape consiste à se préparer et à réfléchir à la meilleure façon de vérifier la fenêtre thérapeutique et la dose requise :

Vérification de la fenêtre thérapeutique : par la méthode de la formule ou du rapport-proportion

Calcul de la dose : par la méthode de la formule ou du rapport-proportion

Déterminez les données nécessaires aux calculs :

- Dose prescrite : 80 mg d'amoxicilline
- Teneur du médicament disponible : 250 mg
- Volume du médicament disponible : 5 mL
- Poids de l'enfant : 8,4 kg
- Âge de l'enfant : 4 mois
- Posologie recommandée : PO (enfants de plus de 3 mois) : 25 à 50 mg/kg/jour en doses fractionnées, toutes les 8 heures.

Étape 4 Calculer la dose

- Transcrivez la formule et remplacez les inconnues par les données pertinentes en n'oubliant pas d'inscrire les unités de mesure.

Vérification de la fenêtre thérapeutique : méthode du rapport-proportion

- **Dose minimale** : 25 mg/kg/jour

$$\frac{\text{Dose minimale recommandée par jour (mg)}}{1\text{ kg}} = \frac{x \text{ Dose minimale par jour pour l'enfant (mg)}}{\text{Poids de l'enfant (kg)}}$$

$$\frac{25\text{ mg}}{1\text{ kg}} = \frac{x\text{ mg}}{8{,}4\text{ kg}}$$

- Effectuez le produit croisé.

$$x \text{ mg} = \frac{8{,}4 \cancel{\text{kg}} \times 25 \text{ mg}}{1 \cancel{\text{kg}}}$$

$$x \text{ mg} = 210 \text{ mg}$$

Dose minimale : 210 mg par jour

Pour déterminer la dose minimale en doses fractionnées, si la fréquence d'administration est toutes les 8 heures, on divise par 3 la dose quotidienne minimale afin d'obtenir la valeur pour une dose.

$$x \text{ mg} = \frac{210 \text{ mg}}{3}$$

$$x \text{ mg} = 70 \text{ mg}$$

Dose minimale sécuritaire toutes les 8 heures = 70 mg

- **Dose maximale** : 50 mg/kg/jour

$$\frac{\text{Dose maximale recommandée par jour (mg)}}{1 \text{ kg}} = \frac{x \text{ Dose maximale par jour pour l'enfant (mg)}}{\text{Poids de l'enfant (kg)}}$$

$$\frac{50 \text{ mg}}{1 \text{ kg}} = \frac{x \text{ mg}}{8{,}4 \text{ kg}}$$

$$x \text{ mg} = \frac{8{,}4 \cancel{\text{kg}} \times 50 \text{ mg}}{1 \cancel{\text{kg}}}$$

$$x \text{ mg} = 420 \text{ mg}$$

Dose maximale : 420 mg par jour

Pour déterminer la dose maximale en doses fractionnées, si la fréquence d'administration est toutes les 8 heures, on divise par 3 la dose quotidienne maximale afin d'obtenir la valeur d'une dose.

$$x \text{ mg} = \frac{420 \text{ mg}}{3}$$

$$x \text{ mg} = 140 \text{ mg}$$

Dose maximale sécuritaire toutes les 8 heures = 140 mg

Vérification de la fenêtre thérapeutique : méthode de la formule

- **Dose minimale** : 25 mg/kg/jour

$$x \text{ Dose minimale par jour pour l'enfant (mg)} = \frac{\text{Dose minimale recommandée par jour (mg)} \times \text{Poids de l'enfant (kg)}}{1 \text{ kg}}$$

$$x \text{ mg} = \frac{25 \text{ mg}}{1 \cancel{\text{kg}}} \times 8{,}4 \cancel{\text{kg}}$$

$$x \text{ mg} = 210 \text{ mg}$$

Dose minimale = 210 mg par jour

Pour déterminer la dose minimale en doses fractionnées, si la fréquence d'administration est toutes les 8 heures, on divise par 3 la dose quotidienne minimale afin d'obtenir la valeur pour une dose.

$$x \text{ mg} = \frac{210 \text{ mg}}{3}$$

$$x \text{ mg} = 70 \text{ mg}$$

Dose minimale sécuritaire toutes les 8 heures = 70 mg

- **Dose maximale** : 50 mg/kg/dose

$$x \text{ Dose maximale par jour pour l'enfant (mg)} = \frac{\text{Dose maximale recommandée par jour (mg)} \times \text{Poids de l'enfant (kg)}}{1 \text{ kg}}$$

$$x \text{ mg} = \frac{50 \text{ mg}}{1 \cancel{\text{kg}}} \times 8{,}4 \cancel{\text{kg}}$$

$$x \text{ mg} = 420 \text{ mg}$$

Pour déterminer la dose maximale en doses fractionnées, si la fréquence d'administration est toutes les 8 heures, on divise par 3 la dose quotidienne maximale afin d'obtenir la valeur pour une dose.

$$x \text{ mg} = \frac{420 \text{ mg}}{3}$$

$$x \text{ mg} = 140 \text{ mg}$$

Dose maximale sécuritaire toutes les 8 heures = 140 mg

ALERTE INFIRMIÈRE

Lorsque vous comparez la dose du médicament prescrite avec les valeurs de la fenêtre thérapeutique, assurez-vous que vos comparaisons se rapportent à la même fréquence d'administration.

La dose prescrite indiquée dans l'ordonnance est de 80 mg d'amoxicilline pour chaque dose. En vérifiant la fenêtre thérapeutique calculée précédemment, l'infirmière constate que la dose prescrite se situe dans cet intervalle de la dose minimale et de la dose maximale et qu'elle est sécuritaire pour un enfant de 8,4 kg.

Calcul de la dose à administrer

Ce calcul peut se faire à l'aide de la méthode du rapport-proportion ou de celle de la formule.

- **Méthode du rapport-proportion :**

$$\frac{\text{Teneur du médicament disponible (mg)}}{\text{Volume du médicament disponible (mL)}} = \frac{\text{Dose prescrite (mg)}}{x \text{ Quantité à administrer (mL)}}$$

$$\frac{250 \text{ mg}}{5 \text{ mL}} = \frac{80 \text{ mg}}{x \text{ mL}}$$

$$x \text{ mL} \times 250 \text{ mg} = 5 \text{ mL} \times 80 \text{ mg}$$

$$x \text{ mL} = \frac{{}^{1}\cancel{5} \text{ mL} \times \cancel{80 \text{ mg}}}{{}^{5}\cancel{250 \text{ mg}}}$$

$$x \text{ mL} = 1{,}6 \text{ mL}$$

- **Méthode de la formule :**

$$\text{Volume à administrer (mL)} = \frac{\text{Dose prescrite (mg)} \times \text{Volume du médicament disponible (mL)}}{\text{Teneur du médicament disponible (mg)}}$$

$$x \text{ mL} = \frac{\cancel{80 \text{ mg}} \times {}^{1}\cancel{5} \text{ mL}}{{}^{5}\cancel{250 \text{ mg}}}$$

$$x \text{ mL} = 1{,}6 \text{ mL}$$

Étape 5 Vérifier le résultat obtenu

- Validez le résultat obtenu. Le calcul est-il exact ?

  Si vous utilisez la méthode du rapport-proportion, vérifiez votre calcul en remplaçant la valeur de x dans l'équation par la réponse obtenue.

$$\frac{250 \text{ mg}}{5 \text{ mL}} = \frac{80 \text{ mg}}{1{,}6 \text{ mL}}$$

$$1{,}6 \times 250 = 5 \times 80$$

$$400 = 400$$

- Utilisez votre jugement : le résultat est-il vraisemblable ? *La teneur en amoxicilline est de 250 mg dans un volume de 5 mL. La dose de 80 mg est inférieure à 250 mg ; il est prévisible que le volume d'amoxicilline soit inférieur à 5 mL. La dose a été vérifiée préalablement et elle est comprise à l'intérieur de la fenêtre thérapeutique recommandée. Il est donc sécuritaire d'administrer une dose de 80 mg d'amoxicilline à Jean-François.*

Puisqu'il s'agit d'un médicament à administrer par voie orale, l'infirmière rassemble le matériel suivant pour préparer le médicament de Jean-François :

- Une seringue de 3 mL.
- Le flacon d'amoxicilline en suspension dont la concentration est de 250 mg/5 mL.
- Une étiquette pour identifier le médicament préparé (nom, dose, voie, heure) et portant le nom et le prénom du destinataire, ainsi que sa date de naissance ou son numéro de dossier.
- Il faut laisser à peu près une zone de 4 cm près de l'embout où il ne faut pas toucher la seringue avec les doigts. L'infirmière collera l'étiquette au-dessus de cette zone.

ASTUCE

Quand un médicament est disponible sous plusieurs présentations (concentrations variées), il est préférable de choisir le plus concentré pour diminuer le volume à administrer. Par exemple, pour Jean-François, si la concentration d'amoxicilline avait été de 125 mg/5 mL, le volume de médicament à donner aurait été de 3,2 mL, soit le double. Lorsque vous devez donner un médicament sous forme orale à un enfant, il est toujours préférable de donner la plus petite quantité disponible, car cela augmente les chances que l'enfant avale tout le médicament.

Exercez-vous : p. 159 du cahier d'exercices.

Calcul des doses unitaires de médicaments destinés à la voie parentérale

Chez la clientèle pédiatrique, l'administration des médicaments par les voies intradermique, sous-cutanée et intramusculaire s'effectue selon les mêmes principes que chez les adultes[9]. Il faut toutefois noter que lorsqu'on utilise la voie intramusculaire chez les enfants, les sites d'injection ne sont pas exactement les mêmes que chez les adultes. Ils varient selon l'âge, la corpulence et le stade de développement moteur de l'enfant. Le degré d'absorption d'un médicament chez l'enfant dépend du développement de sa masse musculaire. Avant l'âge de 24 mois, le muscle deltoïde ne doit pas être utilisé, car l'enfant a une faible masse musculaire à cet endroit.

Lorsqu'on utilise la voie intraveineuse chez les enfants, certaines particularités s'appliquent quant à la reconstitution et au mode de dilution. Par exemple, une fois le médicament reconstitué, la dose prélevée doit ensuite être obligatoirement diluée en vue d'une administration intraveineuse.

OBJECTIF 6.10 Calculer la dose d'un médicament pour une administration par voie intraveineuse

Les principes généraux de la reconstitution des médicaments intraveineux ont été décrits au chapitre 4 pour la clientèle adulte. Cette section sera consacrée aux particularités de l'administration des médicaments intraveineux chez les enfants.

9. Voir le chapitre 4.

Dilution et reconstitution des médicaments intraveineux en pédiatrie

Avant d'administrer un médicament par la voie intraveineuse, l'infirmière doit respecter les normes de reconstitution et de dilution des médicaments intraveineux. Pour ce faire, elle doit toujours consulter un volume de référence ou le guide d'administration des médicaments intraveineux produit par la pharmacie de l'établissement de santé. Chez la clientèle pédiatrique, il faut diluer les médicaments intraveineux que l'on reconstitue afin de diminuer l'irritation des veines. La dilution se fait à l'aide d'un diluant[10] qu'on ajoute à la dose de médicament préparée à l'intérieur d'une seringue. Le médicament est alors moins concentré. On administre ce médicament à l'aide d'un pousse-seringue. La dilution peut aussi se faire à l'aide d'un minisac de 25 mL, 50 mL ou 100 mL ou d'un sac de 250 mL, selon l'âge de l'enfant.

Le **tableau 6.3** présente un exemple de reconstitution et de dilution pour deux médicaments intraveineux pour les enfants.

Tableau 6.3 Exemple de reconstitution et de dilution pour deux médicaments intraveineux pour les enfants[11]

Nom du médicament	Reconstitution de la fiole		Dose enfant moins de 6 mois	Dilution	Format de la seringue ou minisac	Temps d'administration perfusion intermittente
	Volume et type de solvant Volume total (VT)	Concentration finale de la fiole		Compléter le volume prélevé jusqu'à		
Azithromycine (Zithromax) 500 mg	4,8 mL eau stérile pour préparation injectable Volume total de 5 mL	100 mg/mL	0-50 mg 51-100 mg 101-200 mg 201 à 500 mg	25 mL NaCl 0,9 % 50 mL NaCl 0,9 % 100 mL NaCl 0,9 % 250 mL NaCl 0,9 %	30 mL 60 mL minisac sac	60 min 80 min 60 min 60 min
Clindamycine (Dalacin) 300 mg/2 mL	Déjà reconstituée	150 mg/mL	≤ 60 mg 61 à 120 mg 121 à 300 mg	5 mL 10 mL 25 mL Diluant : D 5 % ou NaCl 0,9 %	10 mL 20 mL 30 mL	30 min 30 min

À l'aide de la situation suivante, calculer la dose de médicament à administrer à l'enfant en utilisant la démarche en 5 étapes.

10. Notion vue au chapitre 4.
11. Les valeurs peuvent varier d'un établissement de santé à un autre ; tableau donné à titre indicatif seulement.

Situation clinique

À 10 h, Sophie Dupont est admise à l'unité de pédiatrie pour une **cellulite** à l'avant-bras droit. Le médecin prescrit une antibiothérapie intraveineuse pour une durée de 7 jours (**figure 6.16**). Elle a aussi une perfusion de NaCl 0,9 % à l'avant-bras gauche à un débit de 10 mL/h. Vérifiez si la dose prescrite est sécuritaire et calculez le volume de clindamycine requis pour préparer une dose juste et précise en utilisant la démarche en 5 étapes.

Figure 6.16 **Ordonnance de Sophie Dupont.**

MÉDICAMENTS			*Dupont Sophie* *DDN : 2019-07-07* *4 mois*		
POIDS : 5,96 kg ______ lb			TAILLE : 59 cm ______ po		
ALLERGIE SUSPECTÉE : aucune			**ALLERGIE CONFIRMÉE :** aucune		
GROSSESSE : ______ **/ Semaines grossesse**			☑ **Biberon**	☐ **Allaitement maternel**	
NOM	**DOSE**	**VOIE**	**FRÉQUENCE**	**DURÉE**	**S. INF.**
Clindamycine	*55 mg*	*IV*	*q 8 h*	*7 jours*	*JD*

2019-11-14	*11 h 00*	*Dr Émile Gervais*	*87190*
Date	Heure	Signature du médecin	Nº de permis

Étape 1 Collecter les données

L'infirmière valide l'ordonnance et recherche les informations pertinentes :

- Date et heure de la rédaction de l'ordonnance : **2019-11-14 11 h 00**
- Nom, prénom de la personne et date de naissance : **Dupont, Sophie, 7 juillet 2019**
- Nom générique du médicament : **clindamycine**
- Dose prescrite du médicament : **55 mg**
- Voie d'administration du médicament : **voie intraveineuse**
- Fréquence de l'administration du médicament : **toutes les 8 h**
- Signature de la personne autorisée à prescrire le médicament : **Dr Émile Gervais**

Les informations présentes permettent d'établir que l'ordonnance est conforme.

L'infirmière détermine le nom du médicament à administrer et recherche les informations importantes. La clindamycine est un antibiotique utilisé pour traiter les infections de la peau et des tissus mous. Dans la situation, elle est utilisée pour traiter la cellulite. La voie intraveineuse a été prescrite pour assurer que le médicament soit pris en entier. Considérant que Sophie a 4 mois, il se pourrait qu'elle refuse d'avaler l'antibiotique. La voie intramusculaire est à éviter, car une injection 3 fois par jour pour une enfant de 4 mois n'est pas un choix idéal, car cela causerait de la douleur à chaque injection.

L'infirmière consulte un guide des médicaments pour savoir quelle est la dose recommandée chez les enfants pour la clindamycine. Elle note l'information suivante :

Voies d'administration et posologie :

- IM, IV (nourrissons de moins de 1 mois) : 10 à 20 mg/kg/jour, en doses fractionnées, toutes les 6 à 8 heures.
- IM, IV (enfants de plus de 1 mois) : 20 à 40 mg/kg/jour en doses fractionnées, toutes les 6 à 8 heures.

Vérifiez, selon la situation clinique, toutes autres données pertinentes pour effectuer le calcul de la dose à préparer. Pour le calcul de la fenêtre thérapeutique et de la dose de clindamycine, il est nécessaire de connaître le poids en kilogrammes. Il faut aussi tenir compte de l'âge pour choisir la posologie recommandée. Sophie n'a pas d'allergie connue aux médicaments.

Étape 2 Analyser les données

- Repérez les données pertinentes nécessaires au calcul de la dose à administrer : *la dose prescrite, la teneur et le volume du médicament disponible.*
- Comparez la dose prescrite avec le médicament disponible afin de vous assurer que les unités de mesure sont les mêmes : *la dose prescrite est en milligrammes (mg), tout comme le médicament disponible, clindamycine (Dalacin) 300 mg/2 mL (150 mg/mL). Les unités étant les mêmes, aucune conversion n'est requise.*

Étape 3 Planifier la préparation

Cette étape consiste à se préparer et à réfléchir à la meilleure façon de calculer la fenêtre thérapeutique et la dose requise :

Vérification de la fenêtre thérapeutique : méthode de la formule ou du rapport-proportion

Calcul de la dose : par la méthode de la formule ou du rapport-proportion

Déterminez les données nécessaires aux calculs :

- Dose prescrite : 55 mg de clindamycine
- Teneur du médicament disponible : 150 mg
- Volume du médicament disponible : 1 mL
- Poids de l'enfant : 5,96 kg
- Âge de l'enfant : 4 mois
- Posologie recommandée : 20 à 40 mg/kg/jour en doses fractionnées, toutes les 6 à 8 heures.

Étape 4 Calculer la dose

Transcrivez la formule et remplacez les inconnues par les données pertinentes en n'oubliant pas d'inscrire les unités de mesure.

Vérification de la fenêtre thérapeutique : méthode du rapport-proportion

- **Dose minimale :** 20 mg/kg/jour

$$\frac{\text{Dose minimale recommandée par jour (mg)}}{1 \text{ kg}} = \frac{x \text{ Dose minimale par jour pour l'enfant (mg)}}{\text{Poids de l'enfant (kg)}}$$

$$\frac{x \text{ mg}}{5{,}96 \text{ kg}} = \frac{20 \text{ mg}}{1 \text{ kg}}$$

$$x \text{ mg} = \frac{5{,}96 \not{\text{kg}} \times 20 \text{ mg}}{1 \not{\text{kg}}}$$

$$x \text{ mg} = 119{,}2 \text{ mg}$$

Dose minimale : 119,2 mg/jour

- **Dose maximale** : 40 mg/kg/jour

$$\frac{\text{Dose maximale recommandée par jour (mg)}}{1 \text{ kg}} = \frac{x \text{ Dose maximale par jour pour l'enfant (mg)}}{\text{Poids de l'enfant (kg)}}$$

$$\frac{40 \text{ mg}}{1 \text{ kg}} = \frac{x \text{ mg}}{5{,}96 \text{ kg}}$$

$$x \text{ mg} = \frac{5{,}96 \not{\text{kg}} \times 40 \text{ mg}}{1 \not{\text{kg}}}$$

$$x \text{ mg} = 238{,}4 \text{ mg}$$

Dose maximale : 238,4 mg par jour

Pour vérifier si la dose prescrite se trouve à l'intérieur de la fenêtre thérapeutique, on multiplie la dose prescrite par le nombre de doses prévues par jour. Dans la présente situation, la clindamycine est donnée toutes les 8 heures, donc 3 fois par jour.

Dose prescrite × 3 = dose donnée par jour

$$x \text{ Dose minimale par jour pour l'enfant (mg)} = \frac{\text{Dose minimale recommandée par jour (mg)} \times \text{Poids de l'enfant (kg)}}{1 \text{ kg}}$$

Vérification de la fenêtre thérapeutique : méthode de la formule

- **Dose minimale** : 20 mg/kg/jour

$$x \text{ mg} = \frac{20 \text{ mg} \times 5{,}96 \cancel{\text{kg}}}{1 \cancel{\text{kg}}}$$

$$x \text{ mg} = 119{,}2 \text{ mg}$$

Dose minimale = 119,2 mg par jour

- **Dose maximale** : 40 mg/kg/jour

$$x \text{ Dose maximale par jour pour l'enfant (mg)} = \frac{\text{Dose maximale recommandée par jour (mg)} \times \text{Poids de l'enfant (kg)}}{1 \text{ kg}}$$

$$x \text{ mg} = \frac{40 \text{ mg} \times 5{,}96 \cancel{\text{kg}}}{1 \cancel{\text{kg}}}$$

$$x \text{ mg} = 238{,}4 \text{ mg}$$

Dose maximale : 238,4 mg par jour

Pour vérifier si la dose prescrite se trouve à l'intérieur de la fenêtre thérapeutique, on multiplie la dose prescrite par le nombre de doses prévues par jour. La clindamycine est donnée toutes les 8 heures donc, 3 fois par jour.

Dose prescrite × 3 = Dose quotidienne

$$55 \text{ mg} \times 3 = 165 \text{ mg/jour}$$

La dose prescrite indiquée dans l'ordonnance est de 55 mg de clindamycine par dose. Durant une journée, Sophie recevra 165 mg de clindamycine. En vérifiant la fenêtre thérapeutique calculée précédemment, l'infirmière constate que la dose prescrite par jour se situe dans l'intervalle de la dose quotidienne minimale et de la dose quotidienne maximale et qu'elle est sécuritaire pour un enfant de 5,96 kg.

Calcul de la dose à administrer : méthode du rapport-proportion ou de la formule

- **Méthode du rapport-proportion** :

$$\frac{\text{Teneur du médicament disponible (mg)}}{\text{Volume du médicament disponible (mL)}} = \frac{\text{Dose prescrite (mg)}}{x \text{ Quantité à administrer (mL)}}$$

$$\frac{150 \text{ mg}}{1 \text{ mL}} = \frac{55 \text{ mg}}{x \text{ mL}}$$

$$x \text{ mL} \times 150 \text{ mg} = 1 \text{ mL} \times 55 \text{ mg}$$

$$x\ mL = \frac{1\ mL \times 55\ \cancel{mg}}{150\ \cancel{mg}}$$

$$x\ mL = 0{,}36\overline{6}\ mL$$

Arrondissez ; 0,37 mL

- **Méthode de la formule :**

$$\text{Quantité à administrer (mL)} = \frac{\text{Dose prescrite (mg)} \times \text{Volume du médicament disponible (mL)}}{\text{Teneur du médicament disponible (mg)}}$$

$$x\ mL = \frac{55\ \cancel{mg} \times 1\ mL}{150\ \cancel{mg}}$$

$$x\ mL = 0{,}36\overline{6}\ mL$$

Arrondissez ; 0,37 mL

Étape 5 Vérifier le résultat obtenu

Utilisez votre jugement : le résultat est-il vraisemblable ? *La teneur en clindamycine est de 150 mg dans un volume de 1 mL. La dose de 55 mg est inférieure à 150 mg. Il est donc prévisible que le volume de clindamycine soit inférieur à 1 mL. La dose a été vérifiée préalablement et elle est à l'intérieur de la fenêtre thérapeutique recommandée. Il est sécuritaire d'administrer une dose de 55 mg de clindamycine à Sophie.*

Puisqu'il s'agit d'un médicament à administrer par voie intraveineuse, l'infirmière rassemblera le matériel suivant pour préparer le médicament de Sophie :

- Une seringue de 1 mL pour prélever la dose de 0,37 mL de clindamycine
- La fiole de clindamycine (Dalacin) 150 mg/mL
- Une aiguille de longueur et de calibre appropriés pour prélever la clindamycine dans la fiole
- Une seringue de 10 mL pour effectuer la dilution
- Une fiole de 10 mL de NaCl 0,9 % pour effectuer la dilution
- Des tampons d'alcool
- Une étiquette pour identifier le médicament préparé (nom, dose, voie, heure) et portant le nom et le prénom du destinataire, ainsi que sa date de naissance ou son numéro de dossier. L'infirmière collera l'étiquette sur la seringue de 10 mL.
- Un pousse-seringue et la tubulure associée à cet appareillage.

Exercez-vous : p. 165 du cahier d'exercices.

La préparation des médicaments dans un contexte de soins aux personnes en phase critique

7

Certains objectifs sans portée pratique n'ont pas d'exercices correspondants ; ils ne figurent donc pas dans le cahier d'exercices.

Le champ de pratique de l'infirmière est vaste et de nombreuses possibilités s'offrent à elle. Selon le milieu où elle exerce, elle rencontre diverses situations cliniques. Les situations dont il est question dans ce chapitre surviennent chez une clientèle variée dont les besoins particuliers dépendent des problèmes de santé qui les affectent. Dans ce chapitre, nous traiterons plus particulièrement de la question de l'administration de divers médicaments ou de produits sanguins dans un contexte de soins aux personnes en phase critique, ainsi que des personnes en fin de vie qui reçoivent une sédation palliative.

L'infirmière doit s'assurer de tenir compte du contexte, de l'état de santé de la personne et se référer aux politiques et aux procédures en vigueur dans l'établissement afin d'appliquer les pratiques exemplaires. Elle ne doit pas hésiter à effectuer une double vérification indépendante à l'aide d'une collègue pour s'assurer d'éviter les conséquences néfastes d'une erreur de médicament, en particulier dans les situations particulières dont il est question ici.

Ce chapitre ne remplace pas un guide de méthodes de soins; il se veut plutôt un outil pour explorer des situations particulières qui exigent de l'infirmière de solides connaissances et une vigilance accrue compte tenu de la complexité de certains calculs.

L'infirmière doit maintenir ses connaissances à jour en ce qui concerne les documents disponibles dans l'établissement auquel elle est rattachée. Il existe des points communs entre les différents établissements du Réseau de la santé et des services sociaux du Québec (RSSSQ), mais on observe certaines différences d'une région à l'autre. Afin d'assurer une administration sécuritaire, l'infirmière a la responsabilité de consulter la version la plus récente des documents relatifs à la préparation des médicaments et de respecter les directives. Elle fait preuve de rigueur en se référant à la forme écrite plutôt qu'à sa mémoire lorsqu'elle utilise une ordonnance collective (OC) ou un protocole infirmier (PI), surtout si elle travaille dans plus d'un Centre intégré de santé et de services sociaux (CISSS) ou dans un Centre intégré universitaire de santé et de services sociaux (CIUSS).

Calcul du débit de perfusion en millilitres par heure (mL/h)

Les personnes admises à l'urgence, dans une unité de soins intensifs ou dans une unité de soins généraux, doivent parfois recevoir une perfusion continue lorsque la forme orale d'un médicament ne convient pas. Par exemple, on peut prescrire du pantoprazole, un antiulcéreux, en milligrammes par heure (mg/h) ou du sulfate de magnésium, administré comme anticonvulsivant dans certains contextes, en grammes par heure (g/h).

Une autre façon de prescrire les médicaments consiste à utiliser les microgrammes par minute (mcg/min) ou parfois les milligrammes par minute (mg/min). On a recours à cette pratique notamment pour administrer les médicaments qui agissent sur le cœur, comme certains antiarythmiques, et qui nécessitent une grande précision.

Dans les unités de soins où sont traitées des personnes en phase critique, on prescrit des médicaments en milligrammes par kilogramme par minute (mg/kg/min) ou encore en microgrammes par kilogramme par minute (mcg/kg/min), donc en tenant compte du poids corporel.

L'infirmière doit être en mesure de convertir la teneur de chaque médicament afin de programmer de façon sécuritaire la pompe volumétrique avec le bon débit. Elle doit exercer une surveillance clinique étroite et s'assurer de vérifier l'apparition des effets thérapeutiques et des effets secondaires pendant et après la perfusion.

OBJECTIF 7.1 Calculer le débit de perfusion en millilitres par heure (mL/h) à partir d'une ordonnance en milligrammes par heure (mg/h) ou en grammes par heure (g/h)

Situation clinique

Mme Bolduc est admise à l'unité de médecine à la suite d'une hémorragie digestive haute. *Nil per os*, elle doit recevoir une perfusion de pantoprazole (Pantoloc), un antiulcéreux afin de réduire la sécrétion d'acide gastrique. Mme Bolduc n'a pas d'antécédent médical significatif et ses résultats sanguins démontrent une fonction hépatique normale (**figure 7.1**).

Figure 7.1 **FADM de Mme Gisèle Bolduc.**

FADM

NOM : BOLDUC Gisèle
DOSSIER : 20160213
CHAMBRE : 3115-1
DATE DE NAISSANCE : 1945-01-20
DATE D'ADMISSION : 2019-09-30
FADM valide du 2019-10-01 à 00 h 00 au 2019-10-01 à 23 h 59

Poids : 65 kg | SC : | Allergies : aucune
Taille : 160 cm | Clcr : 120 mL/min | Intolérances :

Médicaments	Nuit (00 h 00-07 h 59) Heure Initiales	Jour (8 h 00-15 h 59) Heure Initiales	Soir (16 h 00-23 h 59) Heure Initiales	Validité
Pantoprazole (Pantoloc) **80 mg/100 mL NS** **IV** Perfuser à 8 mg/h × 72 heures D[re] Jeannine Cloutier				2019-09-30 15 h 15 2019-10-14 23 h 59

Étape 1 Collecter les données

- Validez la FADM et recherchez les informations pertinentes :
  - Date et heure du début de la FADM : ***2019-10-01, 00 h 00***

- Nom, prénom de la personne et numéro de dossier : ***Bolduc, Gisèle #20160213***
- Nom générique et commercial du médicament : ***pantoprazole (Pantoloc)***
- Dose en milligrammes par heure du médicament : ***8 mg/h***
- Voie d'administration du médicament : ***intraveineuse***
- Moment ou fréquence de l'administration du médicament : ***perfusion continue pour 72 h***
- Personne autorisée à prescrire le médicament : ***D[re] Jeannine Cloutier***

- Déterminez le nom du médicament à administrer, *le pantoprazole*, et recherchez les informations importantes, notamment *qu'il est utilisé en présence d'ulcères pour diminuer rapidement la production d'acide gastrique. La dose maximale par jour est de 240 mg par la voie intraveineuse. Les effets indésirables sont des céphalées, de la diarrhée et parfois une élévation des enzymes hépatiques pour lesquels il faut effectuer un suivi. Puisqu'il est majoritairement métabolisé par le foie, le médicament est contre-indiqué en cas d'insuffisance hépatique.*
- Vérifiez les autres données cliniques : *Mme Bolduc n'a pas d'allergie connue aux médicaments et elle n'a pas d'antécédents médicaux.*

Étape 2 Analyser les données

- Repérez les données pertinentes telles que le débit en milligrammes par heure, la teneur du médicament et le volume de solution disponible pour effectuer le calcul de la dose à administrer.
- Comparez la dose prescrite avec le médicament disponible afin de vous assurer que les unités de mesure sont les mêmes. *Les unités sont les mêmes.*
- Vérifiez la pertinence d'utiliser le poids (en kilogrammes) ou certains résultats d'analyses sanguines pour effectuer les calculs : *dans cet exemple, les résultats des analyses de laboratoire démontrent la présence d'enzymes hépatiques dans les limites de la normale.*

Étape 3 Planifier la préparation

- Réfléchissez à la meilleure façon de calculer la dose requise et déterminez les données utiles. Choisissez la méthode de calcul de dose appropriée au contexte selon les données analysées : la méthode de la formule ou la méthode du rapport-proportion.

Méthode de la formule

$$x\left(\frac{\text{mL}}{\text{h}}\right) = \frac{\text{Dose}\left(\frac{\text{mg}}{\text{h}}\right)}{\text{Teneur (mg)}} \times \text{Volume (mL)}$$

Méthode du rapport-proportion

$$\frac{\text{Teneur (mg)}}{\text{Volume (mL)}} = \frac{\text{Dose}\left(\frac{\text{mg}}{\text{h}}\right)}{x\left(\frac{\text{mL}}{\text{h}}\right)}$$

- Sélectionnez les données nécessaires au calcul à partir de la FADM de Mme Bolduc :
  - La dose prescrite : ***8 mg/h***
  - La teneur : ***80 mg***
  - Le volume : ***100 mL***

Étape 4 Calculer la dose

Cette étape consiste à effectuer le calcul exact du débit prescrit avec la méthode de la formule ou celle du rapport-proportion.

Méthode de la formule

- Transcrivez la formule et remplacez les variables de la formule par les données pertinentes sans oublier d'inscrire les unités de mesure :

$$x\left(\frac{mL}{h}\right) = \frac{8\,\frac{mg}{h}}{80\ mg} \times 100\ mL$$

- Effectuez le calcul selon la méthode de la formule afin de déterminer le débit de perfusion du pantoprazole. Simplifiez l'équation au besoin :

$$x\left(\frac{mL}{h}\right) = \frac{\cancel{8\ mg}}{\cancel{1}\,h} \times \frac{\cancel{1}}{\cancel{80\ mg}} \times 10\cancel{0}\ mL$$

- Vous obtenez 10 mL/h : le débit de perfusion du pantoprazole de Mme Bolduc pour administrer la dose de 8 mg/h.

Méthode du rapport-proportion

- Remplacez les variables de l'équation par les données pertinentes sans oublier d'inscrire les unités de mesure :

$$\frac{80\ mg}{100\ mL} = \frac{8\,\frac{mg}{h}}{x\left(\frac{mL}{h}\right)}$$

- Effectuez le calcul selon la méthode du rapport-proportion afin de déterminer la valeur d'inconnu x, c'est-à-dire le débit de perfusion en mL/h :

$$x\left(\frac{mL}{h}\right) \times 80\ mg = 100\ mL \times 8\,\frac{mg}{h}$$

$$x\left(\frac{mL}{h}\right) = \frac{10\cancel{0}\ mL \times \cancel{8}\,\frac{\cancel{mg}}{h}}{\cancel{80\ mg}}$$

$$x\left(\frac{mL}{h}\right) = 10\,\frac{mL}{h}$$

- Obtenez un résultat contenant une valeur numérique et une unité de mesure : *le débit de perfusion auquel la pompe de Mme Bolduc doit être programmée est de 10 mL/h.*

Étape 5 Vérifier le résultat obtenu

Cette cinquième et dernière étape est essentielle à une administration sécuritaire d'un médicament.

- Validez le résultat obtenu : le calcul est-il exact? Vérifiez-le en effectuant 2 fois votre calcul.
- Si vous avez utilisé la méthode du rapport-proportion, vérifiez votre calcul en remplaçant la valeur de x dans l'équation par la réponse obtenue :

$$\frac{80 \text{ mg}}{100 \text{ mL}} = \frac{8 \frac{\text{mg}}{\text{h}}}{10 \frac{\text{mL}}{\text{h}}}$$

$$\frac{8\cancel{0}}{10\cancel{0}} = \frac{8}{10}$$

- Utilisez votre jugement pour déterminer si le résultat obtenu est vraisemblable. *Effectivement, ce résultat est plausible et conforme, car il respecte la dose habituelle recommandée pour une perfusion de pantoprazole.*
- Rassemblez le matériel requis et revoyez les étapes de préparation/administration : Puisqu'il s'agit de l'administration d'un médicament intraveineux, l'infirmière doit s'assurer de connaître la méthode de dilution en consultant le guide d'administration de médicaments parentéraux. De plus elle doit prévoir
  - une seringue de 10 mL munie d'une aiguille 21 G ;
  - 2 fioles de pantoprazole 40 mg ;
  - 2 fioles NaCl 0,9 % de 10 mL pour reconstituer la poudre ;
  - le sac de NaCl 0,9 % de 100 mL ;
  - des tampons d'alcool ;
  - une étiquette d'identification avec le nom et prénom de la personne, sa date de naissance ou son numéro de dossier, ainsi que les informations relatives au médicament. Ces informations permettent d'effectuer une vérification de la personne en utilisant 2 indicateurs reconnus, au chevet, avant l'administration du médicament.

Exercez-vous : p. 178 du cahier d'exercices.

Pour maintenir une concentration de 80 mg/100mL, il est important de retirer 20 mL du sac de perfusion de NaCl 0,9 % de 100 mL et d'ajouter le volume de médicament reconstitué à perfuser (20 mL). On doit conserver le même volume total que celui utilisé lors du calcul, soit 100 mL pour s'assurer d'administrer la bonne dose de pantoprazole.

OBJECTIF 7.2 Calculer le débit de perfusion en millilitres par heure (mL/h) à partir d'une ordonnance en microgrammes par minute (mcg/min) ou en milligrammes par minute (mg/min)

L'administration des médicaments destinés aux personnes en phase critique nécessite une très grande précision. Certains de ces médicaments exercent leurs effets à très petite dose puisqu'ils sont souvent administrés directement dans la voie veineuse. L'ordonnance est généralement indiquée en microgrammes par minute ou en milligrammes par minute.

L'infirmière administre ces médicaments à l'aide d'une pompe volumétrique. Elle programme les données concernant l'ordonnance dans la pompe et ajuste le débit en fonction des effets obtenus. Elle est responsable des doses administrées. Il est essentiel que l'infirmière soit en mesure de vérifier que la dose reçue par la personne hospitalisée correspond bien à la dose prescrite.

Certaines pompes sont programmées par le service de pharmacie et la concentration est déterminée en fonction des médicaments disponibles et du guide de préparation et d'administration de l'établissement. Il arrive cependant que l'infirmière doive ajuster le débit de perfusion à la suite de ses observations cliniques de la personne et en se guidant sur une ordonnance collective (OC) ou un protocole infirmier (PI).

Situation clinique

Voici l'extrait de la FADM de M. Paradis (**figure 7.2**). Il est admis pour angine instable et il doit recevoir une perfusion de nitroglycérine, un vasodilatateur coronarien. Le médicament est disponible dans un sac prémélangé de nitroglycérine 50 mg dans 500 mL de D 5 % dans l'eau. L'infirmière doit déterminer le débit de perfusion.

Figure 7.2 **FADM de M. Luc Paradis.**

FADM

NOM: PARADIS Luc
DOSSIER: 20070213
CHAMBRE: 202-1
DATE DE NAISSANCE: 1945-07-29
DATE D'ADMISSION: 2020-01-05
FADM valide du 2020-01-06 à 00 h 00 au 2020-01-06 à 23 h 59

Poids: 108 kg | SC: | Allergies: latex, codéine
Taille: 185 cm | Clcr: 78 mL/min | Intolérances:

Médicaments	Nuit (00 h 00-07 h 59) Heure Initiales	Jour (8 h 00-15 h 59) Heure Initiales	Soir (16 h 00-23 h 59) Heure Initiales	Validité
Nitroglycérine (Tridil) **IV** Débuter à 5 mcg/min ajuster selon protocole pour maintenir TAS > 100 Dr Bernard Laniel				2020-01-05 15 h 15 2020-01-13 23 h 59

Étape 1 Collecter les données

- Validez la FADM et recherchez les informations pertinentes:
  - Date et heure du début de la FADM: ***2020-01-06, 00 h 00***
  - Nom, prénom de la personne et numéro de dossier: ***Paradis, Luc #20070213***
  - Nom générique et commercial du médicament: ***nitroglycérine (Tridil)***
  - Dose en microgrammes par heure du médicament: ***5 mcg/min***
  - Voie d'administration du médicament: ***intraveineuse***
  - Moment ou fréquence de l'administration du médicament: ***perfusion continue pour maintenir une tension artérielle systolique (TAS) supérieure à 100 mm Hg***
  - Personne autorisée à prescrire le médicament: ***Dr Bernard Laniel***

- Déterminez le nom du médicament à administrer, *la nitroglycérine*, et recherchez les informations importantes, notamment que *le médicament est utilisé pour soulager la douleur rétrosternale. La dose doit être ajustée en fonction des paramètres* ***hémodynamiques*** *de la personne. Les effets indésirables les plus fréquents sont les céphalées, l'hypotension et les étourdissements. La prise concomitante d'inhibiteurs de la phosphodiestérase de type 5, un médicament utilisé pour la dysfonction érectile, est une contre-indication.*
- Vérifiez les autres données pertinentes : *la personne présente une allergie au latex et à la codéine : il n'y a pas de contre-indications à recevoir la nitroglycérine puisque le matériel utilisé pour la perfusion ne contient pas de latex.*

Étape 2 Analyser les données

- Repérez les données pertinentes pour effectuer le calcul de la dose à administrer telles que : *le débit en microgrammes par minute, la teneur du médicament et le volume de solution disponible.*
- Comparez la dose prescrite avec le médicament disponible afin de vous assurer que les unités de mesure sont les mêmes. *Les unités ne sont pas les mêmes.*
- La dose prescrite est en microgrammes par minute (mcg/min), alors que la concentration est en milligrammes par millilitre (mg/mL) et que le débit recherché est en millilitres par heure (mL/h).
  - Convertissez les microgrammes (mcg) en milligrammes (mg) :
    5 mcg = 0,005 mg
  - Convertissez les milligrammes par minute (mg/min) en milligrammes par heure (mg/h) :

$$\frac{0{,}005 \text{ mg}}{\cancel{\text{min}}} \times \frac{60 \cancel{\text{min}}}{\text{h}} = 0{,}3 \text{ mg/h}$$

- Vérifiez la pertinence d'utiliser le poids (en kilogrammes) ou certains résultats d'analyses sanguines pour effectuer les calculs : *dans cet exemple, l'infirmière doit tenir compte de la valeur de la clairance de créatinine diminuée, une indication que la fonction rénale de M. Paradis est altérée. La nitroglycérine n'est pas métabolisée par les reins et le matériel utilisé ne contient pas de latex.* L'infirmière doit procéder à l'évaluation de M. Paradis en plus de vérifier la tension artérielle pour s'assurer que la tension artérielle systolique est supérieure à 100 mm Hg avant de commencer la perfusion.

Étape 3 Planifier la préparation

- Réfléchissez à la meilleure façon de calculer la dose requise et déterminez les données utiles. Choisissez la méthode de calcul de débit appropriée au contexte selon les données analysées : la méthode de la formule ou la méthode du rapport-proportion.

Méthode de la formule

$$\text{Débit}\left(\frac{\text{mL}}{\text{h}}\right) = \text{Dose prescrite}\left(\frac{\text{mg}}{\text{h}}\right) \times \frac{\text{Volume (mL)}}{\text{Teneur (mg)}}$$

Méthode du rapport-proportion

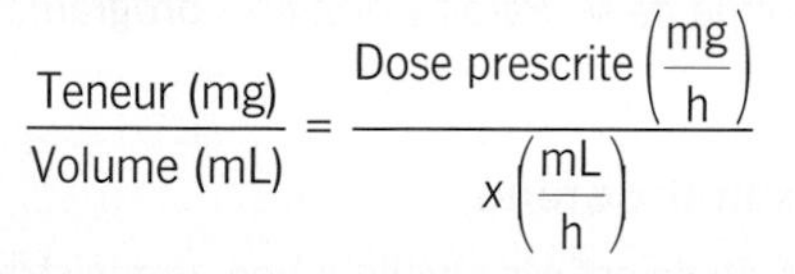

$$\frac{\text{Teneur (mg)}}{\text{Volume (mL)}} = \frac{\text{Dose prescrite}\left(\frac{\text{mg}}{\text{h}}\right)}{x\left(\frac{\text{mL}}{\text{h}}\right)}$$

- Déterminez les données nécessaires au calcul à partir de la FADM de M. Paradis:
  - La dose prescrite convertie: ***0,3 mg/h***
  - La teneur: ***50 mg***
  - Le volume: ***500 mL***

Étape 4 Calculer la dose

Méthode de la formule

- Transcrivez la formule et remplacez les variables de la formule par les données pertinentes sans oublier d'inscrire les unités de mesure:

$$x\left(\frac{\text{mL}}{\text{h}}\right) = \frac{0{,}3\text{ mg}}{\text{h}} \times \frac{500\text{ mL}}{50\text{ mg}}$$

- Effectuez le calcul selon la méthode de la formule afin de déterminer le débit de perfusion de la nitroglycérine. Simplifiez l'équation au besoin:

$$x\left(\frac{\text{mL}}{\text{h}}\right) = \frac{0{,}3\,\cancel{\text{mg}}}{\text{h}} \times \frac{^{10}\cancel{500}\text{ mL}}{\cancel{50}\,\cancel{\text{mg}}} = \frac{3\text{ mL}}{\text{h}}$$

- Vous obtenez 3 mL/h: le débit de perfusion de la nitroglycérine de M. Paradis pour administrer la dose de 5 mcg/min.

Méthode du rapport-proportion

- Transcrivez le rapport et remplacez les variables du rapport par les données pertinentes sans oublier d'inscrire les unités de mesure:

$$\frac{50\text{ mg}}{500\text{ mL}} = \frac{0{,}3\,\frac{\text{mg}}{\text{h}}}{x\left(\frac{\text{mL}}{\text{h}}\right)}$$

- Effectuez le calcul selon la méthode du rapport-proportion afin de déterminer la valeur d'inconnu *x*, c'est-à-dire le débit en mL/h:

$$x\left(\frac{\text{mL}}{\text{h}}\right) \times 50\text{ mg} = 500\text{ mL} \times 0{,}3\,\frac{\text{mg}}{\text{h}}$$

$$x\left(\frac{\text{mL}}{\text{h}}\right) = \frac{^{10}\cancel{500}\,\text{mL}}{\cancel{50}\,\cancel{\text{mg}}} \times \frac{0{,}3\,\cancel{\text{mg}}}{\text{h}}$$

$$x\left(\frac{\text{mL}}{\text{h}}\right) = 3\,\frac{\text{mL}}{\text{h}}$$

- Obtenez un résultat contenant une valeur numérique et une unité de mesure : *le débit de perfusion auquel la pompe de M. Paradis doit être programmée est de 3 mL/h.*

Étape 5 Vérifier le résultat obtenu

Cette cinquième et dernière étape est essentielle à une administration sécuritaire d'un médicament.

- Validez le résultat obtenu : le calcul est-il exact ? Vérifiez-le en effectuant 2 fois votre calcul.
- Si vous avez utilisé la méthode du rapport-proportion, vérifiez votre calcul en remplaçant la valeur de x dans l'équation par la réponse obtenue :

$$\frac{50 \text{ mg}}{500 \text{ mL}} = \frac{0{,}3 \frac{\text{mg}}{\text{h}}}{3 \frac{\text{mL}}{\text{h}}}$$

$$\frac{1\cancel{0}}{10\cancel{0}} = \frac{1}{10}$$

- Utilisez votre jugement pour déterminer si le résultat obtenu est vraisemblable. *Effectivement, ce résultat est plausible et conforme, car il respecte la dose habituelle recommandée pour une perfusion de nitroglycérine.*

Puisqu'il s'agit de l'administration d'un médicament intraveineux, l'infirmière doit s'assurer de connaître la surveillance adéquate, comme la prise de signes vitaux toutes les 5 minutes, le monitorage cardiaque en continu et le temps requis entre chaque changement de dose, soit 5 minutes. De plus, elle doit prévoir :

- le sac de D 5 % 500 mL + nitroglycérine 50 mg sur une tubulure pour pompe volumétrique ;
- le sac de D 5 % 250 mL placé sur une tubulure primaire par gravité ;
- des tampons d'alcool ;
- une étiquette d'identification avec le nom et prénom de la personne, sa date de naissance ou son numéro de dossier, ainsi que les informations relatives au médicament.

Exercez-vous : p. 180 du cahier d'exercices.

Ces informations permettent d'effectuer une vérification de la personne en utilisant 2 indicateurs reconnus, au chevet, avant l'administration du médicament.

OBJECTIF 7.3 Calculer la dose en microgrammes par minute (mcg/min) ou en milligrammes par minute (mg/min) à partir d'un débit de perfusion en millilitres par heure (mL/h)

Il est parfois nécessaire d'ajuster les doses des médicaments administrés en phase critique selon les résultats de certains paramètres vitaux. Dans le cas de M. Paradis, l'infirmière a dû faire les ajustements de débit de nitroglycérine en fonction du protocole infirmier (PI), car la douleur n'était pas soulagée et la tension artérielle systolique demeurait au-dessus de 100 mm Hg.

Lors du rapport interservices, il n'est pas rare que l'on transmette le débit de perfusion plutôt qu'une dose. L'infirmière qui prend la relève doit connaître la dose en cours afin de pouvoir respecter les paramètres thérapeutiques. S'il est nécessaire de contacter le médecin, elle doit lui indiquer la dose en microgrammes par minute (mcg/min), puisque celui-ci n'a pas le protocole infirmier en main et ne connaît peut-être pas la dilution utilisée par l'établissement. Afin d'éviter toute confusion, il importe de toujours transmettre à un autre professionnel les informations concernant un médicament en indiquant la dose administrée et non le débit ou la quantité.

Situation clinique

M. Paradis reçoit une perfusion de nitroglycérine 50 mg/500mL de D 5 % dans l'eau à un débit de 5 mcg/min. La douleur étant toujours présente, le débit de perfusion a été augmenté graduellement par l'infirmière Mélanie Ouellette (**figure 7.3**) ; le patient est maintenant soulagé. Si la perfusion est désormais réglée à 12 mL/h, quelle dose de nitroglycérine reçoit M. Paradis ?

Figure 7.3 Ajustement de la perfusion de M. Luc Paradis.

FADM

NOM : PARADIS Luc
DOSSIER : 20070213
CHAMBRE : 202-1
DATE DE NAISSANCE : 1945-07-29
DATE D'ADMISSION : 2020-01-05
FADM valide du 2020-01-06 à 00 h 00 au 2020-01-06 à 23 h 59

Poids : 108 kg | SC : | Allergies : latex, codéine
Taille : 185 cm | Clcr : 78 mL/min | Intolérances :

Médicaments	Nuit (00 h 00-07 h 59) Heure Initiales	Jour (8 h 00-15 h 59) Heure Initiales	Soir (16 h 00-23 h 59) Heure Initiales	Validité
Nitroglycérine (Tridil) **IV** Débuter à 5 mcg/min ajuster selon protocole pour maintenir TAS > Dr Bernard Laniel		~~15 h 37~~ VL 3 mL/h	~~18 h 42~~ MO 6 mL/h ~~18 h 47~~ MO 9 mL/h ~~18 h 52~~ MO 12 mL/h	2020-01-05 15 h 15 2020-01-13 23 h 59

Étape 1 Collecter les données

- Validez la FADM et recherchez les informations pertinentes :
  - Date et heure du début de la FADM : ***2020-01-06, 00 h 00***
  - Nom, prénom de la personne et numéro de dossier : ***Paradis, Luc #20070213***
  - Nom générique et commercial du médicament : ***nitroglycérine (Tridil)***
  - Débit en millilitres par heure du médicament : ***12 mL/h***
  - Voie d'administration du médicament : ***intraveineuse***
  - Moment ou fréquence de l'administration du médicament : ***perfusion continue pour maintenir une tension artérielle systolique (TAS) supérieure à 100 mm Hg***
  - Personne autorisée à prescrire le médicament : ***Dr Bernard Laniel***

- Déterminez le nom du médicament à administrer, *la nitroglycérine*, et recherchez les informations importantes, notamment que *le médicament est utilisé pour soulager la douleur rétrosternale. La dose doit être ajustée en fonction des paramètres hémodynamiques de la personne. Les effets indésirables les plus fréquents sont les céphalées, l'hypotension et les étourdissements. La prise concomitante d'inhibiteurs de la phosphodiestérase de type 5, un médicament utilisé pour la dysfonction érectile, est une contre-indication. M. Paradis ne fait pas usage de phosphodiestérase de type 5.*
- Vérifiez les autres données pertinentes : *la personne présente une allergie au latex et à la codéine : il n'y a pas de contre-indication à recevoir la nitroglycérine puisque le matériel utilisé pour la perfusion ne contient pas de latex.*

Étape 2 Analyser les données

- Repérez les données pertinentes telles que le débit en millilitres par heure, la teneur du médicament et le volume de solution disponible pour effectuer le calcul de la dose à administrer.
- Comparez la dose prescrite avec le médicament disponible afin de vous assurer que les unités de mesure sont les mêmes. *Les unités ne sont pas les mêmes.*
- La dose prescrite est en microgrammes par minute alors que la concentration est en milligrammes par millilitre.
  - Convertissez la concentration milligrammes par millilitre (mg/mL) en une concentration en microgrammes par millilitre (mcg/mL) afin de comparer votre réponse à l'ordonnance initiale :

$$\frac{50 \text{ mg}}{500 \text{ mL}} = \frac{100 \text{ mcg}}{\text{mL}}$$

- Vérifiez la pertinence d'utiliser le poids (en kilogrammes) ou certains résultats d'analyses sanguines pour effectuer les calculs : *dans cet exemple, l'infirmière doit tenir compte de la valeur de la clairance de créatinine diminuée, une indication que la fonction rénale de M. Paradis est altérée. La nitroglycérine n'est pas métabolisée par les reins et le matériel utilisé ne contient pas de latex.*

Étape 3 Planifier la préparation

- Réfléchissez à la meilleure façon de calculer la dose requise et déterminez les données utiles. Choisissez la méthode de calcul de dose appropriée au contexte selon les données analysées : la méthode de la formule ou la méthode du rapport-proportion.

Méthode de la formule

$$x\left(\frac{\text{mcg}}{\text{min}}\right) = \text{Concentration}\left(\frac{\text{mcg}}{\text{mL}}\right) \times \text{Débit}\left(\frac{\text{mL}}{\text{h}}\right) \times \frac{1 \text{ h}}{60 \text{ min}}$$

- Déterminez les données nécessaires au calcul à partir de la FADM de M. Paradis :
  - Le débit : ***12 mL/h***
  - La concentration convertie : ***100 mcg/mL***

Méthode du rapport-proportion

La méthode du rapport-proportion pour ce type de situation alourdit le calcul et augmente le risque d'erreur, puisqu'il y a 2 conversions à faire. C'est pourquoi nous ne le démontrons pas pour ce problème.

Étape 4 Calculer la dose

Méthode de la formule

- Transcrivez la formule et remplacez les variables de la formule par les données pertinentes sans oublier d'inscrire les unités de mesure :

$$x\left(\frac{\text{mcg}}{\text{min}}\right) = \frac{100\ \text{mcg}}{\text{mL}} \times \frac{12\ \text{mL}}{\text{h}} \times \frac{1\ \text{h}}{60\ \text{min}}$$

- Effectuez le calcul selon la méthode de la formule afin de déterminer le débit de perfusion de la nitroglycérine. Simplifiez l'équation au besoin :

$$x\left(\frac{\text{mcg}}{\text{min}}\right) = \frac{100\ \text{mcg}}{\cancel{\text{mL}}} \times \frac{{}^{1}\cancel{12}\ \cancel{\text{mL}}}{\cancel{\text{h}}} \times \frac{1\ \cancel{\text{h}}}{{}^{5}\cancel{60}\ \text{min}}$$

$$x\left(\frac{\text{mcg}}{\text{min}}\right) = \frac{100\ \text{mcg}}{5\ \text{min}}$$

$$x\left(\frac{\text{mcg}}{\text{min}}\right) = \frac{20\ \text{mcg}}{\text{min}}$$

Vous obtenez que le débit de 12 mL/h équivaut à la dose de 20 mcg/min de nitroglycérine pour la perfusion de M. Paradis.

Étape 5 Vérifier le résultat obtenu

Cette cinquième et dernière étape est essentielle à une administration sécuritaire d'un médicament.

- Validez le résultat obtenu : le calcul est-il exact ? Vérifiez-le en effectuant 2 fois votre calcul.
- Utilisez votre jugement pour déterminer si le résultat obtenu est vraisemblable.
  Effectivement, ce résultat est plausible et conforme, car il est possible de comparer la réponse à partir de la réponse obtenue à l'objectif précédent :

$$\frac{5\ \text{mcg/min}}{3\ \text{mL/h}} = \frac{20\ \text{mcg/min}}{12\ \text{mL/h}}$$

- En simplifiant les fractions, on obtient :

$$\frac{5\ \text{mcg/min}}{3\ \text{mL/h}} = \frac{5\ \text{mcg/min}}{3\ \text{mL/h}}$$

Puisqu'il s'agit de l'administration d'un médicament intraveineux, l'infirmière doit s'assurer de connaître la surveillance adéquate comme l'évaluation de la douleur et la prise de signes vitaux toutes les 5 minutes, le monitorage cardiaque en continu et le temps requis entre chaque changement de dose, soit 5 minutes. De plus, elle doit vérifier si la concentration est la même que celle calculée et que celle fixée par le PI de l'établissement. L'étiquette d'identification contient le nom et prénom de la personne, sa date de naissance ou son numéro de dossier, ainsi que les informations relatives au médicament. Ces informations permettent d'effectuer une vérification de la personne en utilisant 2 indicateurs reconnus, au chevet, avant l'administration du médicament.

Exercez-vous : p. 182 du cahier d'exercices.

OBJECTIF 7.4

Calculer le débit de perfusion en millilitres par heure (mL/h) à partir d'une ordonnance en microgrammes par kilogramme par minute (mcg/kg/min) ou en milligrammes par kilogramme par minute (mg/kg/min)

Certaines perfusions de médicament sont prescrites en fonction du poids de la personne.

Situation clinique

L'état de santé de M. Paradis se détériore : le débit cardiaque et la diurèse diminuent tandis que la tension artérielle et le pouls fluctuent. On cesse la perfusion de nitroglycérine et on commence une perfusion de dobutamine. Voici l'extrait de sa nouvelle FADM (**figure 7.4**).

Figure 7.4 **Nouvelle FADM de M. Luc Paradis.**

FADM

NOM : PARADIS Luc
DOSSIER : 20070213
CHAMBRE : 202-1
DATE DE NAISSANCE : 1945-07-29
DATE D'ADMISSION : 2020-01-05
FADM valide du 2020-01-06 à 00 h 00 au 2020-01-06 à 23 h 59

Poids : 108 kg | SC : | Allergies : latex, codéine
Taille : 185 cm | Clcr : 78 mL/min | Intolérances :

Médicaments	Nuit (00 h 00-07 h 59) Heure Initiales	Jour (8 h 00-15 h 59) Heure Initiales	Soir (16 h 00-23 h 59) Heure Initiales	Validité
Dobutamine (Dobutrex) IV 250 mg/500mL de NS, débuter à 0,5 mcg/kg/min, ajuster selon PI Dr Bernard Laniel				2020-01-06 19 h 58 2020-01-13 23 h 59

Étape 1 Collecter les données

- Validez la FADM et recherchez les informations pertinentes :
  - Date et heure du début de la FADM : ***2020-01-06, 00 h 00***
  - Nom, prénom de la personne et numéro de dossier : ***Paradis, Luc #20070213***

- Nom générique et commercial du médicament : ***dobutamine (Dobutrex)***
- Dose en microgrammes par kilogramme par minute du médicament : ***0,5 mcg/kg/min***
- Voie d'administration du médicament : ***intraveineuse***
- Moment ou fréquence de l'administration du médicament : ***perfusion continue***
- Personne autorisée à prescrire le médicament : ***Dr Bernard Laniel***

- Déterminez le nom du médicament à administrer, *la dobutamine*, et recherchez les informations importantes, notamment que *le médicament est utilisé comme cardiotonique pour le traitement de l'insuffisance cardiaque attribuable à une contractilité réduite. La dose doit être ajustée en fonction des paramètres hémodynamiques de la personne. Les effets indésirables les plus fréquents sont l'hypertension, l'augmentation de la fréquence cardiaque et les contractions ventriculaires prématurées. L'hypersensibilité à la dobutamine ou aux bisulfites est une contre-indication. La dose maximale est de 40 mcg/kg/min.*
- Vérifiez les autres données pertinentes : *la personne présente une allergie au latex et à la codéine : il n'y a pas de contre-indications à recevoir la dobutamine puisque le matériel utilisé pour la perfusion ne contient pas de latex.*

Étape 2 Analyser les données

- Repérez les données pertinentes telles que la dose prescrite en microgrammes par kilogramme par minute, la teneur du médicament et le volume de solution disponible pour effectuer le calcul de la dose à administrer.
- Comparez la dose prescrite avec le médicament disponible afin de vous assurer que les unités de mesure sont les mêmes. *Les unités ne sont pas les mêmes.*
- La dose prescrite est en microgrammes par kilogramme par minute alors que la concentration est en milligrammes par millilitre.
  - Convertissez les microgrammes (mcg) en milligrammes (mg).
    0,5 mcg = 0,0005 mg
  - Convertissez les milligrammes par kilogramme par minute (mg/kg/min) en milligrammes par kilogramme par heure (mg/kg/h) :

$$\frac{0{,}0005\,\frac{\text{mg}}{\text{kg}}}{\cancel{\text{min}}} \times \frac{60\,\cancel{\text{min}}}{\text{h}} = 0{,}03\,\frac{\frac{\text{mg}}{\text{kg}}}{\text{h}}$$

- Vérifiez la pertinence d'utiliser le poids (en kilogrammes) ou certains résultats d'analyses sanguines pour effectuer les calculs : *dans cet exemple, l'infirmière doit tenir compte du poids, ainsi que de la valeur de la clairance de créatinine diminuée, une indication que la fonction rénale de M. Paradis est altérée. La dobutamine n'est pas métabolisée par les reins.*
  - Déterminez, à partir du poids de M. Paradis, combien de milligrammes par heure (mg/h) représente la dose à administrer :

$$x\left(\frac{\text{mg}}{\text{h}}\right) = \frac{0{,}03\,\frac{\text{mg}}{\cancel{\text{kg}}}}{\text{h}} \times 108\,\cancel{\text{kg}} = 3{,}24\ \text{mg/h}$$

Étape 3 Planifier la préparation

- Réfléchissez à la meilleure façon de calculer le débit requis et déterminez les données utiles. Choisissez la méthode de calcul de débit appropriée au contexte selon les données analysées : la méthode de la formule ou la méthode du rapport-proportion.

Méthode de la formule

$$\text{Débit}\left(\frac{\text{mL}}{\text{h}}\right) = \text{Dose prescrite}\left(\frac{\text{mg}}{\text{h}}\right) \times \frac{\text{Volume (mL)}}{\text{Teneur (mg)}}$$

Méthode du rapport-proportion

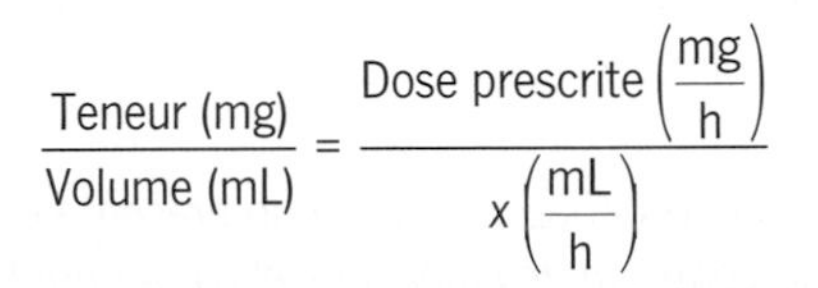

- Déterminez les données nécessaires au calcul à partir de la FADM de M. Paradis (**figure 7.4**) :
  - La dose prescrite convertie : ***3,24 mg/h***
  - La teneur : ***250 mg***
  - Le volume : ***500 mL***

Étape 4 Calculer la dose

Méthode de la formule

- Transcrivez la formule et remplacez les variables de la formule par les données pertinentes, sans oublier d'inscrire les unités de mesure :

$$x\left(\frac{\text{mL}}{\text{h}}\right) = \frac{3{,}24\ \text{mg}}{\text{h}} \times \frac{500\ \text{mL}}{250\ \text{mg}}$$

- Effectuez le calcul selon la méthode de la formule afin de déterminer le débit de perfusion de la dobutamine. Simplifiez l'équation au besoin :

$$x\left(\frac{\text{mL}}{\text{h}}\right) = \frac{3{,}24\ \cancel{\text{mg}}}{\text{h}} \times \frac{^{2}\cancel{500}\ \text{mL}}{^{1}\cancel{250\ \text{mg}}} = 6{,}48\ \text{mL/h}$$

- Vous obtenez 6,5 mL/h en arrondissant au dixième : le débit de perfusion de la dopamine de M. Paradis.

Méthode du rapport-proportion

- Transcrivez le rapport et remplacez les variables du rapport par les données pertinentes sans oublier d'inscrire les unités de mesure :

$$\frac{250\ \text{mg}}{500\ \text{mL}} = \frac{3{,}24\ \frac{\text{mg}}{\text{h}}}{x\left(\frac{\text{mL}}{\text{h}}\right)}$$

- Effectuez le calcul selon la méthode du rapport-proportion afin de déterminer la valeur de l'inconnue x, c'est-à-dire le débit en millilitres par heure (mL/h) :

$$x\left(\frac{mL}{h}\right) \times 250\ mg = 500\ mL \times 3{,}24\ \frac{mg}{h}$$

$$x\left(\frac{mL}{h}\right) = \frac{{}^{2}\cancel{500}\ mL}{{}^{1}\cancel{250\ mg}} \times \frac{3{,}24\ \cancel{mg}}{h}$$

$$x\left(\frac{mL}{h}\right) = 6{,}48\ \frac{mL}{h}$$

Vous obtenez 6,5 mL/h en arrondissant au dixième : le débit de perfusion de la dopamine de M. Paradis.

ALERTE INFIRMIÈRE

L'infirmière doit connaître le niveau de précision de l'appareil qu'elle utilise afin de garder le plus de précision possible lorsqu'elle arrondit.

Étape 5 Vérifier le résultat obtenu

Cette cinquième et dernière étape est essentielle à une administration sécuritaire d'un médicament.

- Validez le résultat obtenu : le calcul est-il exact ? Vérifiez-le en effectuant 2 fois votre calcul.
- Si vous avez utilisé la méthode du rapport-proportion, vérifiez votre calcul en remplaçant la valeur de x dans l'équation par la réponse obtenue :

$$\frac{250\ mg}{500\ mL} = \frac{3{,}24\ \frac{mg}{h}}{6{,}48\ \frac{mL}{h}}$$

$$\frac{1}{2} = \frac{1}{2}$$

- Utilisez votre jugement pour déterminer si le résultat obtenu est vraisemblable. *Effectivement, ce résultat est plausible et conforme, car il respecte la dose habituelle recommandée pour une perfusion de dobutamine.*

Puisqu'il s'agit de l'administration d'un médicament intraveineux, l'infirmière doit s'assurer de connaître la surveillance adéquate, comme la prise de signes vitaux chaque 5 minutes, le monitorage cardiaque en continu et le temps requis entre chaque changement de dose, soit 5 minutes. De plus, elle doit prévoir :

- le sac de D 5 % dans l'eau, ou le sac de NaCl 0,9 % de 500 mL duquel elle va retirer 20 mL, pour s'assurer de conserver le même volume que celui utilisé pour effectuer le calcul ;
- une fiole de 20 mL de dobutamine ;
- une seringue de 10 mL ;

- une aiguille de 21 G ;
- des tampons d'alcool ;
- une étiquette d'identification avec le nom et prénom de la personne, sa date de naissance ou son numéro de dossier, ainsi que les informations relatives au médicament.

Exercez-vous : p. 184 du cahier d'exercices.

Ces informations permettent d'effectuer une vérification de la personne en utilisant deux indicateurs reconnus, au chevet, avant l'administration du médicament. Si un autre soluté est en cours, l'infirmière doit s'assurer de la compatibilité des solutions ou prévoir l'installation d'un nouveau site IV. Parfois, il est pertinent de demander l'installation d'une voie veineuse centrale lorsque plusieurs médicaments perfusent en même temps ou lorsque ceux-ci sont particulièrement irritants pour les veines.

OBJECTIF 7.5 Calculer la dose en microgrammes par kilogramme par minute (mcg/kg/min) ou en milligrammes par kilogramme par minute (mg/kg/min) à partir d'un débit de perfusion en millilitres par heure (mL/h)

Situation clinique

L'état de M. Paradis se détériore de plus en plus. Lors de son évaluation, l'infirmière remarque qu'il n'y a pas d'urine dans le sac de drainage, malgré la sonde en place. Il est pâle et sa tension artérielle est faible malgré la perfusion de dobutamine qui est maintenant à 32,4 mL/h. La dilution est la même : 250 mg de dobutamine dans 500 mL de NS. Inquiète par l'état actuel de M. Paradis, l'infirmière décide d'appeler le médecin pour lui transmettre les observations recueillies au moment de l'évaluation clinique exprimant le dosage actuel de dobutamine en cours. Elle procède au calcul avant de faire son appel.

Étape 1 Collecter les données

- Validez la FADM présentée à l'objectif précédent ainsi que les paramètres en cours et recherchez les informations pertinentes :
  - Date et heure du début de la FADM : ***2020-01-06, 00 h 00***
  - Nom, prénom de la personne et numéro de dossier : ***Paradis, Luc #20070213***
  - Nom générique et commercial du médicament : ***dobutamine (Dobutrex)***
  - Débit en millilitres par heure du médicament : ***32,4 mL/h***
  - Voie d'administration du médicament : ***intraveineuse***
  - Moment ou fréquence de l'administration du médicament ***: perfusion continue***
  - Personne autorisée à prescrire le médicament : ***Dr Bernard Laniel***
- L'infirmière connaît le nom du médicament à administrer, *la dobutamine*, elle a vérifié les informations importantes, notamment que *le médicament est utilisé pour le traitement de l'insuffisance cardiaque attribuable à une contractilité réduite. La dose doit être ajustée en fonction des paramètres hémodynamiques de la personne. Les effets indésirables les plus fréquents sont l'hypertension, l'augmentation de la fréquence cardiaque et les*

contractions ventriculaires prématurées. L'hypersensibilité à la dobutamine ou aux bisulfites est une contre-indication. La dose maximale est de 40 mcg/kg/min.

- Vérifiez les autres données pertinentes : *la personne présente une allergie au latex et à la codéine : il n'y a pas de contre-indication à recevoir la dobutamine puisque le matériel utilisé pour la perfusion ne contient pas de latex.*

Étape 2 Analyser les données

- Repérez les données pertinentes telles que le débit en millilitres par heure (mL/h) et la concentration du médicament pour effectuer le calcul de la dose à administrer.
- Comparez la dose prescrite avec le médicament disponible afin de vous assurer que les unités de mesure sont les mêmes. *Les unités ne sont pas les mêmes.*
- La dose prescrite est en microgrammes par kilogramme par minute alors que la concentration est en milligrammes par millilitre.
  - Convertissez la concentration en milligrammes par millilitre (mg/mL) pour une concentration en microgrammes par millilitre (mcg/mL), afin de comparer votre réponse à l'ordonnance initiale :

$$\frac{250 \text{ mg}}{500 \text{ mL}} = \frac{500 \text{ mcg}}{\text{mL}}$$

- Vérifiez la pertinence d'utiliser le poids (en kilogrammes) ou certains résultats d'analyses sanguines pour effectuer les calculs : *dans cet exemple, l'infirmière doit tenir compte de la valeur de la clairance de créatinine diminuée, qui indique que la fonction rénale de M. Paradis est altérée. La dobutamine n'est pas métabolisée par les reins.* L'infirmière doit par contre tenir compte du poids de 108 kg.

Étape 3 Planifier la préparation

- Réfléchissez à la meilleure façon de calculer la dose requise et déterminez les données utiles. Choisissez la méthode de calcul de dose appropriée au contexte selon les données analysées : la méthode de la formule ou la méthode du rapport-proportion.

Méthode de la formule

$$x\left(\frac{\frac{\text{mcg}}{\text{kg}}}{\text{min}}\right) = \left(\text{Concentration}\left(\frac{\text{mcg}}{\text{mL}}\right) \times \text{Débit}\left(\frac{\text{mL}}{\text{h}}\right) \times \frac{1 \text{ h}}{60 \text{ min}}\right) \div \text{Poids (kg)}$$

Méthode du rapport-proportion

La méthode du rapport-proportion pour ce type de situation alourdit le calcul et augmente le risque d'erreur, puisqu'il y a plusieurs conversions à faire. C'est pourquoi nous ne le démontrons pas pour ce problème.

- Déterminez les données nécessaires au calcul à partir de la FADM et de l'état clinique observé de M. Paradis :
  - Le débit : ***32,4 mL/h***
  - La concentration convertie : ***500 mcg/mL***

Étape 4 Calculer la dose

Méthode de la formule

- Transcrivez la formule et remplacez les variables de la formule par les données pertinentes sans oublier d'inscrire les unités de mesure :

$$x\left(\frac{\frac{\text{mcg}}{\text{kg}}}{\text{min}}\right)=\left(\frac{500\ \text{mcg}}{\text{mL}}\times\frac{32{,}4\ \text{mL}}{\text{h}}\times\frac{1\ \text{h}}{60\ \text{min}}\right)\div 108\ \text{kg}$$

- Effectuez le calcul selon la méthode de la formule afin de déterminer le débit de perfusion de la dobutamine. Simplifiez l'équation au besoin :

$$x\left(\frac{\frac{\text{mcg}}{\text{kg}}}{\text{min}}\right)=\left(\frac{50\cancel{0}\ \text{mcg}}{\cancel{\text{mL}}}\times\frac{32{,}4\ \cancel{\text{mL}}}{\cancel{\text{h}}}\times\frac{1\ \cancel{\text{h}}}{6\cancel{0}\ \text{min}}\right)\div 108\ \text{kg}$$

$$x\left(\frac{\frac{\text{mcg}}{\text{kg}}}{\text{min}}\right)=\left(\frac{270\ \text{mcg}}{\text{min}}\right)\div 108\ \text{kg}$$

$$x = 2{,}5\ \text{mcg/kg/min}$$

- Vous obtenez un débit de 32,4 mL/h, ce qui équivaut à la dose de 2,5 mcg/kg/min de dobutamine pour la perfusion de M. Paradis.

Étape 5 Vérifier le résultat obtenu

Cette cinquième et dernière étape est essentielle à l'administration sécuritaire d'un médicament.

- Validez le résultat obtenu : le calcul est-il exact ? Vérifiez-le en effectuant 2 fois votre calcul.
- Utilisez votre jugement pour déterminer si le résultat obtenu est vraisemblable. *Effectivement, ce résultat est plausible et conforme, car il est possible de comparer la réponse à partir de la réponse obtenue à l'objectif précédent :*

$$\frac{0{,}5\ \text{mcg/kg/min}}{6{,}48\ \text{mL/h}}=\frac{2{,}5\ \text{mcg/kg/min}}{32{,}4\ \text{mL/h}}$$

- En simplifiant les fractions, on obtient :

$$\frac{0{,}5\ \text{mcg/kg/min}}{6{,}48\ \text{mL/h}}=\frac{0{,}5\ \text{mcg/kg/min}}{6{,}48\ \text{mL/h}}$$

En communiquant avec le médecin, l'infirmière devra s'assurer de lui transmettre les informations complètes. Elle peut utiliser la méthode *SBAR*[1] afin de structurer ses idées et de les communiquer de façon efficace. Elle s'assurera d'identifier adéquatement la personne. Elle mentionnera les antécédents de santé et présentera un petit historique de la situation. Elle poursuivra avec les éléments de son évaluation. Elle terminera en mentionnant les points actuellement importants et précisera ses attentes.

1. DOYON, O. et LONGPRÉ, S. *Évaluation clinique d'une personne symptomatique*, Montréal, ERPI, 2016.

Puisque M. Paradis est dans un état instable, il nécessite une surveillance accrue. L'infirmière ne peut pas négliger les soins aux autres personnes sous sa charge ; elle devrait donc considérer demander de l'aide d'une collègue pendant cet épisode.

ALERTE INFIRMIÈRE

Plusieurs médicaments sont éliminés dans l'urine par les reins. L'infirmière doit être vigilante aux données indiquant l'état de la fonction rénale, soit la clairance de la créatinine (Clcr) avant d'administrer un médicament. Sur la FADM, on la présente en millilitres par minute (mL/min). Lorsque la fonction rénale est altérée, il est possible que le médicament s'accumule dans le sang et atteigne des valeurs toxiques pouvant causer préjudice à la personne. Pour tenir compte de cette donnée, dans les cas d'insuffisance rénale, il peut être nécessaire d'ajuster et de réduire la dose.

Transfusion des produits sanguins

La transfusion sanguine présente des bénéfices, mais également des risques. Aussi, l'infirmière qui administre des produits sanguins doit procéder à l'évaluation de la personne avant de commencer une transfusion. Elle doit également s'assurer que la personne consent de façon libre et éclairée à recevoir des produits sanguins. La compatibilité du sang du receveur avec le produit à recevoir doit avoir été établie de façon rigoureuse pour réduire le risque de réaction transfusionnelle pendant et après la transfusion. L'infirmière doit faire une double vérification indépendante du produit et de la personne avant de commencer la transfusion. Par ailleurs, les produits sanguins étant périssables, l'infirmière doit s'assurer de limiter les pertes de temps lorsqu'elle a le produit en main en s'assurant que le matériel est prêt.

Pendant l'administration du produit et après la transfusion, l'infirmière doit rester attentive aux signes et aux symptômes qui pourraient indiquer une **réaction transfusionnelle**. L'évaluation étroite de la personne est requise pour éviter de lui causer de sérieux problèmes de santé ou même la mort.

La transfusion sanguine est l'administration intraveineuse de sang ou de produits sanguins. Il existe plusieurs types de produits sa nguins. On distingue les produits **labiles** (culot globulaire, plasma congelé, plaquettes, cryoprécipités) et les produits stables (albumine, facteurs de coagulation, immunoglobulines). Chaque produit a son utilité[2] propre. Par exemple, on administre le culot globulaire en cas d'anémie importante ; les plaquettes servent à soigner les troubles de la coagulation et l'albumine, à traiter l'hypovolémie, comme dans le cas des brûlures graves.

---

2. Pour en savoir plus concernant les produits sanguins : https://blood.ca/sites/default/files/1000105044.pdf (consulté le 2019-04-28).

On administre les produits sanguins à l'aide d'une tubulure munie de deux perforateurs installés en Y, placés au-dessus d'un filtre 170 à 260 microns pour capter les particules. Chaque perforateur est muni d'un régulateur de débit. Un des perforateurs est relié au produit sanguin et l'autre, au sac de solution physiologique, nécessaire pour administrer du sang (**figure 7.5**). La tubulure pour administrer des produits sanguins est munie d'un système macrogouttes. L'administration de produits sanguins se fait avec une pompe volumétrique, sauf dans le cas des granulocytes qui seraient endommagés par l'utilisation de la pompe.

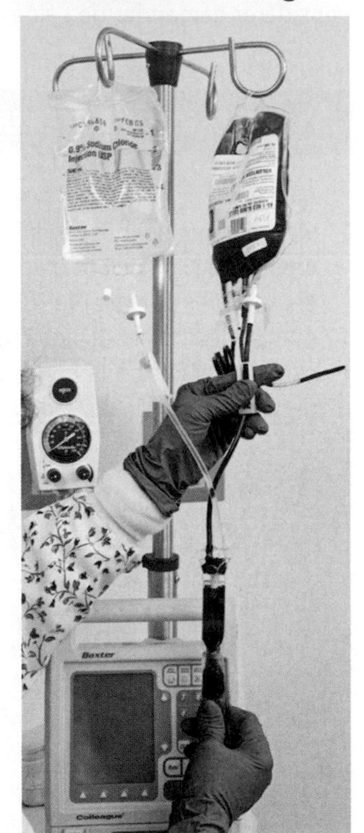

Figure 7.5 **Administration de sang.**

Le volume des produits sanguins est variable, il faut donc tenir compte de l'état de la personne afin de déterminer le débit de perfusion. L'infirmière commence la transfusion à un débit faible durant les 15 premières minutes. Elle peut ensuite augmenter le débit si la personne n'a pas de réaction transfusionnelle. Le produit sanguin se conserve au plus 4 heures après être sorti du réfrigérateur de la banque de sang. Ce délai dépassé, il doit être retiré et retourné à la banque de sang.

Exercez-vous : p. 186 du cahier d'exercices.

Le **tableau 7.1** indique les débits recommandés selon les **Méthodes de soins informatisées (MSI)** pour la perfusion des produits sanguins.

Tableau 7.1 **Débits de perfusion recommandés par MSI**

<table>
<tr><th>Produits</th><th>Volume approximatif</th><th>Débit lent suggéré</th><th>Débit moyen suggéré</th></tr>
<tr><td>Culot globulaire</td><td>260-360 mL</td><td rowspan="6">Environ 100 mL/h</td><td rowspan="6">15 premières minutes 120 mL/h, puis 200 mL/h jusqu'à la fin</td></tr>
<tr><td>Plaquettes (pool)</td><td rowspan="2">150-400 mL</td></tr>
<tr><td>Plaquettes aphérèses</td></tr>
<tr><td>Plasma congelé</td><td>Environ 200 mL</td></tr>
<tr><td>Plasma aphérèse frais congelé</td><td>Environ 200 mL</td></tr>
<tr><td>Cryoprécipités</td><td>5-15 mL/unité</td></tr>
<tr><td>Surnageant de cryoprécipités</td><td>160-260 mL</td><td>Selon ordonnance</td><td></td></tr>
<tr><td>Granulocytes</td><td>200-300 mL</td><td>Selon ordonnance</td><td></td></tr>
</table>

Source : Comité provincial d'uniformisation des méthodes de soins en médecine transfusionnelle. http ://msi.expertise-sante.com/sites/default/files/annexe_2_-_vitesse_dadministration_produits_sanguins_labiles.pdf (consulté le 2019/01/26).

OBJECTIF 7.6 Calculer le volume transfusé en fonction du temps de perfusion

Situation clinique

M. Laverdure est hospitalisé dans l'unité de chirurgie pour une hémorragie digestive haute. L'infirmière a observé qu'il présente du **méléna** depuis la nuit dernière, qu'il est pâle et se sent faible. Ce matin, le résultat de son hémoglobine est de 78 g/L (N = 130 à 180 g/L). Elle a averti le médecin et celui-ci a rempli la demande à la banque de sang (**figure 7.6**),

Figure 7.6 **Demande à la banque de sang.**

DEMANDE À LA BANQUE DE SANG

Nom de l'établissement	Hôpital école
Unité de soins	Chirurgie
Nom du prescripteur	Dre Élize Abraham
Nº de permis	972081

Nom	Laverdure
Prénom	Justin
Sexe	☒ M ☐ F
Date de naissance (Année / Mois / Jour)	1974 / 01 / 04
Nº de dossier au NAM	LAVJ74010400

Antécédents

Grossesse antérieure	Grossesse actuelle	Allergie au Latex
☐ Oui ☒ Non ☐ Inconnu	☐ Oui ☒ Non ☐ Inconnu	☐ Oui ☒ Non ☐ Inconnu

Demande d'analyse

- ☒ Groupe sanguin (ABO/Rh) et recherche d'anticorps
- ☐ Groupe sanguin (ABO/Rh)
- ☐ Code 50
- ☐ Contrôle de groupe
- ☐ Test direct à l'antiglobuline (Coombs direct)
- ☐ Recherche de cellules fœtales
- ☐ Réaction transfusionnelle (remplir le formulaire de déclaration)
- ☐ Autre, préciser :

Demande de produit sanguin

Indication	Diagnostic	Poids
Anémie sévère	hémorragie digestive haute	86 kg

☒ Urgent ☐ Transfusion ce jour ☐ En réserve ☐ Salle d'opération ☒ Date prévue — Année 2019, Mois 01, Jour 26

☐ Protocole de transfusion massive

☐ Culots sans compatibilité — Quantité

	Quantité
☒ Culot globulaire	3
☐ Plaquettes	
☐ Plasma	
☐ Cryoprécipité	
☐ Surnageant de cryoprécipité	
☐ Granulocytes	
☐ Tissu humain — Préciser :	

	Posologie (préciser : g, mg, mcg, UI, mL)
☐ Albumine 5 %	
☐ Albumine 25 %	
☐ Immunoglobulines intraveineuses	
☐ Immunoglobulines anti-D	
☐ Immunoglobulines sous-cutanées	
☐ Immunoglobulines intramusculaires — Préciser :	
☐ Colle de fibrine — Préciser :	
☐ Complexe prothrombique — Préciser :	
☐ Facteur de coagulation — Préciser :	
☐ Autre — Préciser :	

Directives

- ☐ CMV négatif ☐ Irradié ☐ Autologue
- ☐ HLA compatible ☐ Raccordement stérile ☐ Dirigé
- ☐ Hb S négatif ☐ Volume réduit ☐ Désigné
- ☐ Sang lavé ☐ Autre :

Le préleveur doit procéder à l'identification sans équivoque en présence du receveur, selon la procédure de l'établissement.

			Année	Mois	Jour	Heure
Signature du demandeur	*Élize Abraham* 972081	**Date**	2019	01	26	10 h 02
Spécimen prélevé par	*Joanie Labelle inf.*	**Date**	2019	01	26	10 h 04

pour transfuser 3 culots globulaires (**figure 7.7**). Vous préparez le matériel requis pour entreprendre la transfusion d'un premier culot globulaire.

Figure 7.7 **Culot globulaire.**

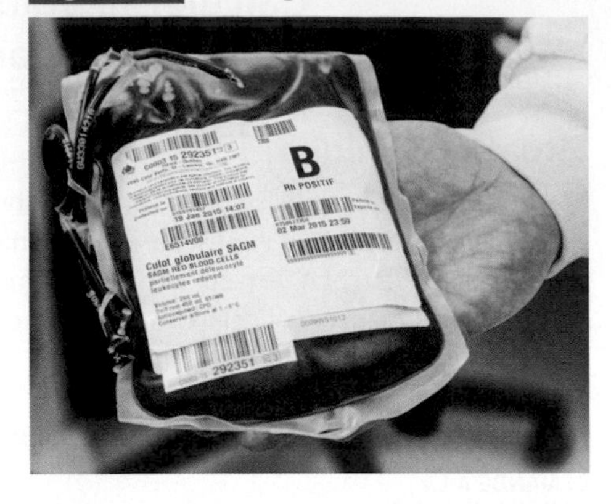

Vous procédez aux vérifications habituelles selon le *Guide de la pratique transfusionnelle*[3]. Vous commencez l'administration du culot globulaire à 11 h 02 en programmant la pompe volumétrique à 100 mL/h pour 15 minutes. Quelle quantité de sang M. Laverdure aura-t-il reçue après 15 minutes ?

Étape 1 Collecter les données

Lors de la première étape, l'infirmière s'assure de la validité de l'ordonnance et recherche les informations pertinentes pour administrer la transfusion de façon sécuritaire. Les éléments suivants doivent se trouver sur l'ordonnance :

- Date et heure de la rédaction de l'ordonnance : ***2019-01-26, 10 h 02***
- Nom, prénom de la personne et date de naissance : ***Laverdure Justin, 1974-01-04***
- Nom du produit sanguin à transfuser : ***culot globulaire SAGM***[4] ***partiellement déleucocyté***
- Quantité de culots à recevoir : ***3 unités***
- Voie d'administration des produits sanguins : ***intraveineuse***
- Débit initial de la perfusion : ***100 mL/h pour les 15 premières minutes***
- Signature de la personne autorisée à prescrire le médicament : ***Dre Élize Abraham***

L'infirmière détermine le produit à administrer, le **culot globulaire**, et recherche les informations importantes, notamment la raison d'administration : un taux d'hémoglobine sanguine à 78 g/L, ce qui est un indicateur d'anémie. Elle note également les éléments de surveillance, comme les signes vitaux ou l'apparition de dyspnée ou de réaction cutanée.

ALERTE INFIRMIÈRE

L'administration de produits sanguins comporte certains risques pour la personne qui les reçoit. Il est essentiel que l'infirmière qui administre la transfusion connaisse le produit, les raisons pour lesquelles il est administré et les surveillances nécessaires pour une administration sécuritaire ainsi que les signes de réaction transfusionnelle. Elle doit aussi respecter le protocole infirmier de l'établissement.

3. https://professionaleducation.blood.ca/fr/transfusion/guide-de-la-pratique-transfusionnelle (consulté le 2019-04-28).
4. La solution SAGM (saline adénine glucose mannitol) est ajoutée au produit pour favoriser la conservation des cellules. Voir https://professionaleducation.blood.ca/fr/transfusion/guide-clinique/les-composants-sanguins (consulté le 2019-04-28).

Étape 2 Analyser les données

La deuxième étape consiste à analyser toutes les données recueillies.

- Repérez les données pertinentes qui serviront au calcul du volume perfusé.
- Comparez les unités afin de vous assurer que les unités de mesure sont les mêmes. Si les unités sont différentes ou si elles appartiennent à un système différent, effectuez la conversion requise. *Dans l'exemple de M. Laverdure, les unités de temps sont différentes. Une conversion est nécessaire :*

  1 h = 60 min

- Vérifiez la pertinence d'utiliser le poids (en kilogrammes) ou certains résultats d'analyses sanguines pour effectuer les calculs. Dans cet exemple, *l'infirmière vérifie le taux d'hémoglobine afin de valider qu'il est pertinent d'effectuer une transfusion chez cette personne.*

Étape 3 Planifier la préparation

Cette étape consiste à se préparer, à réfléchir à la meilleure façon de calculer le volume perfusé et à sélectionner les données utiles. Choisissez la méthode de calcul de dose appropriée au contexte selon les données analysées : la méthode de la formule ou la méthode du rapport-proportion.

Méthode de la formule

$$\text{Volume (mL)} = \text{Débit}\left(\frac{\text{mL}}{60\text{ min}}\right) \times \text{Temps (min)}$$

Méthode du rapport-proportion

$$\text{Débit}\left(\frac{\text{mL}}{\text{min}}\right) = \frac{\text{Volume (mL)}}{\text{Temps (min)}}$$

Déterminez les données nécessaires au calcul à partir de l'exemple de M. Laverdure.

- Le débit de transfusion : **100 mL/h**
- Le temps depuis le début de la perfusion : **15 minutes**

Étape 4 Calculer la dose

Cette étape consiste à effectuer le calcul exact de la dose prescrite avec la méthode de la formule ou celle du rapport-proportion.

Méthode de la formule

- Transcrivez la formule et remplacez les variables de la formule par les données pertinentes sans oublier d'inscrire les unités de mesure :

$$x\text{ mL} = \frac{100\text{ mL}}{60\text{ min}} \times 15\text{ min}$$

- Effectuez le calcul selon la méthode de la formule afin de déterminer la quantité de sang transfusé. Simplifiez l'équation au besoin :

$$x \text{ mL} = \frac{100 \text{ mL}}{{}^{4}\cancel{60 \text{ min}}} \times {}^{1}\cancel{15 \text{ min}} = 25 \text{ mL}$$

- Obtenez un résultat contenant une valeur numérique et une unité de mesure : le volume de sang transfusé en 15 minutes est de 25 mL.

Méthode du rapport-proportion

- Transcrivez le rapport et remplacez les variables de l'équation par les données pertinentes sans oublier d'inscrire les unités de mesure :

$$\frac{100 \text{ mL}}{60 \text{ min}} = \frac{x \text{ mL}}{15 \text{ min}}$$

- Effectuez le calcul selon la méthode du rapport-proportion afin de déterminer la valeur de l'inconnue x, c'est-à-dire le volume de sang transfusé. Simplifiez l'équation au besoin :

$$x \text{ mL} \times 60 \text{ min} = 15 \text{ min} \times 100 \text{ mL}$$

$$x \text{ mL} = \frac{{}^{1}\cancel{15 \text{ min}} \times 100 \text{ mL}}{{}^{4}\cancel{60 \text{ min}}}$$

$$x = 25 \text{ mL}$$

- Obtenez un résultat contenant une valeur numérique et une unité de mesure : le volume de sang transfusé en 15 minutes est de 25 mL.

Étape 5 Vérifier le résultat obtenu

Cette cinquième et dernière étape est essentielle à une transfusion sécuritaire de produits sanguins.

- Validez le résultat obtenu : le calcul est-il exact ? Vérifiez-le en effectuant 2 fois votre calcul.
- Si vous avez utilisé la méthode du rapport-proportion, vérifiez votre calcul en remplaçant la valeur de x dans l'équation par la réponse obtenue :

$$\frac{100 \text{ mL}}{60 \text{ min}} = \frac{25 \text{ mL}}{15 \text{ min}}$$

$$\frac{5}{3} = \frac{5}{3}$$

- Utilisez votre jugement pour déterminer si le résultat obtenu est vraisemblable. *Effectivement, ce résultat est plausible et conforme, car il respecte le débit sécuritaire recommandé pour une administration lente de culot globulaire.*

Exercez-vous : p. 188 du cahier d'exercices.

Puisqu'il s'agit d'une transfusion sanguine, l'infirmière doit s'assurer que le site IV est intact et perméable et que la personne ne présente pas de signes ou de symptômes d'une réaction transfusionnelle ou d'inconfort au site IV avant d'augmenter le débit de perfusion.

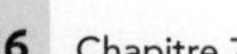

OBJECTIF 7.7 Calculer l'heure prévue de la fin de la transfusion

Situation clinique

Le résultat obtenu précédemment indique que M. Laverdure a reçu 25 mL de culot globulaire en 15 minutes de perfusion. L'infirmière effectue les surveillances requises en suivant rigoureusement le Guide de transfusion des produits sanguins et s'assure que M. Laverdure ne présente pas de signes et de symptômes d'une réaction transfusionnelle. Elle doit maintenant augmenter le débit de la perfusion à 200 mL/h, puis calculer à quelle heure la transfusion se terminera afin de se préparer à administrer le 2e culot globulaire. Il est maintenant 11 h 17. Le volume du culot globulaire est de 306 mL.

Étape 1 Collecter les données

Lors de la première étape, l'infirmière s'assure de la validité de l'ordonnance[5] et recherche les informations pertinentes pour administrer la transfusion de façon sécuritaire. Les éléments suivants doivent se trouver sur l'ordonnance :

- Date et heure de la rédaction de l'ordonnance : ***2019-01-26, 10 h 02***
- Nom, prénom de la personne et date de naissance : ***Laverdure Justin, 1974-01-04***
- Nom du produit sanguin à transfuser : ***culot globulaire SAGM partiellement déleucocyté***
- Quantité de culots globulaires à recevoir : ***3 unités***
- Voie d'administration des produits sanguins : ***intraveineuse***
- Débit initial de la perfusion : ***100 mL/h pour les 15 premières minutes, puis 200 mL/h pour le reste de la transfusion***
- Signature de la personne autorisée à prescrire le médicament : ***Dre Élize Abraham***

Elle détermine également le produit à administrer, le **culot globulaire**, et recherche les informations importantes, notamment la raison d'administration qui est l'anémie, les éléments de surveillance comme les signes vitaux ou l'apparition de dyspnée ou de réaction cutanée.

Étape 2 Analyser les données

La deuxième étape consiste à analyser toutes les données recueillies.

- Repérez les données pertinentes qui serviront au calcul de l'heure de fin prévue de la transfusion

5. Lorsque la demande de transfusion est remplie par le médecin, elle constitue une ordonnance ; de plus, le médecin devrait consigner dans ses notes d'évolution qu'il a demandé une transfusion, y indiquer le produit et la quantité demandée.

- Comparez les unités afin de vous assurer que les unités de mesure sont les mêmes. Si les unités sont différentes ou si elles appartiennent à un système différent, effectuez la conversion requise. *Dans l'exemple de M. Laverdure, les unités de temps sont différentes. Une conversion est donc nécessaire :*

1 h = 60 min

- Vérifiez la pertinence d'utiliser le poids (en kilogrammes) ou certains résultats d'analyses sanguines pour effectuer les calculs. *Dans cet exemple, cela n'est pas nécessaire.*

Étape 3 Planifier la préparation

Cette étape consiste à se préparer, à réfléchir à la meilleure façon de calculer l'heure de fin de la transfusion et à sélectionner les données utiles.

- Choisissez la méthode de calcul de dose appropriée au contexte selon les données analysées : la méthode de la formule ou la méthode du rapport-proportion.

Méthode de la formule

$$\text{Durée (min)} = \frac{\text{Volume restant (mL)}}{\text{Débit}\left(\frac{\text{mL}}{60\ \text{min}}\right)}$$

Méthode du rapport-proportion

$$\text{Débit}\left(\frac{\text{mL}}{60\ \text{min}}\right) = \frac{\text{Volume restant (mL)}}{\text{Durée (min)}}$$

- Déterminez les données nécessaires au calcul à partir de l'exemple de M. Laverdure.
  - Le débit de transfusion : **200 mL/h**
  - Le volume perfusé depuis le début de la transfusion : **25 mL**
  - Le volume total du culot : **306 mL**

Étape 4 Calculer la dose

Cette étape consiste à effectuer le calcul exact de la durée de perfusion avec la méthode de la formule ou celle du rapport-proportion.

Méthode de la formule

- Transcrivez la formule et remplacez les variables de la formule par les données pertinentes sans oublier d'inscrire les unités de mesure :

$$\text{Durée (min)} = \frac{(306\ \text{mL} - 25\ \text{mL})}{\frac{200\ \text{mL}}{60\ \text{min}}}$$

- Effectuez le calcul selon la méthode de la formule afin de déterminer la durée de la transfusion. Simplifiez l'équation au besoin :

$$x\ \text{min} = 281\ \cancel{\text{mL}} \times \frac{^{3}\cancel{60}\ \text{min}}{^{10}\cancel{200\ \text{mL}}} = 84{,}3\ \text{min}$$

- Obtenez un résultat contenant une valeur numérique et une unité de mesure : la durée de la transfusion.
- Le résultat obtenu est 84 minutes. Convertissez le résultat en heures et minutes. Vous obtenez 1 h et 24 min. On vous demandait de trouver à quelle heure se terminera la transfusion de la première unité de culot globulaire. Donc, s'il est 11 h 17 au moment du changement de débit, il faut ajouter 1 heure et 24 minutes. La perfusion se terminera donc à 12 h 41.

Méthode du rapport-proportion

- Transcrivez le rapport et remplacez les variables de l'équation par les données pertinentes sans oublier d'inscrire les unités de mesure :

$$\frac{200\text{ mL}}{60\text{ min}} = \frac{(306\text{ mL} - 25\text{ mL})}{x\text{ min}}$$

- Effectuez le calcul selon la méthode du rapport-proportion afin de déterminer la valeur de l'inconnue x, c'est-à-dire la durée de la transfusion. Simplifiez l'équation au besoin :

$$x\text{ min} \times 200\text{ mL} = 281\text{ mL} \times 60\text{ min}$$

$$x\text{ min} = \frac{281 \cancel{\text{mL}} \times {}^{3}\cancel{60}\text{ min}}{{}^{10}\cancel{200\text{ mL}}} = 84{,}3\text{ min}$$

- Obtenez un résultat contenant une valeur numérique et une unité de mesure : la durée de la transfusion.
- Le résultat obtenu est 84 minutes. Convertissez le résultat en heures et minutes. Vous obtenez 1 h et 24 min. On vous demandait de trouver à quelle heure se terminera la transfusion de la première unité de culot globulaire. Donc, s'il est 11 h 17 au moment du changement de débit, il faut ajouter 1 heure et 24 minutes. La perfusion se terminera donc à 12 h 41.

Étape 5 Vérifier le résultat obtenu

Cette cinquième et dernière étape est essentielle à une transfusion sécuritaire de produits sanguins.

- Validez le résultat obtenu : le calcul est-il exact ? Vérifiez-le en effectuant 2 fois votre calcul.
- Si vous avez utilisé la méthode du rapport-proportion, vérifiez votre calcul en remplaçant la valeur de x dans l'équation par la réponse obtenue :

$$\frac{200\text{ mL}}{60\text{ min}} = \frac{281\text{ mL}}{84{,}3\text{ min}}$$

$$3{,}\overline{3} = 3{,}\overline{3}$$

- Utilisez votre jugement pour déterminer si le résultat obtenu est vraisemblable. *Effectivement, ce résultat est plausible et conforme, car il respecte la durée totale d'une transfusion sanguine.*

Puisqu'il s'agit d'une transfusion de produit sanguin, l'infirmière doit s'assurer que le site IV est perméable et que la personne ne présente pas de signes ou de symptômes d'une réaction transfusionnelle ou d'inconfort au site IV avant de poursuivre avec le prochain culot globulaire.

ALERTE INFIRMIÈRE

La solution isotonique de NaCl 0,9 %, ou sérum physiologique, constitue le seul soluté compatible avec le culot globulaire. Durant une transfusion de sang ou de produits sanguins, n'administrez jamais de médicaments par la voie intraveineuse utilisée pour administrer du sang ou des produits sanguins. L'administration concomitante de médicaments intraveineux ou de solutés autres que le NaCl 0,9 % risque d'altérer les composantes des produits sanguins.

Exercez-vous : p. 190 du cahier d'exercices.

Alimentation parentérale totale (APT)

L'infirmière a la responsabilité de vérifier que la solution d'APT contient tous les éléments prescrits en bonne quantité en vérifiant l'étiquette apposée sur le sac par la pharmacie et en comparant ces informations à celles de l'ordonnance médicale. Dans certains établissements, c'est l'infirmière qui ajoute les additifs à la solution. Dans ce cas, elle doit procéder comme lorsqu'elle prépare un médicament intraveineux en demeurant particulièrement vigilante pour respecter l'asepsie, puisque l'APT offre un milieu propice à la reproduction des organismes pathogènes. Elle s'assure également de changer le sac d'acides aminés (AA) après 24 heures, pour respecter les recommandations de conservation des solutions à la température ambiante, même si le sac n'est pas vide. L'émulsion de lipides doit être changée toutes les 12 heures pour éviter la prolifération d'agents pathogènes.

L'infirmière a la responsabilité de s'assurer de maintenir l'accès veineux perméable. Les solutions utilisées, lorsqu'elles sont mal irriguées, peuvent contribuer au blocage du cathéter intraveineux. Lorsque la voie centrale n'est pas disponible, l'infirmière doit être particulièrement attentive au site d'insertion pour éviter de graves préjudices à la personne.

L'infirmière doit s'assurer de choisir le filtre approprié à la solution qu'elle administre puisque certaines solutions sont susceptibles de se précipiter.

L'APT requiert une surveillance particulière de l'infirmière puisque l'état nutritionnel et les fonctions hépatique et rénale doivent faire l'objet d'un suivi rigoureux. Elle doit s'assurer de faire les prélèvements sanguins requis par le PI et surveiller les résultats d'analyses tout au long du traitement.

Lors du début et de l'arrêt de la perfusion d'APT, l'infirmière doit porter une attention particulière aux risques de variation de la glycémie. L'utilisation de l'insuline en concomitance avec l'APT permet d'éviter des réactions d'hyperglycémie. Lors de l'arrêt de l'APT, l'infirmière doit surveiller les risques d'hypoglycémie. L'ajustement du débit de perfusion doit respecter le protocole infirmier.

Plusieurs situations médicales exigent de recourir à l'alimentation parentérale totale (APT). Par exemple, une personne dans le coma ne peut s'alimenter, car elle est incapable d'ingérer des aliments durant une longue période de temps. Il faut donc faire appel à l'APT afin de maintenir une nutrition suffisante ou de combler ses besoins nutritionnels.

Les besoins nutritionnels et hydriques de la personne qui reçoit l'APT sont calculés par la nutritionniste, qui fait ensuite ses recommandations au médecin. Ce dernier rédige alors l'ordonnance qui indique le type de solution pour les acides aminés et le glucose, le type de solution pour les lipides, et, s'il y a lieu, la solution d'hydratation, les oligoéléments et les médicaments appropriés, comme l'insuline à action rapide. L'ordonnance indique également le débit de perfusion de chacune des solutions à administrer. L'APT est habituellement suivie conjointement par le médecin et la nutritionniste.

La solution d'APT est habituellement préparée par la pharmacie sous une hotte biologique afin d'éviter d'introduire des microorganismes pathogènes dans le sac.

L'infirmière emploie généralement une voie centrale pour administrer l'APT, sauf dans certaines circonstances où il est nécessaire de faire appel à la voie périphérique. L'administration de la solution d'APT nécessite l'utilisation d'un filtre, dont la grosseur dépend du mélange utilisé.

OBJECTIF 7.8 Calculer le débit total des perfusions dans le but d'ajuster le débit du soluté

La **figure 7.8** est un exemple d'ordonnance d'alimentation parentérale.

Cette ordonnance d'alimentation parentérale pourrait être accompagnée d'une ordonnance comme celle de la page 263 pour un soluté (**figure 7.9**).

Situation clinique

L'infirmière consulte les ordonnances et constate que la personne doit recevoir une perfusion d'acides aminés en continu à 70 mL/h et que la perfusion de lipides doit perfuser à 8 mL/h entre 20 h et 8 h seulement. Elle doit calculer le débit de perfusion de la solution de NaCl 0,9 %. Le débit de NaCl sera variable puisqu'il dépend du débit de perfusion de l'alimentation parentérale.

Étape 1 Collecter les données

- Validez l'ordonnance et recherchez les informations pertinentes :
  - Date et heure de l'ordonnance : ***2019-02-09, 10 h 10***
  - Nom, prénom de la personne et numéro de dossier : ***Latendresse Jasmin #323467***
  - Type d'acides aminés : ***Dextrose 16 % + Acides aminés 5 %***
  - Moment ou fréquence de l'administration des acides aminés : **perfusion continue**
  - Teneur en lipides : ***20 %***
  - Voie d'administration de l'APT : ***intraveineuse***
  - Moment ou fréquence de l'administration du NaCl 0,9 % : **perfusion continue**
  - Personne autorisée à prescrire le médicament : ***Dre Vivianne Doyon***
- Déterminez le nom de la solution pour laquelle il faut ajuster le débit de **NaCl**.

Figure 7.8 Ordonnance d'alimentation parentérale.

ORDONNANCES ALIMENTATION PARENTÉRALE	Jasmin Latendresse 323467 1942-12-21 12, rue de la Rivière Laval (Québec) 438 222-2323
Créatinine sérique : 98 µmol/L	Poids : 92 kg ____ lbs
Voie : ☒ centrale ☐ périphérique	Taille : 180 cm ____ pi ____ po

SOLUTION DE BASE :		LPIDES :
☐ Dextrose 10 % + ac. aminés 4,25 %	☒ Dextrose 16 % + ac. aminés 5 %	☒ Lipides 20 %
☐ Dextrose 25 % + ac. aminés 5 %	☐ Dextrose 35 % + ac. aminés 5 %	☐ Lipides 30 %

ORDONNANCE PERMANENTE IV			ÉCHELLE INITIALE D'INSULINE SELON PROTOCOLE QID	
☒ **Multivitamines/oligo-éléments : DIE** Neobex + vitamine C si Cl. créat. < 15 mL/min			**Glycémie capillaire (mmol/L)**	**Échelle Novolin ge Toronto** ☐ **Autre échelle (voir Rx indiv.)**
☒ Vitamine K 2 mg 1 fois/semaine (lundi) ou ____ mg			< 10,1	0 unités SC ou
Autres additifs (Si carence objectivée) :			10,1 - 13	4 unités SC ou
☐ Acide folique 5 mg	☐ Die ou	☐ 3 fois/sem	13,1 - 16	6 unités SC ou
☐ Sulfate de zinc ____ mg/jour (*doses au verso*)			16,1 - 19	8 unités SC ou
☐ Autres :			> 19	10 unités SC ou

Électrolytes	Unités	Prescription initiale	Modifications
Phosphate de potassium	(mmol/L de Phosphates)	6	
Sodium (Chlorure)	(mmol/L de Sodium)	80	
Potassium (Chlorure)	(mmol/L de Potassium)	20	
Calcium (Gluconate)	(mmol/L de Calcium)	5	
Magnésium (Sulfate)	(mmol/L de Magnésium)	6	
Sodium (Acétate)	(mmol/L de Sodium)	0	
Potassium (Acétate)	(mmol/L de Potassium)	0	
Autres :			

	DÉBITS		
	Date : 2019/02/09	Date :	Date :
A.A. Dextrose	70 mL/h	____ mL/h	____ mL/h
Lipides	8 mL/h	____ mL/h	____ mL/h

Date	Heure	Signature du médecin	N° de permis
2019/02/09	10 h 10	*Vivianne Doyon*	*920475*

Figure 7.9 **Ordonnance pour un soluté.**

MÉDICAMENTS	Latendresse Jasmin 1942-12-21 12, rue de la Rivière Laval (Québec) H9J 1Y8	Dossier: 323467 438 222-2323
POIDS : 92 kg ______ lb	TAILLE : 180 cm ______ po	
ALLERGIE SUSPECTÉE : Aucune	**ALLERGIE CONFIRMÉE :**	
GROSSESSE : ______ / Semaines grossesse	☐ **Biberon**	☐ **Allaitement maternel**

NOM	**DOSE**	**VOIE**	**FRÉQUENCE**	**DURÉE**	**S. INF.**
APT selon feuille d'ordonnance					
Acides aminés en continu		*IV*			
Lipides 12 h/24 h de 20 h 00 à 8 h 00		*IV*	*die*		
NaCl ajuster pour un débit total de	*125 mL/h*	*IV*			

2019-02-09	*10 h 10*	*Vivianne Doyon*	*920475*
Date	Heure	Signature du médecin	N° de permis

- Recherchez les informations importantes, notamment que cette solution est utilisée pour maintenir l'équilibre hydrique.
- Vérifiez toutes les autres données : *la personne ne présente aucune allergie connue.*

Étape 2 Analyser les données

- Repérez les données pertinentes pour effectuer le calcul du débit à administrer, comme le débit total et les autres solutions en perfusion, ainsi que le moment de la journée.
- Comparez la dose prescrite avec la solution disponible afin de vous assurer que les unités de mesure sont les mêmes. *Les unités sont les mêmes.*
- Vérifiez la pertinence d'utiliser le poids (en kilogrammes) ou certains résultats d'analyses sanguines pour effectuer les calculs : *dans cet exemple, cela n'est pas nécessaire.*

Étape 3 Planifier la préparation

- Réfléchissez à la meilleure façon de calculer la dose requise et déterminez les données utiles. Choisissez la méthode de calcul de dose appropriée au contexte selon les données analysées : la méthode de la formule ou la méthode du rapport-proportion.

Méthode de la formule

$$\text{Débit NaCl}\left(\frac{\text{mL}}{\text{h}}\right) = \text{Débit total}\left(\frac{\text{mL}}{\text{h}}\right) - \left(\text{Débit AA}\left(\frac{\text{mL}}{\text{h}}\right) + \text{Débit lipides}\left(\frac{\text{mL}}{\text{h}}\right)\right)$$

Méthode du rapport-proportion

L'utilisation du rapport-proportion dans le calcul du volume total ne présente aucun avantage. Il ne sera pas démontré.

- Déterminez les données nécessaires au calcul du débit de la solution de NaCl 0,9 % à partir de l'ordonnance de M. Latendresse :
  - Le débit total prescrit : ***125 mL/h***
  - Le débit prescrit d'acides aminés : ***70 mL/h***
  - La durée de la perfusion d'acides aminés : ***24 h***
  - Le débit prescrit des lipides : ***8 mL/h***
  - Moment ou fréquence de l'administration des lipides : ***une fois par 24 heures entre 20 h 00-8 h 00***
  - La durée de la perfusion des lipides : ***12 h***

Étape 4 Calculer la dose

Cette étape consiste à effectuer le calcul exact de la dose prescrite avec la méthode de la formule ou celle du rapport-proportion.

Méthode de la formule

- Transcrivez les formules et remplacez les variables de la formule par les données pertinentes sans oublier d'inscrire les unités de mesure.
  Entre 20 h 00 et 8 h 00 :

$$\text{Débit NaCl}\left(\frac{\text{mL}}{\text{h}}\right) = 125\,\frac{\text{mL}}{\text{h}} - \left(70\,\frac{\text{mL}}{\text{h}} + 8\,\frac{\text{mL}}{\text{h}}\right)$$

  Entre 8 h 00 et 20 h 00 :

$$\text{Débit NaCl}\left(\frac{\text{mL}}{\text{h}}\right) = 125\,\frac{\text{mL}}{\text{h}} - \left(70\,\frac{\text{mL}}{\text{h}} + 0\,\frac{\text{mL}}{\text{h}}\right)$$

- Effectuez le calcul selon la méthode de la formule afin de déterminer le débit de perfusion du NaCl entre 20 h 00 et 8 h 00, puis répétez l'opération pour connaître le débit de perfusion du NaCl entre 8 h 00 et 20 h 00. Simplifiez l'équation au besoin.
  Entre 20 h 00 et 8 h 00 :

$$\text{Débit NaCl}\left(\frac{\text{mL}}{\text{h}}\right) = 125\,\frac{\text{mL}}{\text{h}} - \left(70\,\frac{\text{mL}}{\text{h}} + 8\,\frac{\text{mL}}{\text{h}}\right) = 47\,\frac{\text{mL}}{\text{h}}$$

Entre 8 h 00 et 20 h 00 :

$$\text{Débit NaCl}\left(\frac{\text{mL}}{\text{h}}\right) = 125\,\frac{\text{mL}}{\text{h}} - \left(70\,\frac{\text{mL}}{\text{h}} + 0\,\frac{\text{mL}}{\text{h}}\right) = 55\,\frac{\text{mL}}{\text{h}}$$

- Vous obtenez 47 mL/h de NaCl entre 20 h 00 et 8 h 00 et 55 mL/h de NaCl entre 8 h 00 et 20 h 00.

Étape 5 Vérifier le résultat obtenu

Cette cinquième et dernière étape est essentielle à l'administration sécuritaire de l'API.

- Validez le résultat obtenu : le calcul est-il exact ? Vérifiez-le en effectuant 2 fois votre calcul.
- Utilisez votre jugement pour déterminer si le résultat obtenu est vraisemblable. *Effectivement, ce résultat est plausible et conforme, car la différence entre le débit lorsque les lipides perfusent et lorsqu'ils ne perfusent pas est la même que le débit des lipides, soit 8 mL/h.*

Ces solutions sont périssables, l'infirmière doit effectuer un suivi étroit des dates et de l'heure pour effectuer les changements de sac et de tubulures au bon moment. Les étiquettes d'identification devraient contenir : les nom et prénom de la personne, sa date de naissance ou son numéro de dossier, les informations relatives à la solution ainsi que l'heure et la date de préparation.

ALERTE INFIRMIÈRE

Puisqu'il s'agit de l'administration de plusieurs solutions intraveineuses, l'infirmière doit s'assurer de bien identifier les solutions et les tubulures afin de réduire les risques de faire des ajustements sur la mauvaise pompe qui entraînerait une erreur de dose.

Exercez-vous : p. 193 du cahier d'exercices.

OBJECTIF 7.9 Calculer la quantité d'une substance donnée dans une solution intraveineuse afin d'établir des équivalences

À l'aide du pourcentage et du volume de la solution en millilitres, vous pouvez calculer la quantité d'une substance donnée dans une solution intraveineuse. Ceci est utile pour établir des équivalences lorsque le produit désiré n'est pas disponible.

Situation clinique

M. Lagniel a reçu la mauvaise dose d'insuline et il présente des signes d'hypoglycémie. Lors de l'appel au médecin, l'infirmier reçoit une ordonnance téléphonique qu'il retranscrit dans la FADM. Des surveillances de la glycémie capillaire font aussi partie de l'ordonnance. Le dernier résultat obtenu est 4,0 mmol/L, il y a 3 minutes.

Voici la FADM de M. Claude Lagniel (**figure 7.10**) (page suivante).

Figure 7.10 **FADM de M. Claude Lagniel.**

FADM

NOM: LAGNIEL, Claude
DOSSIER: 20110318
CHAMBRE: 301-1
DATE DE NAISSANCE: 1941-10-08
DATE D'ADMISSION: 2020-01-27
FADM valide du 2020-01-28 à 00 h 00 au 2020-01-28 à 23 h 59

Poids: 100 kg SC: Allergies: Aspirine
Taille: 185 cm Clcr: Intolérances:

Médicaments		Nuit (00 h 00-07 h 59) Heure Initiales	Jour (8 h 00-15 h 59) Heure Initiales	Soir (16 h 00-23 h 59) Heure Initiales	Validité
D 10 %H_2O 500 mL en 1 h STAT Dr Martin Paradis	**IV**				2020-01-28 10 h 10 2020-02-28 23 h 59

Étape 1 Collecter les données

- Validez la FADM et recherchez les informations pertinentes:
  - Date et heure du début de la FADM: ***2020-01-28, 00 h 00***
  - Nom, prénom de la personne et numéro de dossier: ***Lagniel, Claude #20110318***
  - Nom générique ou commercial du médicament: ***Dextrose 10 % dans l'eau***
  - Volume à perfuser: ***500 mL***
  - Durée de perfusion: ***60 min***
  - Voie d'administration du médicament: ***intraveineuse***
  - Moment ou fréquence de l'administration du médicament: ***stat ou immédiatement***
  - Personne autorisée à prescrire le médicament: ***Dr Martin Paradis***
- Déterminez le nom du médicament à administrer, **D 10 % dans l'eau**, et recherchez les informations importantes, notamment qu'on utilise ce soluté pour maintenir ou augmenter la glycémie. Le dextrose devrait être administré dans une veine de gros calibre si la force se situe entre 2,5 % et 10 %, sauf dans les situations d'urgence. Les effets indésirables sont l'hyperglycémie, la glycosurie, si l'administration dépasse 500 mg/kg/h (peut varier selon la fonction rénale), et l'irritation au site d'injection. C'est pourquoi on suggère d'alterner quotidiennement le site d'injection.
- Vérifiez toutes les autres données: *La personne est allergique à l'aspirine, ce qui n'est pas contre-indiqué pour recevoir du D 10 % dans l'eau.*

Étape 2 Analyser les données

- Repérez les données pertinentes telles que la force et le volume pour effectuer le calcul de la dose à administrer.
- Définissez le pourcentage de force: ***est égal à 1 g de matière par 100 mL de solution.***
- Comparez la dose prescrite avec le médicament disponible afin de vous assurer que les unités de mesure sont les mêmes. *Les unités ne sont pas les mêmes, la force est indiquée en pourcentage et la quantité de médicament est en grammes.*

- Vérifiez la pertinence d'utiliser le poids (en kilogrammes) ou certains résultats d'analyses sanguines pour effectuer les calculs : *dans cet exemple, la glycémie est de 4,0 mmol/L. Il n'est donc pas contre-indiqué d'administrer la solution glyquée.*

Étape 3 Planifier la préparation

- Réfléchissez à la meilleure façon de calculer la dose requise et déterminez les données utiles. Choisissez la méthode de calcul de dose appropriée au contexte selon les données analysées : la méthode de la formule ou la méthode du rapport-proportion.

Méthode de la formule

$$x \text{ dose (g)} = \text{Force}\left(\frac{\text{g}}{100 \text{ mL}}\right) \times \text{Volume (mL)}$$

Méthode du rapport et proportion

$$\text{Force}\left(\frac{\text{g}}{100 \text{ mL}}\right) = \frac{x \text{ dose (g)}}{\text{Volume (mL)}}$$

- Déterminez les données nécessaires au calcul à partir de la FADM de M. Lagniel :
  - La force prescrite convertie : **10 g/100 mL**
  - Le volume : **500 mL**

Étape 4 Calculer la dose

Cette étape consiste à effectuer le calcul exact de la dose prescrite avec la méthode de la formule ou celle du rapport-proportion.

Méthode de la formule

- Transcrivez la formule et remplacez les variables de la formule par les données pertinentes sans oublier d'inscrire les unités de mesure :

$$x \text{ dose (g)} = \frac{10 \text{ g}}{100 \text{ mL}} \times 500 \text{ mL}$$

- Effectuez le calcul selon la méthode de la formule afin de déterminer la quantité de dextrose dans la solution. Simplifiez l'équation au besoin :

$$x \text{ dose (g)} = \frac{10 \text{ g}}{1\cancel{00 \text{ mL}}} \times 5\cancel{00 \text{ mL}} = 50 \text{ g}$$

- Vous obtenez 50 g de dextrose pour une solution de 500 mL à 10 % de force.

Méthode du rapport et proportion

- Remplacez les variables de l'équation par les données pertinentes sans oublier d'inscrire les unités de mesure :

$$\frac{1\cancel{0} \text{ g}}{10\cancel{0} \text{ mL}} = \frac{x \text{ dose (g)}}{500 \text{ mL}}$$

- Effectuez le calcul selon la méthode du rapport-proportion afin de déterminer la valeur d'inconnu x, c'est-à-dire la quantité de dextrose dans la solution :

$$x\ g \times 100\ mL = 500\ mL \times 10\ g$$

$$x\ g = \frac{500\ \cancel{mL} \times 10\ g}{100\ \cancel{mL}} = 50\ g$$

- Vous obtenez 50 g de dextrose pour une solution de 500 mL à 10 % de force.

Étape 5 Vérifier le résultat obtenu

Cette cinquième et dernière étape est essentielle à une administration sécuritaire d'un médicament.

- Validez le résultat obtenu : le calcul est-il exact ? Vérifiez-le en effectuant 2 fois votre calcul.
- Si vous avez utilisé la méthode du rapport-proportion, vérifiez votre calcul en remplaçant la valeur de x dans l'équation par la réponse obtenue :

$$\frac{1\cancel{0}\ g}{10\cancel{0}\ mL} = \frac{5\cancel{0}\ g}{50\cancel{0}\ mL}$$

$$\frac{1}{10} = \frac{1}{10}$$

- Utilisez votre jugement pour déterminer si le résultat obtenu est vraisemblable. *Effectivement, ce résultat est plausible et conforme, car il respecte la dose habituelle recommandée pour une perfusion de dextrose.*

Puisqu'il s'agit de l'administration d'un médicament intraveineux, l'infirmière doit s'assurer de connaître la méthode d'administration pour ne pas dépasser la vitesse maximale d'administration. Elle doit prévoir une étiquette d'identification avec le nom et prénom de la personne, sa date de naissance ou son numéro de dossier, ainsi que les informations relatives au médicament. Elle doit effectuer la surveillance adéquate de la glycémie de la personne.

Soins palliatifs et soins de fin de vie

Les soins palliatifs visent d'abord et avant tout à assurer un confort maximal et à soulager autant que possible les symptômes physiques en préservant la qualité de vie, mais sans en diminuer ou en prolonger la durée.

L'infirmière doit bien connaître les doses des différents opioïdes utilisés pour soulager la douleur ainsi que les dosages usuels des adjuvants les plus souvent utilisés pour les différents types de douleur. Les surveillances effectuées par l'infirmière relèvent plus de l'évaluation des signes de douleur ou d'inconfort et du niveau de sédation de la personne afin de déterminer si la dose régulière est adéquate ou s'il est nécessaire d'administrer une entredose. La qualité de la respiration, le faciès et les sons émis par la personne qui n'est plus capable de s'exprimer verbalement constituent des signes auxquels l'infirmière doit demeurer attentive lors de son évaluation.

Les soins palliatifs et de fin de vie (SPFV) s'adressent aux personnes de tous âges aux prises avec une maladie incurable pour laquelle il n'y a plus de guérison possible et qui peut compromettre leur survie, à plus ou moins brève échéance.

Ce type de soins ne se limite pas uniquement aux personnes atteintes de cancer; ils s'adressent également aux personnes atteintes de maladies cardiaques, respiratoires, neurologiques dégénératives et de démence. Ils mettent l'accent sur le soulagement de la douleur et des symptômes et sur la gestion des incapacités. Le soutien psychologique, social et spirituel de la personne et des aidants naturels fait partie intégrante des soins palliatifs et de fin de vie.

Afin d'assurer une bonne gestion de la médication administrée, l'équipe soignante fera usage de différents analgésiques ainsi que d'adjuvants pour maîtriser la douleur et les inconforts liés à ce stade de la maladie. Les adjuvants, aussi appelés coanalgésiques, sont des médicaments qui ne soulagent pas directement la douleur, comme le font les opioïdes et les non-opioïdes, mais qui présentent tout de même des propriétés analgésiques dont on peut tirer parti dans certaines situations pénibles. Ces adjuvants incluent les antidépresseurs et les anticonvulsivants, les benzodiazépines, les myorelaxants, les antispasmodiques et les anti-inflammatoires stéroïdiens. Certains adjuvants sont également utilisés dans la sédation palliative qui peut être administrée en fin de vie.

Exercez-vous : p. 195 du cahier d'exercices.

OBJECTIF 7.10 Définir les entredoses d'opioïdes et leurs buts, déterminer comment les ajuster selon les besoins et préciser leur usage dans les soins palliatifs et les soins de fin de vie

Les entredoses sont des doses supplémentaires de médicaments administrées entre les doses régulières pour soulager les pics de douleur. Elles sont administrées à la demande de la personne soignée ou à la suite des signes et des symptômes observés par les proches ou par l'équipe soignante. L'intervalle prescrit pour les entredoses dépend de l'intensité de la douleur exprimée par la personne, de son état de santé ainsi que de l'environnement dans lequel elle se trouve. Il est habituellement indiqué d'ajuster la dose d'opioïdes lorsque le soulagement de la douleur a nécessité plus de 3 entredoses par jour depuis 48 à 72 heures. Pour faire cet ajustement, il faut :

- évaluer le nombre moyen d'entredoses prises par jour ;
- calculer le nombre de milligrammes que cela représente ;
- diviser par deux pour redistribuer dans le nouveau dosage chaque période de 12 heures ;
- s'assurer que le nouveau dosage correspond à une augmentation de 10 % à 15 % de l'équivalent de la dose moyenne quotidienne.

Situation clinique

Voici une situation clinique qui permettra d'illustrer l'ajustement de la médication utilisée.

Un infirmier assure le suivi à domicile de M. Labrèche, qui prend 30 mg de morphine à longue action q 12 h, avec des entredoses de 5 mg de morphine à courte action toutes les 3-4 heures. L'infirmier se rend chez M. Labrèche et à l'issue de cette visite, il informe le médecin traitant que depuis 3 jours, le patient mentionne que sa douleur est mal contrôlée et qu'il n'arrive plus à se sentir soulagé. En effet, M. Labrèche vous indique que lundi, il a pris 5 entredoses, et que le mardi, il en a pris 7, et mercredi, 6.

En analysant les résultats récents des tests sanguins de M. Labrèche, le médecin détermine que sa douleur a augmenté à cause de la progression de sa maladie. Il décide de raccourcir temporairement l'intervalle de ses entredoses à q 2 h pour permettre un meilleur contrôle de la douleur.

L'infirmier reçoit la nouvelle ordonnance et valide les informations. Il constate les points suivants :

- M. Labrèche a pris en moyenne 6 entredoses de 5 mg de morphine à courte action, soit 30 mg, par jour lors des 3 derniers jours (5 + 7 + 6 ÷ 3, pour une moyenne de 6 entredoses par jour) ;
- ces 30 mg ont été répartis dans le dosage BID en divisant par deux, soit 15 mg de plus le matin et le soir ;
- M. Labrèche prenait déjà 30 mg de morphine, en y ajoutant 15 mg, le nouveau dosage de 45 mg q 12 h correspond à une dose conforme pour viser un soulagement optimal de la douleur, dans ce contexte de soins palliatifs.

La dose de morphine à longue action de M. Labrèche a été augmentée de 30 mg q 12 h à 45 mg pour chaque période de 12 h. L'infirmier prend en considération le nouveau dosage des entredoses. En sachant que le dosage des entredoses précédent était de 5 mg q 3-4 h et que l'augmentation des entredoses doit refléter une augmentation de 10 % à 15 % de la dose antérieure, il calcule des entredoses de 10 mg, car l'entredose devrait correspondre entre 10 % et 15 % de la dose quotidienne totale :

- M. Labrèche reçoit maintenant 90 mg de morphine à longue action par 24 heures ; 10 % de 90 mg équivaut à 9 mg et 15 % de 90 mg à 13,5 mg.

Comme pour l'administration des analgésiques pour d'autres types de douleur, il est recommandé de débuter avec des entredoses correspondant à 10 % de la dose quotidienne totale. Si la douleur n'est pas soulagée d'au moins 50 % ou si le soulagement cesse avant la fin de l'intervalle pour lequel le médicament est prescrit, il faut envisager de passer à un dosage supérieur (jusqu'à 15 %). M. Labrèche ne pourrait pas recevoir 13,5 mg en raison de la disponibilité des comprimés de morphine. Par contre, il pourra recevoir des doses de 12,5 mg, puisque les comprimés de morphine à courte action ont une teneur de 5 mg et de 10 mg. Il est possible de couper un comprimé de 5 mg en deux pour obtenir 2,5 mg, que l'on combine au comprimé de 10 mg, pour un total de 12,5 mg. L'infirmier fait le suivi nécessaire et évalue l'efficacité du soulagement obtenu après l'ajustement des doses d'opioïdes pour M. Labrèche.

Sédation palliative continue

L'infirmière doit assurer une présence empreinte de tact et de discernement en s'ajustant aux besoins de la personne ainsi que de ses proches et rester à l'affût des signes d'inconfort (respiration plus rapide, visage tendu, gémissements). Elle doit également s'assurer de la compatibilité des médicaments administrés et de l'exactitude du dosage de la solution à perfuser.

Dans certains centres hospitaliers, il incombe à l'infirmière de préparer la perfusion dans le but de l'administrer à la personne. L'infirmière doit posséder une connaissance accrue des médicaments et être en mesure d'effectuer les calculs avec précision, puisque les quantités de médicaments utilisées sont grandes et les risques associés sont tout aussi grands pour la personne, qui pourrait souffrir inutilement ou mourir prématurément.

L'étape de la mort s'inscrit dans la trajectoire de vie, et lorsque la maladie entre dans sa phase terminale et qu'une personne arrive à la période de fin de vie, l'objectif est d'assurer son confort et sa sérénité. La sédation palliative (SP) permet de diminuer l'état de conscience d'une personne en fin de vie qu'il est impossible de soulager de façon appropriée en utilisant les médicaments habituels[6]. Pour ce faire, il faut recourir à une médication ou à un mélange de médicaments particuliers qui parviendront à soulager un ou plusieurs symptômes réfractaires et intolérables et ainsi diminuer ses souffrances physiques ou psychologiques.

La sédation peut être intermittente (temporaire), par exemple pour permettre le sommeil, ou continue, jusqu'au décès. Le médecin prescrit un ou des médicaments à administrer en concomitance par l'intermédiaire d'un cathéter sous-cutané.

OBJECTIF 7.11 Calculer la sédation palliative à partir d'une dose horaire

Situation clinique

Selon le médecin traitant, le pronostic vital de M. Yhan, est de moins de 2 semaines. Étant donné la situation, l'infirmière prépare une sédation palliative continue. Lors de la préparation d'une sédation palliative, on utilise souvent trois catégories de médicaments : les opioïdes narcotiques, les hypnosédatifs et les anticholinergiques, afin de soulager des symptômes les plus courants.

6. OIIQ. *L'approche palliative : lorsque tout reste à faire*, chapitre 2.

Au moment de préparer la perfusion, l'infirmière doit tenir compte de plusieurs éléments, dont le volume horaire maximal pouvant être perfusé par la voie s/c. Elle doit également tenir compte du volume total de la perfusion en fonction de la concentration pour préparer un volume de perfusion d'une durée de 24 heures pour éviter les manipulations inutiles auprès de la personne soignée et respecter la stabilité de la solution. La concentration disponible des médicaments à préparer est aussi un élément de haute importance puisque pour une même dose, le médicament peut occuper un volume différent dans le sac.

La **figure 7.11** donne un exemple d'ordonnance de sédation palliative continue.

Figure 7.11 **Exemple d'ordonnance de sédation palliative continue.**

ORDONNANCE MÉDICALE DE FIN DE VIE Poids : 72 kg Allergie : ∅	Minh Yhan 21316 1948/12/21 10, rue Léveillé Lac Sainte-Marie (Québec) J0X 1Z0 819 487-3869

morphine ☒ s/c hydromorphone ☐ s/c autre : ______

0,02 mg/kg/h en perfusion continue OU ______ mg q ______ h

Entredoses de *5* mg en bolus PRN avec période réfractaire de *60* minutes.

lorazépam ☐ s/c midazolam ☒ s/c autre : ______

1 mg/h en perfusion continue OU ______ mg q ______ h

Entredoses de ______ mg en bolus PRN avec période réfractaire de ______ minutes.

scopolamine ☒ s/c glycopyrrolate ☐ s/c

______ mg/h en perfusion continue OU ______ mg q ______ h

Entredoses de *0,3* mg en bolus PRN avec période réfractaire de *60* minutes.

× 4 doses max

Signature médecin : *Julie Chiasson 926754* Date : *2019/02/02 18 h 10*

Étape 1 Collecter les données

- Validez l'ordonnance ainsi que les paramètres en cours et recherchez les informations pertinentes :
  - Date et heure du début de l'ordonnance : ***2019-02-02, 18 h 10***
  - Nom, prénom de la personne et numéro de dossier : ***Yhan Minh #21316***
  - Nom générique ou commercial du médicament : ***morphine***
  - Dose du médicament : ***0,02 mg/kg/h***

- Voie d'administration du médicament : ***sous-cutanée***
- Moment ou fréquence de l'administration du médicament : ***perfusion continue***
- Personne autorisée à prescrire le médicament : **D[re] Julie Chiasson**

- Déterminez le nom du médicament à administrer : *la morphine*, et recherchez les informations importantes, notamment l'*utilisation du médicament pour le traitement de la douleur modérée à intense. Les effets indésirables les plus fréquents sont la confusion, la sédation, l'hypotension, les nausées et la constipation. L'infirmière doit vérifier que la morphine est compatible avec le midazolam. À température pièce ces médicaments sont stables pour une période de 24 heures. La perfusion s/c doit être préparée pour une période de 24 heures.*
- Vérifiez toutes les autres données : *La personne n'a pas d'allergie, elle peut donc recevoir la perfusion.*

Étape 2 Analyser les données

- Repérez les données pertinentes pour effectuer le calcul de la dose quotidienne à préparer, la dose du médicament, le poids et la durée de la perfusion.
- Comparez la dose prescrite avec le médicament disponible afin de vous assurer que les unités de mesure sont les mêmes. *Les unités sont les mêmes.*
- Vérifiez la pertinence d'utiliser le poids (en kilogrammes) ou certains résultats d'analyses sanguines pour effectuer les calculs : *dans cet exemple, l'infirmière doit tenir compte du poids de 72 kg.*

Étape 3 Planifier la préparation

- Réfléchissez à la meilleure façon de calculer la dose requise et déterminez les données utiles. Choisissez la méthode de calcul de dose appropriée au contexte selon les données analysées : la méthode de la formule ou la méthode du rapport-proportion.

Méthode de la formule

$$\text{Dose quotidienne (mg)} = \text{Dose prescrite}\left(\frac{\frac{\text{mg}}{\text{kg}}}{\text{h}}\right) \times \text{Poids (kg)} \times \text{Durée (h)}$$

Méthode du rapport-proportion

$$\text{Dose}\left(\frac{\frac{\text{mg}}{\text{kg}}}{1\ \text{h}}\right) \times \text{Poids (kg)} = \frac{\text{x (mg)}}{\text{Durée (h)}}$$

- Déterminez les données nécessaires au calcul à partir de l'ordonnance :
  - La dose de morphine prescrite : ***0,02 mg/kg/h***
  - Le poids : ***72 kg***
  - La durée du sac de perfusion : ***24 heures***

Étape 4 Calculer la dose

Méthode de la formule

- Transcrivez la formule et remplacez les variables de la formule par les données pertinentes sans oublier d'inscrire les unités de mesure :

$$\text{Dose quotidienne (mg)} = \frac{\frac{0{,}02 \text{ mg}}{\text{kg}}}{\text{h}} \times 72 \text{ kg} \times 24 \text{ h}$$

- Effectuez le calcul selon la méthode de la formule afin de déterminer le débit de perfusion de la morphine. Simplifiez l'équation au besoin :

$$\text{Dose quotidienne (mg)} = \frac{\frac{0{,}02 \text{ mg}}{\cancel{\text{kg}}}}{\cancel{\text{h}}} \times 72 \cancel{\text{kg}} \times 24 \cancel{\text{h}} = 34{,}56 \text{ mg}$$

- Vous obtenez une dose quotidienne de 34,56 mg de morphine.

Puisqu'il s'agit de l'administration d'une sédation palliative par voie SC, l'infirmière doit comparer le résultat obtenu à la concentration disponible pour arrondir en conservant un maximum de précision pour la concentration disponible. Par mesure de sécurité, il est recommandé d'arrondir à la baisse dans une situation comme celle-ci. L'infirmière préparera 34 mg de morphine.

Méthode du rapport-proportion

- Transcrivez le rapport et remplacez les variables du rapport par les données pertinentes sans oublier d'inscrire les unités de mesure :

$$\frac{\frac{0{,}02 \text{ mg}}{\text{kg}}}{1 \text{ h}} \times 72 \text{ kg} = \frac{x \text{ (mg)}}{24 \text{ h}}$$

- Effectuez le calcul selon la méthode du rapport afin de déterminer le débit de perfusion de la morphine. Simplifiez l'équation au besoin :

$$x \text{ mg} \times 1 \text{ h} = 0{,}02 \frac{\text{mg}}{\cancel{\text{kg}}} \times 72 \cancel{\text{kg}} \times 24 \text{ h}$$

$$x \text{ mg} = \frac{0{,}02 \text{ mg} \times 72 \times 24 \cancel{\text{h}}}{1 \cancel{\text{h}}}$$

$$x \text{ mg} = 34{,}56 \text{ mg}$$

- Vous obtenez une dose quotidienne de 34,56 mg de morphine.

Puisqu'il s'agit de l'administration d'une sédation palliative par voie SC, l'infirmière doit comparer le résultat obtenu à la concentration disponible pour arrondir en conservant un maximum de précision pour la concentration disponible. Par mesure de sécurité, il est recommandé d'arrondir à la baisse dans une situation comme celle-ci. L'infirmière préparera 34 mg de morphine.

Étape 5 Vérifier le résultat obtenu

Cette cinquième et dernière étape est essentielle à l'administration sécuritaire d'un médicament.

- Validez le résultat obtenu : le calcul est-il exact ? Vérifiez-le en effectuant 2 fois votre calcul.
- Utilisez votre jugement pour déterminer si le résultat obtenu est vraisemblable. *Effectivement, ce résultat est plausible et conforme, car il est possible de remplacer la variable dans le rapport-proportion :*

$$\frac{34{,}56 \text{ mg}}{24 \text{ h}} = \frac{\frac{0{,}02 \text{ mg}}{\text{kg}}}{1 \text{ h}} \times 72 \text{ kg}$$

- En simplifiant les fractions, on obtient :

$$\frac{34{,}56 \text{ mg}}{24 \text{ h}} = \frac{1{,}44 \text{ mg}}{1 \text{ h}}$$

$$1{,}44 = 1{,}44$$

ALERTE INFIRMIÈRE

Au moment de la préparation d'une perfusion, la dose de médicament que l'infirmière injecte dans le sac est la dose requise pour 24 heures. Étant donné le risque lié aux conséquences néfastes d'une erreur de médicament dans la préparation d'une sédation palliative continue, il est essentiel d'appliquer la double vérification indépendante avant de procéder à la perfusion sous-cutanée. La vigilance lors de la préparation et le recours à la double vérification indépendante au moment de préparer la solution à perfuser et de programmer la pompe sont des pratiques exemplaires auxquelles l'infirmière doit se conformer pour assurer la sécurité de la personne soignée. L'infirmière doit aussi s'assurer de verrouiller la pompe pour éviter un changement de programmation involontaire qui pourrait causer des préjudices graves à la personne qui reçoit la perfusion.

Exercez-vous : p. 196 du cahier d'exercices.

OBJECTIF 7.12 Calculer la dose de médicament correspondant au vide d'air

Dans certaines situations, l'infirmière doit utiliser un sac vide, spécialement conçu pour injecter des médicaments dans le but de les perfuser. En perfusion SC, le débit idéal se situe entre 0,4 mL/h et 1 mL/h et ne doit pas dépasser 2 mL/h en présence d'un médicament. L'infirmière doit déterminer la concentration de chaque médicament. Elle devra utiliser et ajouter un diluant aux médicaments pour obtenir le volume total idéal.

La concentration de la morphine est de 10 mg/mL, et celle du midazolam est de 5 mg/mL. Le diluant à ajouter est une solution de NaCl 0,9 % pour injection. Le volume de la tubulure est de 6 mL.

Le sac devra contenir plus de médicament que la dose quotidienne afin d'effectuer le vide d'air avec la même concentration que la perfusion. L'infirmière doit calculer la quantité supplémentaire de médicament qu'elle doit ajouter au sac afin de préserver la concentration désirée.

ALERTE INFIRMIÈRE

On ajoute le volume du vide d'air au 1er sac et à chaque changement de tubulure puisque la perfusion aura une durée de 24 heures. Au moment du changement de sac, il doit rester un volume de solution dans la tubulure.

Situation clinique

Reprenons la situation clinique de M. Yhan.

Étape 1 Collecter les données

L'ordonnance a été validée à l'objectif précédent et l'infirmière connaît les éléments importants concernant la morphine et le midazolam. Nous ne répéterons pas l'information.

Étape 2 Analyser les données

- Repérez les données pertinentes pour effectuer le calcul de la dose quotidienne à préparer, la dose horaire de chaque médicament et la concentration disponible pour chacun d'eux, ainsi que le volume nécessaire au vide d'air.
- Comparez la dose prescrite avec le médicament disponible afin de vous assurer que les unités de mesure sont les mêmes. *Les unités sont les mêmes.*
- Vérifiez la pertinence d'utiliser le poids (en kilogrammes) ou certains résultats d'analyses sanguines pour effectuer les calculs : *dans cet exemple, l'infirmière a tenu compte du poids de 72 kg à l'objectif précédent.* Nous utiliserons les données calculées à ce moment.

Étape 3 Planifier la préparation

Réfléchissez à la meilleure façon de calculer la dose requise et déterminez les données utiles. Choisissez la méthode de calcul de dose appropriée au contexte selon les données analysées : la méthode de la formule ou la méthode du rapport-proportion.

Méthode de la formule

$$\text{Dose supplémentaire de médicament (mg)} = \text{Dose}\left(\frac{\text{mg}}{1\text{ mL}}\right) \times \text{Volume du vide d'air (mL)}$$

Méthode du rapport-proportion

$$\frac{\text{Dose (mg)}}{1 \text{ mL}} = \frac{\text{Dose supplémentaire (mg)}}{\text{Volume du vide d'air (mL)}}$$

- Dose horaire de morphine : ***1,44 mg*** (obtenue ainsi : $0{,}02 \frac{\frac{\text{mg}}{\text{kg}}}{\text{h}} \times 72 \text{ kg}$)
- Concentration de morphine disponible : ***10 mg/mL***
- Dose horaire de midazolam : ***1 mg***
- Concentration de midazolam disponible : ***5 mg/mL***
- Volume nécessaire au vide d'air : ***6 mL***
- Volume de morphine pour 1 mL de solution : ***0,144 mL***, obtenu ainsi :

$$\text{Volume de médicament par millilitre de solution} = \frac{\text{Dose horaire (mg)}}{\text{Concentration}\left(\frac{\text{mg}}{\text{mL}}\right)}$$

- Volume de midazolam : ***0,2 mL*** (obtenu avec la même formule que la morphine)
- Volume de NaCl : ***0,656 mL*** (obtenu ainsi : 1 mL – 0,144 mL – 0,2 mL)

Étape 4 Calculer la dose

Méthode de la formule

- Transcrivez la formule et remplacez les variables de la formule par les données pertinentes sans oublier d'inscrire les unités de mesure.
- Effectuez le calcul selon la méthode de la formule afin de déterminer la dose de chaque médicament que représente le vide d'air. Simplifiez l'équation au besoin :

$$\text{Dose supplémentaire de morphine (mg)} = 1{,}44 \frac{\text{mg}}{\text{mL}} \times 6 \text{ mL} = 8{,}64 \text{ mg de morphine}$$

$$\text{Dose supplémentaire de midazolam (mg)} = 1 \frac{\text{mg}}{\text{mL}} \times 6 \text{ mL} = 6 \text{ mg de midazolam}$$

- Vous obtenez 8,64 mg de morphine et 6 mg de midazolam.

Méthode du rapport-proportion

- Transcrivez le rapport et remplacez les variables du rapport par les données pertinentes sans oublier d'inscrire les unités de mesure.
- Effectuez le calcul selon la méthode du rapport afin de déterminer la dose de chaque médicament pour le vide d'air. Simplifiez l'équation au besoin.
  Pour la morphine :

$$\frac{1{,}44 \text{ mg}}{1 \text{ mL}} = \frac{x \text{ mg}}{6 \text{ mL}}$$

$$x \text{ mg} \times 1 \text{ mL} = 1{,}44 \text{ mg} \times 6 \text{ mL}$$

$$x \text{ mg} = \frac{1{,}44 \text{ mg} \times 6 \cancel{\text{mL}}}{1 \cancel{\text{mL}}}$$

$$x \text{ mg} = 8{,}64 \text{ mg}$$

Pour le midazolam :

$$\frac{1\text{ mg}}{1\text{ mL}} = \frac{x\text{ mg}}{6\text{ mL}}$$

$$x = \frac{1\text{ mg} \times 6 \cancel{\text{mL}}}{1 \cancel{\text{mL}}}$$

$$x\text{ mg} = 6\text{ mg}$$

Étape 5 Vérifier le résultat obtenu

Cette cinquième et dernière étape est essentielle à l'administration sécuritaire d'un médicament.

- Validez le résultat obtenu : le calcul est-il exact ? Vérifiez-le en effectuant 2 fois votre calcul.
- Utilisez votre jugement pour déterminer si le résultat obtenu est vraisemblable. *Effectivement, ce résultat est plausible et conforme, car il est possible de remplacer la variable dans le rapport-proportion.*
- En simplifiant les fractions, on obtient :

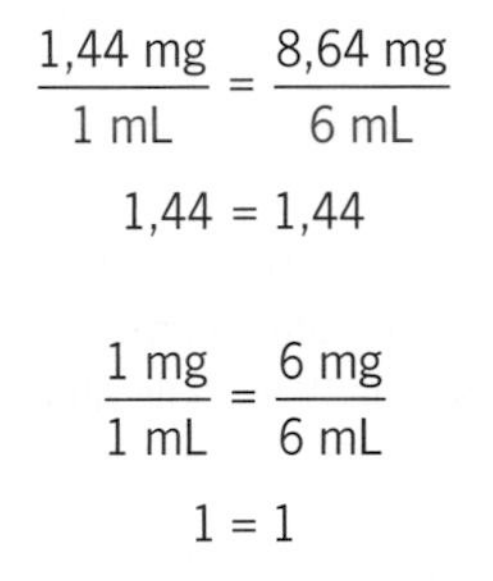

$$\frac{1{,}44\text{ mg}}{1\text{ mL}} = \frac{8{,}64\text{ mg}}{6\text{ mL}}$$

$$1{,}44 = 1{,}44$$

Et

$$\frac{1\text{ mg}}{1\text{ mL}} = \frac{6\text{ mg}}{6\text{ mL}}$$

$$1 = 1$$

Exercez-vous : p. 198 du cahier d'exercices.

OBJECTIF 7.13 Calculer le volume de diluant nécessaire à la préparation de la perfusion dans un contexte de sédation palliative

Situation clinique

Poursuivons avec la préparation de la solution pour la sédation palliative de M. Yhan.

Étape 1 Collecter les données

L'ordonnance a été validée dans les situations cliniques précédentes et l'infirmière connaît les éléments importants concernant la morphine et le midazolam. Nous ne répéterons pas l'information.

Étape 2 Analyser les données

- Repérez les données pertinentes pour effectuer le calcul du volume à préparer, la dose quotidienne de chaque médicament incluant le vide d'air, la concentration de chaque

médicament et le volume idéal pour respecter la vitesse d'administration suggérée en perfusion continue par voie sous-cutanée.
- Comparez la dose prescrite avec le médicament disponible afin de vous assurer que les unités de mesure sont les mêmes. *Les unités sont les mêmes.*
- Vérifiez la pertinence d'utiliser le poids (en kilogrammes) ou certains résultats d'analyses sanguines pour effectuer les calculs : *dans cet exemple, l'infirmière a tenu compte du poids de 72 kg pour calculer la dose de morphine.* Nous utiliserons les données calculées aux objectifs précédents de cette situation clinique.

Étape 3 Planifier la préparation

Réfléchissez à la meilleure façon de calculer la dose requise et déterminez les données utiles. Choisissez la méthode de calcul de dose appropriée au contexte selon les données analysées : la méthode de la formule ou la méthode du rapport-proportion.

Méthode de la formule

$$\text{Volume diluant (mL)} = \text{Volume idéal (mL)} - \text{Volume des médicaments (mL)}$$

Méthode du rapport-proportion

Il n'y a pas d'avantages à utiliser cette méthode ; nous ne la présenterons pas.

- Dose quotidienne de morphine : ***34,56 mg***
- Dose de morphine dans le vide d'air : ***8,64 mg***
- Concentration de morphine disponible : ***10 mg/mL***
- Dose quotidienne de midazolam : ***24 mg***
- Dose de midazolam dans le vide d'air : ***6 mg***
- Concentration de midazolam disponible : ***5 mg/mL***
- Volume de la morphine : ***4,3 mL*** obtenu ainsi : $\dfrac{\text{Dose totale de médicament (mg)}}{\text{Concentration}\left(\dfrac{\text{mg}}{\text{mL}}\right)}$
- Volume de midazolam : ***6 mL***
- Volume idéal dans le sac : ***24 mL + 6 mL pour le vide d'air de la tubulure***

Étape 4 Calculer la dose

Méthode de la formule

- Transcrivez la formule et remplacez les variables de la formule par les données pertinentes sans oublier d'inscrire les unités de mesure :

$$x \text{ mL} = 30 \text{ mL} - (4{,}3 \text{ mL} + 6 \text{ mL})$$

- Effectuez le calcul selon la méthode de la formule afin de déterminer le volume de NaCl 0,9 % à ajouter à la préparation. Simplifiez l'équation au besoin :

$$x \text{ mL} = 19{,}7 \text{ mL}$$

- Vous obtenez 19,7 mL de NaCl 0,9 % à ajouter au sac de perfusion.

ALERTE INFIRMIÈRE

Lors de la préparation, l'infirmière devra utiliser son jugement clinique pour sélectionner le calibre de la seringue le plus approprié pour préparer la dose avec précision. Une 2e seringue pourrait s'avérer nécessaire.

Étape 5 Vérifier le résultat obtenu

Cette cinquième et dernière étape est essentielle à l'administration sécuritaire d'un médicament.

Exercez-vous : p. 201 du cahier d'exercices.

- Validez le résultat obtenu : le calcul est-il exact ? Vérifiez-le en effectuant 2 fois votre calcul.
- Utilisez votre jugement pour déterminer si le résultat obtenu est vraisemblable. *Effectivement, ce résultat est plausible et conforme, car il est possible de remplacer la variable dans l'équation et il est possible de faire la preuve par l'opération inverse :*

$$30 \text{ mL} = 19{,}7 \text{ mL} + 4{,}3 \text{ mL} + 6 \text{ mL}$$

GLOSSAIRE

Ampoule Tube de verre transparent, scellé aux deux extrémités et au col étroit et allongé, renfermant une dose de médicament liquide. (chap. 4)

Analgésique opioïde Médicament de la famille de la morphine qui diminue ou supprime la sensibilité à la douleur en agissant sur des récepteurs spécifiques du système nerveux central. (chap. 2)

Analogue de l'insuline Insuline fabriquée en laboratoire, qui est légèrement modifiée par rapport à l'insuline humaine afin qu'elle présente de nouvelles propriétés : par exemple une absorption plus lente ou une vitesse d'action plus rapide. (chap. 4)

Anaphylactique Se dit d'une réaction allergique grave et potentiellement mortelle caractérisée par une réaction cutanée, un œdème important et une difficulté respiratoire progressive et sévère. (chap. 2)

Antiémétique Médicament qui agit contre les nausées et les vomissements. (chap. 2)

Antinéoplasique Médicament qui ralentit ou qui arrête la prolifération des cellules cancéreuses. (chap. 6)

Anxiolytique Médicament qui aide à réduire les symptômes de l'anxiété comme la sensation de peur, de crainte et de doute ainsi que des symptômes physiques tels que des tremblements, des palpitations et des étourdissements. (chap. 2)

Bactériostatique Se dit d'une substance chimique qui inhibe la prolifération bactérienne. (chap. 4)

Bolus Dose de médicament qui doit être administrée rapidement et en une seule fois, généralement par voie intraveineuse. (chap. 4 et 5)

Caplet Comprimé de forme allongée, recouvert d'une substance le rendant facile à avaler et masquant son goût. (chap. 3)

Capsule Préparation orale d'un médicament contenu dans une enveloppe de gélatine soluble de consistance dure ou molle. (chap. 3)

Cathéter Tube fin, mince et flexible que l'on insère dans un vaisseau sanguin afin de perfuser des médicaments et/ou des produits sanguins. (chap. 4)

Cellulite Inflammation du tissu sous-cutané causée par une bactérie. (chap. 6)

Clairance de créatinine Mesure du rapport entre le débit d'élimination de la créatinine (déchet organique habituellement éliminé par les reins) à travers l'urine et sa concentration dans le sang. Cet examen permet d'évaluer la filtration rénale. (chap. 2)

Collyre Solution médicamenteuse stérile instillée en gouttes dans le cul-de-sac conjonctival inférieur (au centre et à l'intérieur de la paupière inférieure) pour produire un effet sur l'œil. (chap. 2)

Comprimé Préparation orale faite d'une poudre comprimée. (chap. 3)

Comprimé entérosoluble Comprimé qui possède un enrobage gastrorésistant et qui se dissout après son évacuation de l'estomac. (chap. 3)

Compte-gouttes gradué Dispositif servant à mesurer et à administrer de petites doses de médicaments. Le compte-gouttes est souvent fourni par le fabricant avec le médicament ; il est donc étalonné selon une échelle qui correspond aux doses habituellement prescrites du médicament qu'il accompagne. (chap. 6)

Concentration Rapport de la masse d'un corps dissous au volume de la solution, c'est-à-dire la quantité d'ingrédient actif contenue dans une quantité donnée de solution médicamenteuse. (chap. 1)

Contenant biorisque Contenant jaune rigide, résistant et sécuritaire, à l'épreuve des perforations, conçu pour se débarrasser des objets pointus et tranchants. (chap. 4)

Contenant multidose Emballage contenant plus d'une dose de médicament. (chap. 6)

Cuillère graduée Cuillère spéciale utilisée pour mesurer et administrer avec précision des médicaments liquides. Employée le plus souvent chez les enfants, la cuillère graduée contient jusqu'à 10 mL de médicament. (chap. 6)

Cytotoxique Se dit d'une substance qui inhibe ou empêche le bon fonctionnement des cellules. (chap. 2)

Déglutition Action d'avaler sa salive ou des aliments par voie buccale. (chap. 4)

Démarche en 5 étapes Méthode permettant de préparer des médicaments en vue d'une administration conforme et sécuritaire. Elle comporte 5 étapes essentielles : collecter les données, analyser les données, planifier la préparation, calculer la dose, vérifier le résultat obtenu. (chap. 3 et 4)

Dénominateur Nombre placé sous la barre d'une fraction qui indique en combien de parties égales le tout a été divisé. Dans la fraction $\frac{1}{4}$, par exemple, le dénominateur est 4. (chap. 1)

Distribution des médicaments Répartition d'un médicament à l'intérieur des tissus et des liquides cellulaires. (chap. 6)

Dividende Nombre à diviser. (chap. 1)

Diviseur Nombre qui en divise un autre. (chap. 1)

Dose fractionnée Dose donnée en plusieurs fois, en particulier chez l'enfant. (chap. 6)

Dose thérapeutique Dose de médicament adéquate pour assurer un traitement efficace des signes et des symptômes d'une maladie ou d'un état. (chap. 6)

Douleur rétrosternale Douleur habituellement d'origine cardiaque qui se présente sous forme d'une pression derrière et au centre du sternum ainsi qu'une sensation de serrement. (chap. 2)

Dysphagie Trouble de la déglutition lié au passage difficile des aliments de la bouche vers l'estomac. (chap. 3)

Ecchymose Tache bleue sur la peau qui signale un épanchement de sang sous la peau. (chap. 5)

Élixir Préparation liquide généralement composée du mélange d'un médicament, d'eau et d'alcool. (chap. 3)

Émulsion Préparation contenant deux médicaments hétérogènes qui ne se mélangent que lorsqu'on agite la préparation. (chap. 3 et 4)

Enrobage gastrorésistant (ou entérosoluble) Enveloppe cireuse et rigide d'un comprimé, qui empêche la dissolution du comprimé dans le milieu acide de l'estomac afin de libérer le médicament dans le milieu intestinal neutre ou alcalin. (chap. 2 et 3)

Épistaxis Saignement de nez. (chap. 5)

Excipient Substance autre que le principe actif entrant dans la composition d'un médicament. (chap. 2)

Facteur d'écoulement Nombre de gouttes par millilitre qu'une tubulure intraveineuse laisse passer. (chap. 5)

Fenêtre thérapeutique Intervalle qui se situe entre la dose minimale et la dose maximale permise du médicament prescrit. En pédiatrie, il faut toujours calculer si la dose du médicament prescrit se situe dans la fenêtre thérapeutique. (chap. 6)

Fiole Petite bouteille de verre ou de plastique scellée par un bouchon de caoutchouc ponctionnable et renfermant une solution stérile, un médicament liquide ou une poudre à reconstituer. (chap. 4)

Fraction Partie d'un tout divisé en parties égales. Les fractions sont écrites sous la forme $\frac{A}{B}$. (chap. 1)

Fraction complexe Fraction dont le numérateur, le dénominateur ou les deux peuvent être un nombre entier, une fraction ou un nombre fractionnaire. La valeur de la fraction peut être supérieure, inférieure ou égale à 1. (chap. 1)

Fraction équivalente Fraction réduite à sa plus simple expression. Les fractions équivalentes ont des nombres différents, mais représentent la même valeur. (chap. 1)

Gélule Enveloppe gélatineuse molle contenant un médicament liquide ; elle ne doit pas être croquée. (chap. 3)

Glycémie Taux de glucose sanguin. (chap. 4)

Gobelet gradué Petit verre en plastique jetable de 30 mL qui sert à mesurer la plupart des médicaments liquides à administrer par voie orale. (chap. 3)

Hématurie Présence de sang dans l'urine. (chap. 5)

Hémodynamique Qui se rapporte aux conditions mécaniques de la circulation du sang : pression, débit. (chap. 7)

Hyperbilirubinémie Taux de bilirubine élevé dans le sang. (chap. 6)

Hypovolémie Déficit de plasma sanguin dans le système circulatoire. Peut être causé par la perte de sang ou par un apport insuffisant de liquides. (chap. 5)

Infection gonococcique Infection sexuellement transmissible causée par la bactérie *Neisseria gonorrhoeae* qui se manifeste par une sensation de brûlure et des écoulements jaunâtres au niveau du vagin, de l'anus et du pénis. (chap. 2)

Ingrédient actif Substance contenue dans un médicament qui est responsable des effets thérapeutiques. Un même médicament peut contenir plusieurs ingrédients actifs. (chap. 1)

Insuline basale Insuline à action prolongée ou intermédiaire, qui couvre les besoins insuliniques pendant 24 h. Elle sert à maintenir une glycémie normale en dehors des repas. (chap. 4)

Insuline prandiale Insuline rapide administrée au moment des repas, en fonction de la quantité de glucides ingérés. (chap. 4)

Intégrité Qualité d'une personne droite et loyale. Elle implique l'honnêteté, la franchise et l'équité. Elle est à la base même des devoirs déontologiques de l'infirmière. (chap. 2)

Labile Qui est fragile, peu stable, susceptible de subir des modifications. (chap. 7)

Libération continue Préparation médicamenteuse libérée de façon continuelle. Aussi appelée *libération prolongée*. (chap. 3)

Lyophilisé Qui a subi la lyophilisation, un procédé de conservation d'une substance médicamenteuse consistant en une déshydratation sous vide dans une fiole. Une fois reconstitué à l'aide d'un solvant approprié, le produit retrouve ses qualités et propriétés premières. (chap. 4)

Méléna Selles noirâtres contenant du sang digéré. (chap. 5 et 7)

Méthode de la formule L'une des méthodes utilisées pour calculer les doses de médicaments. La formule employée est une équation. On remplace les inconnues de l'équation par des valeurs pour déterminer la dose de médicament à administrer. (chap. 3)

Méthode du rapport-proportion L'une des méthodes utilisées pour calculer les doses de médicaments. L'équation utilisée est la suivante :

$$\frac{\text{Teneur du médicament disponible (mg)}}{\text{Volume ou quantité du médicament disponible (mL ou co.)}} = \frac{\text{Dose prescrite (mg)}}{x \text{ (mL ou co.)}}$$ (chap. 3)

Méthodes de soins informatisées (MSI) Outil de recherche destiné aux professionnels de la santé qui tient compte des pratiques de soins exemplaires et des données probantes. Il décrit les différentes méthodes de soins et est habituellement disponible dans le réseau de la santé du Québec ou par abonnement dans le secteur privé. (chap. 7)

Microperfuseur à ailettes de type papillon Dispositif médical stérile à usage unique composé d'une aiguille à ailettes raccordée à une tubulure souple qui se termine par un embout adaptable à la ligne de perfusion. (chap. 4)

Milliéquivalent Unité de mesure équivalant à un millième de un équivalent-gramme. (chap. 1)

Milliosmole (mOsm) Unité de pression osmotique d'une mole égale à un millième d'osmole. (chap. 5)

Mole Unité de mesure de la quantité de matière dont la masse en grammes est égale à son poids moléculaire. Une millimole (mmol) correspond à un millième de mole. (chap. 1)

Naïveté aux opioïdes Caractéristique d'une personne qui prend un nouvel opiacé depuis moins d'une semaine. (chap. 2)

Nitroglycérine Médicament qui sert à prévenir les douleurs thoraciques, à réduire les crises angineuses et à soulager les douleurs au cours d'une crise. (chap. 2)

Nombre décimal Nombre qui possède des chiffres situés à droite de la virgule. Ces chiffres correspondent à la partie décimale, alors que les chiffres situés à gauche de la virgule constituent la partie entière. La valeur du nombre décimal est déterminée par la position des chiffres situés à droite de la virgule décimale. (chap. 1)

Nombre entier Nombre qui s'écrit sans chiffre après la virgule et qui est supérieur ou égal à 0. (chap. 1)

Nombre fractionnaire Fraction composée d'un nombre entier et d'une fraction. La valeur de ce nombre est toujours supérieure à 1. (chap. 1)

Nombre rationnel Fraction dont le numérateur est plus grand que le dénominateur. Le résultat de la division du numérateur par le dénominateur est supérieur ou égal à 1. (chap. 1)

Nomogramme Outil graphique de calcul. (chap. 6)

Numérateur Nombre qui se trouve au-dessus de la barre d'une fraction. Par exemple, dans la fraction $\frac{2}{4}$, le numérateur est 2. (chap. 1)

Opioïde Toute drogue synthétique dérivée partiellement ou totalement de l'opium et dont les effets sont similaires à ceux de l'opium ; préparation médicamenteuse utilisée pour soulager les douleurs modérées à sévères. (chap. 4)

Osmolarité Nombre de particules ou quantité de substance qui se trouve dans 1 litre de solution. L'osmolarité est exprimée en milliosmoles par litre (mOsm/L). (chap. 5)

Pédiculose Infestation parasitaire du cuir chevelu causée par le pou de tête (*Pediculus humanus capitis*). (chap. 2)

Perfuseur de précision Dispositif muni d'un réservoir gradué situé au-dessus de la chambre compte-gouttes. (chap. 5)

Perfusion primaire Perfusion servant à administrer de façon continue une solution stérile par voie intraveineuse afin de maintenir ou de rétablir l'équilibre hydroélectrolytique. La solution peut aussi contenir des additifs, par exemple un médicament. (chap. 5)

Perfusion secondaire Perfusion servant à administrer des médicaments par voie intraveineuse intermittente. (chap. 5)

Perte insensible Perte en eau (par le corps) que l'on ne peut pas quantifier, comme la transpiration. (chap. 6)

Perte sensible Perte en eau (par le corps) que l'on peut quantifier, comme l'urine. (chap. 6)

Pétéchies Petites taches rouges sur la peau qui ne blanchissent pas à la pression et qui sont habituellement causées par l'infiltration de sang sous la peau. Hémorragie mineure à la suite de la rupture d'un capillaire sanguin. (chap. 5)

Physicochimique Qualifie les caractéristiques physiques et chimiques d'une réaction ou d'un phénomène. (chap. 4)

Plus petit commun multiple (PPCM) Plus petit entier différent de zéro qui est le multiple de deux ou plusieurs nombres. (chap. 1)

Polychlorure de vinyle (PVC) Matière plastique très courante formée de sel et de pétrole. La stabilité physicochimique du PVC lui permet d'être largement utilisé dans l'industrie alimentaire et médicale. Il peut être souple ou rigide. (chap. 4 et 5)

Poudre à reconstituer Médicament sous forme de poudre lyophilisée se présentant dans une fiole, dans laquelle on ajoute un solvant déterminé afin de rendre la solution injectable par voie parentérale. (chap. 4)

Pourcentage Taux (%) calculé sur 100 unités. (chap. 1)

Précipité Dans un liquide, formation d'un corps insoluble qui se dépose au fond du récipient. (chap. 4)

Probénécide Médicament utilisé pour élever et prolonger les concentrations sériques de certains antibiotiques. (chap. 5)

Produit Résultat d'une multiplication. (chap. 1)

Produit croisé (règle de trois) Méthode de calcul permettant de calculer la valeur d'une variable inconnue à partir de trois autres variables dont la valeur est connue. (chap. 1)

Proportion Égalité entre deux rapports. On peut exprimer une proportion en écrivant les deux rapports sous la forme de fractions équivalentes séparées par le symbole d'égalité. Une proportion est composée de quatre variables. (chap. 1)

Quotient Résultat de la division. (chap. 1)

Rapport Relation entre deux unités ou quantités. Pour indiquer un rapport entre deux nombres, on les sépare par une barre de division. La barre se lit « pour ». Les fractions sont des rapports. (chap. 1)

Réaction anaphylactique Réaction allergique aiguë, dont les symptômes apparaissent immédiatement après le contact avec l'allergène. (chap. 4)

Réaction transfusionnelle Réaction du système immunitaire, pendant une transfusion sanguine ou à la suite de celle-ci, et qui provoque l'hémolyse des globules rouges transfusés. (chap. 7)

Rétropéritoine Partie de l'abdomen située derrière le péritoine. (chap. 5)

Sécable Qui peut être coupé, divisé. (chap. 3)

Seringue Contenant de plastique jetable, avec un piston et une aiguille, qui sert à mesurer et à administrer la dose exacte de médicaments destinés à la voie parentérale, par injection. (chap. 3 et 4)

Seringue à insuline Seringue étalonnée en unités plutôt qu'en millilitres. On l'utilise pour mesurer et administrer l'insuline avec précision. La seringue à insuline la plus courante est la seringue U-100, qui possède une capacité de 100 unités d'insuline U-100, ce qui équivaut à 1 mL. La seringue est graduée aux 5 unités. (chap. 4)

Seringue à tuberculine Seringue de 1 mL graduée aux centièmes (0,01) de millilitre et sur laquelle les dixièmes (0,1) sont marqués. Elle sert à mesurer et à administrer de petites doses de médicaments et s'utilise généralement avec une aiguille de calibre 25 (1,25 cm). Elle peut également servir à administrer de petites doses par voie orale. (chap. 3 et 4)

Sirop Médicament liquide contenu dans une solution sucrée. (chap. 3)

Soluté Substance contenue à l'état dissous dans une solution, par exemple un soluté de NaCl 0,9 %. (chap. 4)

Solution Mélange homogène de deux ou plusieurs corps, présentant une seule phase. (chap. 1)

Solution cristalloïde Solution électrolytique claire qui quitte facilement l'espace vasculaire et pénètre rapidement dans le compartiment extracellulaire. (chap. 5)

Solution hypertonique Solution dont la concentration est supérieure à celle du plasma sanguin. (chap. 5)

Solution hypotonique Solution dont la concentration est inférieure à celle du plasma sanguin. (chap. 5)

Solution isotonique Solution dont la tension osmotique est identique à celle du plasma sanguin. (chap. 5)

Solution limpide Médicament liquide ayant la clarté et la transparence de l'eau claire. (chap. 4)

Solvant Liquide possédant la propriété de dissoudre certaines substances, par exemple l'eau stérile dans une préparation injectable (PPI). (chap. 4)

Surface corporelle Étendue de la peau recouvrant le corps. (chap. 6)

Suspension Préparation médicamenteuse liquide qui contient un médicament solide en fines particules dispersé dans un liquide. (chap. 3 et 4)

Teneur Quantité d'ingrédient actif contenue dans un médicament. (chap. 1)

Test cutané à la tuberculine (TCT) Test permettant de déterminer si une personne a déjà été infectée par la mycobactérie qui cause la tuberculose. Effectué au moyen de l'injection d'une solution de tuberculine par voie intradermique au niveau de l'avant-bras. (chap. 4)

Troncature Action de ne retenir qu'un certain nombre de chiffres du développement décimal, sans arrondir. (chap. 5)

Tubulure macrogouttes Tubulure de perfusion intraveineuse qui laisse passer 10, 15 ou 20 gouttes par millilitre. (chap. 5)

Tubulure microgouttes Tubulure de perfusion intraveineuse qui laisse passer 60 gouttes par millilitre. (chap. 5)

Tubulure primaire Tubulure dont une extrémité est reliée directement au sac de perfusion et l'autre extrémité au cathéter inséré dans la veine. (chap. 5)

Tubulure secondaire Tubulure dont une extrémité est reliée à un deuxième sac de perfusion et l'autre extrémité à un point d'insertion dans la tubulure primaire. (chap. 5)

Turbidité État d'un liquide trouble. (chap. 4)

Voie intradermique Mode d'administration qui consiste à injecter un médicament dans le derme ou dans la couche de tissu située immédiatement sous l'épiderme. (chap. 4)

Voie intramusculaire Mode d'administration qui consiste à injecter un médicament directement dans le muscle situé immédiatement sous la couche sous-cutanée, à l'aide d'une aiguille introduite à un angle de 90 degrés. (chap. 4)

Voie sous-cutanée Mode d'administration qui consiste à injecter un médicament dans le tissu sous-cutané, au-dessus du muscle, à l'aide d'une aiguille introduite à un angle de 45 à 90 degrés. (chap. 4)

SOURCES DES PHOTOGRAPHIES ET DES ILLUSTRATIONS

Couverture : Andrew Brooke/Getty Images.

Chapitre 2

Figure 2.13 : Evgenyrychko/Shutterstock, Medifilm AG. **Figure 2.16** : NEWBOLD CORP.

Chapitre 3

Figures 3.1 et **3.2** : Michel Rouleau. **Figures 3.3 A** et **B** : Michel Rouleau. **Figures 3.3 C** et **3.4** : Jasmin Tremblay. **Figures 3.5, 3.6** et **3.7** : Michel Rouleau. **Tableau 3.1** : Martin Lisner/Shutterstock, NIKS ADS/Shutterstock, Paul Mogford/Alamy, BW Folsom/Shutterstock, Victor Moussa/Shutterstock, lush/Shutterstock, F16-ISO100/Shutterstock. **Figure 3.8** : BDoss928/Shutterstock.

Chapitre 4

Figure 4.2 : Science Source/Science Source Photo Library. **Figure 4.3** : Arturs Budkevics/ Alamy. **Figure 4.4** : DonyaHHI/Shutterstock. **Figure 4.5** : Irina Pusztai. **Figure 4.6** : Jasmin Tremblay. **Figure 4.7** : Irina Pusztai. **Figure 4.8** : Jasmin Tremblay. **Figures 4.9, 4.10** et **4.11** : Jasmin Tremblay. **Figures 4.12, 4.13** et **4.14** : Irina Pusztai. **Figures 4.15** à **4.22** : Jasmin Tremblay. **Figure 4.23** : Michel Rouleau. **Figures 4.24** et **4.25** : Jasmin Tremblay. **Figures 4.28 A** et **B** : Jasmin Tremblay. **Figure 4.28 C** : Helen Sessions/Alamy. **Figure 4.29** : Jasmin Tremblay. **Figure 4.32 A** : BSIP/Getty. **Figure 4.32 B** : Nigel Wilkins/Alamy. **Figure 4.33** : Romaset/Shutterstock. **Figure 4.34** : Irina Pusztai.

Chapitre 5

Figure 5.1 : Jasmin Tremblay. **Figure 5.2** : Véronique Laniel. **Figures 5.3** à **5.7** : Jasmin Tremblay. **Figure 5.8 B** : Pearson.

Chapitre 6

Figures 6.1 à **6.8** : Jasmin Tremblay.

Chapitre 7

Figure 7.5 : Pearson. **Figure 7.7** : Héma-Québec.

INDEX THÉMATIQUE

Les numéros de page en caractères gras renvoient aux passages où les termes sont définis.

B

C

D

E

F

G

H

I

J

N

O

Q

R

S

T

U

V

INDEX DES MÉDICAMENTS